D1373887

BON SANG NE SAURAIT MENTIR

Tome 1

Boris Akounine

BON SANG
NE SAURAIT MENTIR

Tome 1

Roman

Traduit du russe par Paul Lequesne

PRESSES
DE LA CITÉ

Titre original : *Vneklassnoïé Tchténié*

© Presses de la Cité, un département de place des éditeurs , 2008 pour la traduction française
ISBN 978-2-258-06769-1

L'auteur remercie pour leur aide Mila, Irina, Fiodor, Sergueï, Viktor et Vovotchka.

Chapitre premier

RÉCIT D'UN INCONNU

On ne peut pas dire que ça leur réussisse, l'amour, pensa le Correspondant, debout sur l'escalator, en détaillant le panneau publicitaire qui, lentement, descendait vers lui. L'affiche représentait une main gantée de cuir comme aux temps anciens, qui tenait une magnifique rose à la tige hérissée d'épines ; en guise de légende, figurait au-dessous ce distique :

Pour ne point vous blesser aux piquants de l'amour,
Les Trois Mousquetaires appelez au secours.

Et plus bas, en lettres gothiques : « *Préservatifs les Trois Mousquetaires. Tailles : Porthos, Athos, Aramis.* »

C'étaient certes des vers de mirliton, mais d'un point de vue formel, ils relevaient tout de même du domaine de la poésie. N'était-il pas étrange que des trois instincts primordiaux gouvernant l'être humain – l'instinct de satiété, celui de conservation et celui de perpétuation de l'espèce – la poésie eût choisi de s'appesantir sur le troisième, le moins important ? Existait-il ne serait-ce qu'un seul poème génial chantant les sensations de faim ou de peur ? Non pas. Or cependant un ventre vide ou une terreur mortelle vous procurent des sensations autrement plus intenses que les tourments amoureux. L'amour ! tu parles ! (Ici le Correspondant secoua la tête d'un air courroucé.) A présent, il n'y avait plus d'amour, il reposait depuis cinq cent dix-sept jours au cimetière de Vagankovo, mais ce n'était rien, on pouvait encore vivre. Et même encore mieux qu'auparavant. Si l'amour vivait encore, le Grand Mystère ne se serait jamais dévoilé. Il aurait bêtement poursuivi sa bête existence, à regarder les jeux à la télé, et à soigner ses plates-bandes à la datcha. Puis il aurait cassé sa pipe, tel un mouton aveugle, sans avoir jamais trouvé le Chemin.

D'une autre affiche, qui n'était pas de réclame celle-là, mais visait juste à relever le moral des usagers, une jeune fille en uniforme du Métropolitain lui envoyait un baiser aérien. « Nous vous souhaitons un agréable voyage », était-il écrit au-dessous de son portrait. Il la salua poliment et répondit : « Merci. »

Il aperçut un placard invitant à placer son argent dans les succursales de la société d'épargne et de crédit Capitaine Kopeck, et il tirait déjà son calepin pour prendre note en vue d'une nouvelle vérification, quand il remarqua un désordre devant lui : un jeune type se tenait immobile sur l'escalator à côté d'une greluche toute peinturlurée et barrait le passage à qui voulait monter. Le Correspondant spécial s'éleva de quelques marches, toucha le délinquant à l'épaule et déclara :

— On tient sa droite, et on laisse passer à gauche.

Le délinquant allait ouvrir la bouche – sans doute pour proférer une grossièreté –, mais après avoir sondé le regard de l'homme, limpide et sévère, et considéré un instant la largeur de ses épaules (et vive le jogging matinal et les heures passées à soulever des haltères !) il se rangea sur le côté.

Le Correspondant se vit contraint de poursuivre en grimpant les marches, alors que le palier était encore fichtrement loin. Mais c'était égal, rien de mieux, après tout, pour se faire les muscles.

Personne ne barrait plus le passage à gauche, mais tandis qu'il gravissait l'escalier, le Correspondant eut le temps de dire « Non » à une affiche pour shampooing qui intimait : « Dites "non" aux pellicules », et demanda « Comment ? » à une dame portant une épinglette avec l'inscription : « Vous voulez maigrir ? Demandez-moi comment. »

— Quoi ? s'étonna d'abord la dame.

Puis, se reprenant, elle s'enquit avec un sourire :

— Ah ! vous voulez maigrir ?

— Pas du tout, répondit-il. J'ai déjà perdu du poids. Avant j'avais du ventre, et maintenant, vous voyez ?

Il tendit sa veste sur lui pour mettre en valeur sa silhouette impeccable.

— Pourquoi demandez-vous alors comment maigrir ? s'exclama la dame, encore plus étonnée.

— Je ne vous ai pas demandé comment maigrir. J'ai simplement dit : « Comment ? » Comment n'avez-vous pas honte de tromper les gens et de faire votre beurre en abusant de leur crédulité ? Pour maigrir, il faut manger moins, il n'existe aucune autre méthode. Tenez, moi, j'ai cessé de manger, et j'ai perdu trente-deux kilos.

La malhonnête promena un regard inquiet autour d'elle, sa voix se fit plaintive :

— Pourquoi vous en prenez-vous à moi ? Et puis qui êtes-vous d'ailleurs ?

— Correspondant spécial, répondit-il en affichant un grand sourire tant la sonorité de ces deux mots lui inspirait de contentement.

— Hein ? De quoi ? bégaya la femme, interloquée.

— Vous voulez savoir de quoi je suis le correspondant spécial ? s'enquit-il poliment. De la *Pravda*. De la Vérité, si vous préférez. Je vous souhaite tout le bonheur du monde. Mais réfléchissez bien, êtes-vous sûre de vivre comme il faut ?

Il effleura de deux doigts le bord d'un chapeau imaginaire et, quittant la marche à l'instant où elle était avalée, posa le pied sur le sol grisâtre du vestibule du métro.

Bien. Où était donc la sortie donnant rue Solianka ? Ah ! oui, par là.

L'annonce publicitaire donnait juste un numéro à contacter. Au bout du fil on lui avait posé un tas de questions inutiles et fastidieuses, mais il avait la ténacité du journaliste professionnel et avait fini par obtenir ce qu'il voulait, à savoir l'adresse de la société.

Le Correspondant tira de sa poche une page pliée en quatre de l'hebdomadaire *Eros*. Il la déplia.

Voici quelle était l'annonce.

LE PAYS DES SOVIETS

Vous avez besoin d'un bon conseil[1], mais vous ne savez pas à qui vous adresser ?

Vous vous préparez à prendre une décision importante, mais vous hésitez sur le choix de celle-ci ?

Vous avez l'impression que tout est perdu, que vous êtes dans une impasse ?

Il n'existe pas de situations sans issue ! Il y a toujours une solution !

Elle vous sera révélée par le spécialiste des conseils futés

MAÎTRE N. FANDORINE
PRÉSIDENT DU PAYS DES SOVIETS

le royaume enchanté qui ne réclame aucun visa et où tout visiteur est accueilli avec respect et considération.

Résultat garanti !

Contact téléphonique : 7-095-8887777

Une sacrée annonce, sur toute la largeur de la page. Le Correspondant avait appelé le service publicité d'*Eros*, une répugnante publication pornographique qu'il achetait régulièrement en kiosque (il fallait bien surveiller le niveau de décadence des mœurs), et appris ainsi qu'une annonce pleine page coûtait quinze mille dollars. Visiblement, le spécialiste en conseils futés était plein aux as et son business

---

1. *Soviet* signifie « conseil » en russe. (*N.d.T.*)

florissant. Et le nom de la société, Le Pays des Soviets, c'était ce qu'ils appelaient, ces modernes cyniques, un « gimmick ». Mais bah ! on allait bien voir qui rirait le dernier.

Ici même, sur la page de journal, d'une petite écriture tremblée, était inscrite l'adresse qu'on lui avait dictée au téléphone : 1, rue Solianka, bureau n° 13-a.

Le Correspondant replia la feuille, la rangea dans sa poche (en compagnie d'un autre papier dont il caressa amoureusement du bout des doigts les contours rigides et épais), puis il prit à gauche par le passage souterrain.

Avant chaque session extraordinaire, il était saisi d'une émotion toute particulière qui constituait peut-être le charme principal de la mission dont il était chargé. A quoi aurait-on pu comparer ce sentiment ? C'était comme si ses poumons s'emplissaient non pas d'air pollué moscovite, mais d'un champagne frais dont les bulles joyeuses lui chatouillaient les bronches et la trachée. Mais ce n'était pas là de l'orgueil, ni, Dieu merci, de la présomption – « selon mon bon vouloir, je châtie ou je fais grâce ». Aucun arbitraire, aucun parti pris. Dès lors qu'on avait été choisi pour être l'œil qui repère et le doigt qui punit, on se devait de renoncer à tout avis personnel, pas question de fouiller plus loin.

Et cependant, je dois bien avoir quelque chose de particulier, puisque j'ai été choisi, pensa le Correspondant. Il se regarda dans la vitrine d'un kiosque et se trouva satisfait : silhouette bien tournée, fière prestance, costume un peu large, certes, mais toujours élégant, bien que datant de 77, acheté au cours d'une mission à Beyrouth.

Le 1 de la rue Solianka formait presque tout un pâté de maisons, avec plusieurs cours intérieures et une multitude d'entrées. Allez dégoter là-dedans le bureau n° 13-a.

Mais cela ne posa pourtant pas de problème.

La société du Pays des Soviets se révéla une entreprise assez curieuse : ni enseigne ni plaque. Apparemment, maître N. Fandorine ne cherchait pas à afficher son business devant les voisins.

Tu brûles ! se dit le Correspondant, sentant son cœur battre soudain plus vite. Tu brûles !

Le hall d'entrée, il est vrai, le déçut. Pas de vigiles, pas de concierge, pas même de serrure à code – on entrait là comme dans un moulin. Murs décrépits, ascenseur antédiluvien.

L'affaire était claire : le client qui se payait des pleines pages de pub dans le journal jouait les sans-le-sou, cherchait à se soustraire à l'impôt, refusait de partager ses revenus d'escroc avec la communauté.

Au quatrième étage, une plaque de cuivre : « Bureau n° 13-a », et c'était tout. La porte lui fut ouverte par une jolie fille aux jambes interminables, aux cheveux violets et aux yeux verts un peu bizarres. Pantalon de cuir moulant, talons plus que hauts, lèvres couleur d'orange.

— Je ne me trompe pas ? s'enquit le Correspondant. C'est bien ici le siège de la société Le Pays des Soviets ?

Un frisson de désappointement le parcourut : et si c'était là simplement un bordel ? Après tout, l'annonce n'était pas parue dans n'importe quel journal, mais bien dans *Eros*. Il aurait alors perdu son temps, les péchés véniels n'étant pas de sa partie.

— Absolument, répondit l'impressionnante demoiselle. *Zo was ?*

C'est de l'allemand, devina le Correspondant au bout d'un instant. Cela signifie : « Et alors ? » Pas très aimable tout ça.

— J'ai lu dans une publicité qu'on faisait ici commerce de conseils… Or je suis justement dans une situation qui en réclame un certain nombre…

Il avait parlé exprès de la sorte. S'il s'agissait d'une maison close, on lui montrerait tout de suite la porte.

Mais la beauté exotique hocha la tête :

— Un client ? Pour la pub ? *Entrez.*

Du français maintenant ! Voilà qu'il était tombé sur une polyglotte.

L'aspect des locaux confirma son hypothèse sur l'intention des occupants de truander le fisc. C'était un ancien appartement communautaire sans aucune rénovation particulière aux standards « européens ». Un couloir aux murs ornés de quelques gravures menait à une petite pièce de réception : bureau avec matériel informatique, minuscule divan, cactus posé sur le rebord de fenêtre – bref, « y a-t-il quelqu'un que la pauvreté oblige à baisser la tête, etc.[1] »...

La nymphe multicolore s'assit devant son ordinateur, d'où il fallait conclure qu'elle occupait là les fonctions de secrétaire. Le Correspondant se contenta de secouer la tête. Sans doute, avant l'arrivée des inspecteurs des impôts, cette moderne Hellé s'empressait-elle de se débarrasser de son maquillage et d'adopter une tenue plus modeste, autrement il suffisait de la regarder pour tout de suite comprendre pour quel travail on lui versait un salaire et, l'on pouvait en être sûr, pas un petit.

— *Login ? Password ?* demanda la minette en tapotant bruyamment son clavier.

Le Correspondant fut de nouveau pris d'inquiétude : n'y avait-il pas erreur ? Un mot de passe ? Où était-on ici, dans une espèce de club privé ?

— Nom ? But de la visite ? traduisit d'elle-même la secrétaire en poussant un soupir.

Elle enveloppa le visiteur du regard et fronça son joli nez dont l'aile ciselée s'ornait d'un brillant. Le Correspondant eut un sourire ironique : visiblement, il n'avait pas produit sur elle une grosse impression.

— Ecrivez : Nikolaï Ivanovitch Kouznetsov.

Il fit une pause, bien certain que ce nom[2] ne disait rien à une génération de cheveux violets et de lèvres orange. Et en effet, la secrétaire fit aussitôt voleter ses doigts sur le clavier comme si de rien n'était.

— Quant au but de ma visite, je le confierai à maître Fandorine en personne. Je peux entrer ?

Il désigna du menton la porte de chêne derrière laquelle, à l'évidence, était situé le bureau de l'escroc en chef.

— Le poste est momentanément indisponible, grommela l'effrontée en se détournant de l'inintéressant personnage.

---

1. Allusion à une chanson du poète écossais Robert Burns, texte très populaire en Russie et souvent chanté dans les écoles.
2. Nikolaï Ivanovitch Kouznetsov (1911-1944) : héros de la Résistance soviétique durant la Seconde Guerre mondiale.

Elle sortit un petit miroir et y contempla un instant son minois peinturluré. Elle serra les lèvres, les remua de droite à gauche. Il le savait : c'était pour que le rouge s'étalât de manière régulière. Liouba procédait de même. Seulement elle usait d'un rouge de couleur décente, rose clair.

Ce souvenir se rapportait à une vie antérieure, sans réalité, et le Correspondant secoua la tête pour le chasser.

— Je n'ai pas compris. Il n'est pas là ? Ou bien a-t-il un visiteur ?

La secrétaire répondit à nouveau par des propos énigmatiques.

— Le chef voyage dans le temps. Attendez si vous voulez. Tenez, dans le chill-out.

Et, d'un mouvement de tête, elle indiqua le petit divan.

Si j'avais des enfants, je comprendrais sûrement mieux le langage de la jeunesse d'aujourd'hui, se dit le Correspondant. Alors que comme ça, sans professeur à domicile, on se sent comme un étranger avec la nouvelle génération.

Sur une table basse, au lieu des revues habituelles, étaient posés des albums de reproductions de tableaux : Répine, Vasnetsov, Lanceret, Borissov-Moussatov.

Il en feuilleta quelques-uns. On peignait bien autrefois, c'était autre chose que maintenant.

— Shit, merde, scheize !

La secrétaire venait de jeter son miroir sur son bureau.

— Pas rose, rien à faire !

Elle bondit de sa chaise et disparut dans le couloir dans un claquement de talons furieux.

Une hystérique. Elle se conduisait comme si elle était toute seule dans la place. A moins qu'elle n'eût le chic pour distinguer le client friqué du quidam sans le sou. Le sans-le-sou ne devait pas avoir valeur d'être humain pour elle.

Mais moi non plus je ne suis plus tout à fait un être humain à présent, pensa le Correspondant, et tout se prit à palpiter à l'intérieur de lui, car l'Instant de Vérité approchait, l'instant hautement solennel de la Prise de Décision. Il convenait ici de se fier à sa première impression, non altérée par le filtre de la logique ou du préjugé, d'écouter la voix de son propre cœur, qui est lui-même un fragment de Dieu. Il n'y avait pas de quoi plaisanter, une vie humaine était dans la balance, quand bien même le bonhomme était une crapule et un escroc. Il n'avait pas droit à l'erreur, la responsabilité qui lui incombait était par trop importante et terrible.

Le Correspondant se leva et, après avoir frappé quelques coups brefs, ouvrit la porte de chêne.

Le bureau du « président du royaume enchanté » était tout bonnement à vomir. D'abord, un énorme écran d'ordinateur trônant sur une table (c'était la mode chez eux, les nouveaux Russes : plus la boîte en plastoc était grosse, plus c'était « classe », comme ils disaient). Ensuite, accroché au mur, un antique portrait de fonctionnaire de l'Ancien Régime, en grand uniforme (la mode encore, aujourd'hui n'importe quel filou était forcément un aristocrate de vieille souche et se prévalait d'une lignée de nobles ancêtres). Enfin, divers diplômes encadrés sous verre (ils avaient vu trop de films américains, ces lèche-bottes de l'impérialisme). Et, pour couronner le tout, un petit panneau de basket placé dans un coin. Un yuppie intégral !

D'ailleurs le gus avait la gueule de l'emploi. Bien soigné de sa personne, menton rasé de près, la raie impeccable, veste de tweed, mouchoir ressortant de la pochette, dans les mêmes tons que la cravate. Fitness center, golf club, bronzage artificiel, pouah !

D'un geste vif, N. Fandorine fit pivoter son moniteur géant, de manière que l'intrus ne pût même apercevoir un coin de l'écran (il avait donc quelque chose à cacher !), puis il se leva. Un vrai escogriffe ! Il mesurait bien deux mètres, au bas mot. Les lèvres du « maître » affichèrent un sourire mécanique, cependant ses yeux gris exprimaient un sentiment non ambigu : que venait faire là ce gêneur ?

Pour être dérangé, il l'était ! A cet instant même, voyez-vous, se décidait le destin de Danila Fondorine. Le jeune sergent du régiment Semionovski réussirait-il à devenir premier secrétaire de l'épouse du prétendant au trône, la future grande impératrice ? Il lui fallait pour cela passer une épreuve : résoudre une astucieuse énigme posée par celle qui deviendrait plus tard Catherine II. En cas d'insuccès, Danila se voyait expédié au corps de garde, d'où il n'était pas si simple de sortir, sans compter que le joueur perdait des points et du temps.

Etrange occupation pour un quadragénaire père de famille que de programmer des jeux pour ordinateur, et qui plus est pendant les heures de travail. Et si encore il s'agissait d'une commande, mais non, c'était uniquement pour son plaisir personnel. Qui d'autre pourrait s'intéresser à des quêtes et des errances dont les héros sont vos ancêtres, tous ces von Dorn, Fondorine et Fandorine, respectivement capitaine en second, premier secrétaire et conseiller d'Etat ? Bon, peut-être son fils, quand il serait un peu plus grand...

Ah ! si seulement il avait eu de meilleures connaissances en programmation, et disposé de matériel de première classe, il aurait pu créer un jeu vidéo de qualité, avec animations et effets vertigineux, alors qu'il devait là se contenter d'une espèce de diaporama. Pour la jeune Catherine de Russie, Nika avait scanné le tableau peint par Torelli, et juste gommé la couronne. Danila avait eu droit, pour sa part, au visage romantique du beau Lanski, aucun portrait du lointain ancêtre n'étant resté dans la famille. Dieu seul savait de quoi Danila Larionovitch avait l'air en réalité.

Du premier secrétaire de l'impératrice n'avait subsisté qu'une seule et unique relique, une feuille de papier portant ce paraphe : *« Avec ma reconnaissance éternelle. Catherine. »* Le chroniqueur de la famille, Issaaki Samsonovitch Fandorine, qui vivait dans la première moitié du XIXᵉ siècle, avait accompagné ce remarquable document d'une note laconique : *« Signature personnelle de Son Altesse la Souveraine Impératrice Catherine II »,* s'abstenant de tout autre commentaire. Peut-être n'était-ce nullement à Danila que la Nouvelle Sémiramis avait promis sa reconnaissance éternelle. Ce n'était là qu'une hypothèse de Nika, même si elle était tout à fait vraisemblable compte tenu de l'intimité de l'aïeul avec la tsarine de toutes les Russies.

Pour quoi lui avait-elle exprimé ainsi sa gratitude ? Voilà bien une question dont la réponse à présent, plus de deux siècles plus tard, n'avait de chance d'être trouvée que dans le jeu du Premier Secrétaire. Aucune prise de responsabilité et le champ laissé entièrement libre à l'imagination, autrement dit l'absolu contraire de tout ce qu'on avait inculqué à Nicholas Fandorine à l'université de Cambridge. Quel triste sort pour le titulaire d'une maîtrise d'histoire : au lieu de devenir un chercheur sérieux, s'être changé en auteur de fables pseudo-historiques ! Mais, chose surprenante (et ceci, Nika ne pouvait l'avouer qu'à lui-même), ces fables occupaient son esprit bien plus que les faits scientifiquement démontrés.

Les destins du sous-officier et de la grande-duchesse allaient-ils se croiser ? Danila trouverait-il le moyen de rendre à Catherine II tel service mystérieux, qui peut-être modifierait le cours de l'histoire nationale ? Voilà à quel important carrefour était parvenu Nicholas Fandorine quand la porte de son bureau s'ouvrit soudain toute grande, laissant paraître un individu un peu voûté, vêtu d'un costume trop grand pour lui, taillé dans une étoffe synthétique depuis longtemps oubliée (quelque chose comme du crimplene peut-être), aux épaules rembourrées et aux larges revers en pointes.

— C'est moi que vous voulez voir ? demanda bêtement Fandorine (évidemment que c'est toi, qui ça pourrait être d'autre ?) qui, d'un geste d'écolier honteux, tourna l'écran vers lui pour que l'homme ne pût voir Danila (de dos) et Catherine Alexeïevna (de face).

Force était de quitter le XVIIIe siècle pour le XXIe. Après que sa femme avait offert à Nika pour son anniversaire une pleine page de publicité dans son hebdomadaire, les bureaux du Pays des Soviets s'étaient trouvés assiégés par des hordes de visiteurs. Certes, il s'agissait pour la plupart d'« érossiens », comme se nommaient eux-mêmes les lecteurs réguliers d'*Eros*, publication très spécialisée ou, comme on disait aujourd'hui, à spectre d'audience étroit. Le « royaume enchanté qui ne réclamait aucun visa » intéressait avant tout des obsédés sexuels imaginant que maître N. Fandorine était en mesure de leur faire connaître des plaisirs de la chair jusqu'alors inconnus. Cette sorte de clientèle, bien entendu, ne dépassait pas la pièce d'accueil : les amateurs de galipettes exotiques ne parvenaient pas à forcer le barrage opposé par Valia. Le malheur était que ce nouveau type de clients plaisait assez à celle-ci, certains même étant totalement à son goût : avec ces derniers, la créature aux mœurs déréglées qui occupait dans la société les fonctions de secrétaire-assistante minaudait éhontément, et parfois même convenait d'un rendez-vous. Nicholas en était au point de redouter d'être un jour poursuivi pour proxénétisme.

Il y avait eu deux visiteurs d'une autre catégorie, d'abord un homme, puis une femme. Tous deux la mine lugubre, s'exprimant par ellipses. Ceux-là avaient imaginé que la promesse de « solution garantie à n'importe quelle situation » était une pub d'une agence de tueurs à gages, et ils étaient venus passer commande.

Nika avait réussi à raisonner l'homme auquel était venue l'idée d'éliminer un partenaire d'affaires malhonnête : il lui avait conseillé de rendre au voleur la monnaie de sa pièce et même, après s'être un peu creusé la cervelle, lui avait proposé un plan d'opération extrêmement astucieux sous le nom de code « Vengeance ». Le client était reparti enthousiaste, lui promettant, en cas de succès, de lui verser de généreux honoraires.

La commanditaire qui, elle, réclamait le sang d'un mari coureur de jupons, s'était révélée plus coriace. Fandorine lui avait fait toute une conférence sur l'anatomie des trahisons conjugales, lui expliquant que le coupable n'était jamais celui qui trompait, mais bien celui qui était trompé : si les gens se mariaient, c'était pour assouvir une sorte de faim secrète ; si un époux cherchait des plaisirs ailleurs, c'était, expliquait Nicholas, parce que sa faim n'était pas assouvie. Le métabolisme des relations amoureuses était imprévisible : vous pouviez être bonne et généreuse avec votre partenaire, quand lui avait au contraire besoin d'une femme hargneuse et pingre. Vous le nourrissiez de pain d'épices quand de tout son être il réclamait le knout. Ou bien l'inverse. Or si une personne courait d'aventure en aventure, cela signifiait que sa faim intérieure était très grande, et qu'une seule partenaire n'était pas de force à la contenter. Don Juan était la plus malheureuse des créatures, un infirme émotionnel. Son sort était de devoir engloutir constamment de la nourriture sans jamais connaître la satiété. Bref, Nicholas s'était démené de la sorte durant une heure entière. La femme trompée avait écouté jusqu'au bout son sermon sans desserrer les dents, puis avait dit merci et s'en était allée, visiblement toujours accrochée à son projet sanguinaire.

Altyn, bien sûr, avait voulu faire les choses au mieux. On ne pouvait que frémir à l'idée de la somme que coûtait une page de publicité dans un journal tiré à trois millions d'exemplaires. Certes, en tant que rédactrice en chef, Altyn n'avait pas déboursé un kopeck – elle avait en d'autres termes abusé de sa position professionnelle (juste avant la sortie du numéro, une page s'était libérée, d'ordinaire réservée par un annonceur permanent, le strip-club le Chant du Slip), mais, malgré tout, le cadeau était royal.

La compagne de sa vie se demandait depuis longtemps comment aider Nika à développer son affaire sans pour autant blesser son orgueil de mâle. Les revenus du marchand de bons conseils étaient malheureusement ridicules, sans aucune commune mesure avec les émoluments du rédacteur en chef d'un hebdomadaire à gros tirage. Altyn le répétait de longue date : il fallait recourir à la pub, sans elle aucune marchandise ne pouvait se vendre, de la meilleure qualité fût-elle. Aussi la subtile Asiatique avait-elle décidé de profiter de l'anniversaire de son mari pour gonfler du vent de la réclame les voiles faseyantes du Pays des Soviets.

Le nom de la société avait été conçu dans les affres. Parce qu'elle inaugurait un nouveau type de service, le cofondateur et principal actionnaire de l'affaire proposait de la baptiser la Baguette Magique, mais Altyn s'y était formellement opposée, déclarant que depuis toute petite elle avait en horreur les histoires de fées et autres mièvreries qu'on serinait aux enfants. Puis, une fois à la tête de la revue *Eros*, elle avait,

23

pour couper court, ouvert une rubrique portant justement ce titre et dont le contenu n'avait absolument rien d'enfantin.

C'est Fandorine qui avait pensé au Pays des Soviets. Très fier de sa trouvaille, il avait dû cependant batailler dur pour l'imposer. Son coactionnaire aussi bien que sa femme étaient unanimes à prétendre que cette association de mots leur flanquait la nausée, que leur seul écho ferait fuir les clients fortunés, pour n'attirer que les vieux communistes attardés qui de toute manière n'avaient pas d'argent. Nicholas, néanmoins, n'avait pas cédé. On ne pouvait, disait-il, se comporter comme si ces soixante-dix années de notre histoire n'avaient pas eu lieu. Pourquoi faudrait-il jeter aux orties le lexique et la symbolique de la période soviétique ? C'était comme faire semblant de ne garder aucun souvenir de l'année écoulée, mais seulement de celle d'avant et de toutes les précédentes. Ou bien d'affirmer avoir été engendré non point par son père et sa mère, mais directement par ses grands-parents. Ces soixante-dix années étaient une réalité, et il ne servait à rien de les diaboliser, de les barbouiller entièrement de noir. Tout ce qu'il en résultait était le danger de voir dans quelque temps l'époque soviétique hissée sur un piédestal et réhabilitée comme n'importe quel condamné victime d'un châtiment injuste. Oui, l'Union soviétique présentait quantité d'aspects mauvais, mais elle en recelait également un certain nombre de positifs. La canaille bolchevique avait à son actif d'avoir apporté une solution à trois grands problèmes sur lesquels la monarchie s'était cassé les dents. Ils avaient réussi à nourrir les affamés, à réduire l'analphabétisme et à vaincre l'impérialisme allemand. Et si l'on prenait ces mêmes soviets, ces « conseils » tant honnis et décriés ? Son défunt père, sir Alexandre, se mettait à trembler en entendant ce mot, il évitait même dans la conversation courante d'employer l'horrible vocable, ne disant jamais « c'est le conseil que je vous donne », mais « c'est ma recommandation », et préférant à « tenons un moment conseil » « cherchons un peu quoi nous recommander ». Apprenez-moi, de grâce, ce qu'il y a de mauvais dans les Conseils ? Ce n'est jamais qu'une forme de démocratie populaire surgie de manière spontanée.

Oh ! et pourtant Nicholas avait les oreilles rebattues des imprécations de son épouse aimée contre l'objectivisme stérile et le gauchisme européen ! A un moment, même, il avait vacillé, s'était senti prêt à transiger pour un « Pays des Bons Conseils », mais au dernier instant, il avait supprimé l'adjectif, qui apportait une note beaucoup trop sirupeuse.

Quant au danger représenté par les « communistes attardés », censés affluer en masse à l'énoncé de ces mots chers à leur cœur, il ne s'était pas concrétisé. En six années d'existence de la société, ce personnage vêtu de crimplene était le premier client qui eût l'air de sortir du triste passé socialiste.

— C'est vous, oui, c'est vous, qui d'autre ? répondit le visiteur à la sotte question qui lui était posée, à quoi il ajouta (avec une pointe de sarcasme, eût-on dit) : Si vous êtes bien N. Fandorine, maître et spécialiste ès conseils futés, et président de cette société. J'ai à vous soumettre un cas extrêmement compliqué, sinon totalement insoluble. Quels sont vos tarifs ?

Nicholas considéra le nouveau venu d'un autre œil, le cœur soudain plein d'espoir. Peut-être sa première impression était-elle fausse et qu'enfin se présentait un vrai travail ? Après tout, cet homme avait réussi à forcer le barrage opposé par Valia, c'était donc que celle-ci l'avait jugé prometteur. Même s'il était étrange, c'est vrai, qu'il fût entré sans avoir été annoncé.

Il y avait belle lurette que le Pays des Soviets n'avait pas eu à traiter de cas difficile, et de facile non plus d'ailleurs. On ne pouvait en effet tenir pour du travail le traitement prescrit à une étudiante de dix-sept ans tombée folle amoureuse de l'acteur Oleg Menchikov[1], ou la leçon d'amé-

---

1. « Conseil : S'enfermer dans sa chambre et, sans interruption, sans s'occuper à rien d'autre, regarder le film *Le Barbier de Sibérie*, du matin au soir, jusqu'à obtention d'un résultat positif.

Evolution : Quatre jours plus tard, après le 23ᵉ visionnage, coup de téléphone. Sanglots, cris : "Oleg est un dieu, un dieu, un dieu !"

Conseil : Poursuivre le traitement.

nagement paysager dispensée à un client désireux de participer au concours du Plus Beau Jardin moscovite[1] ?

Certes, au début de l'automne, il avait dû sacrément se démener pour soustraire à de mauvaises fréquentations le neveu de sa femme, un grand dadais de seize ans. Lesdites fréquentations s'étaient révélées non pas simplement mauvaises, mais bel et bien criminelles, leur objectif étant de faire tomber des adolescents dans la drogue, de sorte que la consultation avait tourné à une véritable escapade policière, qui avait bien manqué coûter la vie à Nicholas, sans pour autant rapporter un sou à la société. On n'allait tout de même pas faire payer la famille ?

Les derniers honoraires importants qu'il eût touchés remontaient à un mois et demi. Une commerçante qui proposait d'ouvrir une boutique pour une clientèle raffinée avait eu besoin d'une idée originale pour que son magasin sortît du lot. Nika lui avait proposé de baptiser l'affaire Guenilles & Haillons, de disposer dans la vitrine des sacs éventrés et des cartons noirs de crasse, de couvrir les murs de brique laissés nus de graffitis obscènes, de donner au salon d'essayage l'aspect d'un « violon » de commissariat, d'installer la caisse dans une poubelle, et autres conseils du même ordre. Enthousiasmée par ces idées délirantes, la cliente lui avait remis sur-le-champ cinq mille dollars en espèces. Nika, cependant, par principe partisan d'obéir à la loi, lui avait demandé de convertir ses honoraires en roubles par l'intermédiaire de la banque. Devant l'incompréhension totale de la commanditaire, il avait dû recourir à une terminologie qui lui

---

Résultat : Quatre jours plus tard encore, après le 57e visionnage, guérison complète du sujet, qui a retrouvé le sommeil, l'appétit, et de l'intérêt pour les autres rep. du sexe masc. » *(Extrait du carnet de notes de N. Fandorine.)*

1. « Conseil : Ne pas planter de gazon, qui de toute façon n'aurait pas le temps de bien pousser ; repeindre les murs de l'immeuble façon "cratère de lune" ; inviter les membres du jury à venir inspecter les lieux par une soirée étoilée.
Résultat : 1re place pour le quartier. » *(Extrait du carnet de notes de N. Fandorine.)*

fût intelligible. « Madame, avait dit Fandorine, je ne prends pas de dollars cash, faites-moi virer la somme en roubles sur mon compte. » Pareille excentricité avait plongé la *business woman* dans un ravissement indescriptible : « En roubles ! Par virement ! *High class* ! » Toutefois, lors du paiement, elle avait soustrait 31,6 % de la somme au titre de la taxe sociale universelle. C'était encore légitime, le plus difficile à avaler était que cette cliente fortunée lui avait été envoyée encore une fois par Altyn. Quelque point de vue qu'on adoptât, Nicholas avait toujours l'air de n'être qu'un assisté et un parasite.

Or le seul responsable de cette situation, c'était bien lui.

Une fois marié et décidé à s'installer en Russie, le baronet Nicholas A. Fandorine avait jugé de son devoir premièrement d'échanger son état de sujet britannique pour celui de citoyen russe (chose qu'Altyn ne parvenait toujours pas à lui pardonner) et deuxièmement de vendre son appartement londonien et de transférer tout son argent dans une banque moscovite afin de contribuer à la croissance de l'économie nationale. Lors du krach de 98, la banque en question avait sombré de belle manière, et l'ancien sujet de Sa Majesté s'était retrouvé dans une situation catastrophique : dans un des plateaux de la balance, une femme sans travail, deux enfants en bas âge et l'habitude d'un certain niveau de vie, dans l'autre un business étrange qui eût passé pour très convenable s'il se fût agi d'un hobby de riche rentier, mais qui se révélait incapable d'assurer l'existence d'une famille de quatre personnes. Si son bienfaiteur et cofondateur de la société n'avait pas eu l'idée opportune de bâtir un empire médiatique, et proposé à Altyn Mamaïeva (cette féministe enragée n'avait évidemment même pas imaginé prendre le nom de son mari) de diriger un nouvel hebdomadaire érotique, Dieu sait ce qui fût arrivé.

— Il n'existe pas de cas insolubles, déclara Nicholas pour rassurer son nouveau client.

Sur quoi il afficha le large sourire occidental dont il ne s'était toujours pas débarrassé au bout de toutes ces années passées dans la fort peu souriante Russie, bien qu'il sût parfaitement que pareille démonstration des mérites du

Colgate ne faisait qu'éveiller la méfiance et la suspicion des aborigènes. Il avait souvent vécu cette scène : il abordait un passant dans la rue pour lui demander son chemin, il affichait un grand sourire amical, et l'autre aussitôt le repoussait d'un geste de la main : « Ah ! Foutez-moi la paix, vous commencez à m'emmerder avec votre Eglise de l'Unification, bande de tarés ! »

— Nous parlerons de mes honoraires plus tard, quand vous m'aurez exposé de quoi il s'agit précisément. Mais tout d'abord, dites-moi, s'il vous plaît, quel est votre nom. Et quelle profession vous exercez.

— Je m'appelle Nikolaï Ivanovitch Kouznetsov, répondit le visiteur en s'installant sur une chaise d'un air aussi important que s'il se fût juché sur un trône royal. Et j'exerce le métier de juge. Alors comme ça, selon vous, ça n'existe pas ? Vous êtes capable de trouver une solution à n'importe quel problème, aussi facilement qu'on fait craquer une noix ?

Fandorine devina tout de suite qu'il s'agissait d'un faux nom, mais c'était normal : l'affaire devait être délicate et exiger une stricte confidentialité. Juge ? Ça ne lui ressemblait guère. Mais en Russie les juges ressemblaient en général fort peu à des juges, ils n'avaient ni cette suffisante dignité ni ce sentiment d'être invulnérable qui d'ordinaire les caractérisent. Cependant le regard du très peu présentable sieur Kouznetsov était peut-être justement tel qu'il convenait à un manipulateur professionnel des destins : pesant, sûr de lui, sans compromis. Oui, peut-être était-il bien juge finalement.

Ou bien c'est un fou, pensa brusquement Nicholas en observant avec plus d'attention le « juge Kouznetsov ». Tout cela n'allait-il être encore une fois qu'une perte de temps ?

— Si on réfléchit bien, déclara-t-il à haute voix en souriant cette fois-ci jusqu'aux oreilles, on trouve toujours une solution, même dans les cas les plus difficiles.

L'anonyme (c'est ainsi que Fandorine, en son for intérieur, avait baptisé son interlocuteur, car en Russie se faire appeler Kouznetsov revenait à se présenter sous le nom de mister X) hocha la tête d'un air satisfait, comme s'il espérait une telle réponse. Ses yeux aux pupilles dilatées s'allumèrent d'une lueur si vive qu'on eût presque pu la qualifier de démente.

— Cet immeuble a combien d'étages ? demanda-t-il sans rime ni raison.

— Cinq, répondit Fandorine avec impatience. Plus un étage de combles. Mais pourquoi me dem...

— Parfait. Supposons que je grimpe sur le toit, tenez, par exemple, pour réparer l'antenne de télévision. Je glisse et je tombe dans le vide – accident malheureux. En dégringolant, je passe devant votre fantastique fenêtre. (L'homme désigna la haute baie vitrée donnant sur la rue Solianka.) Même dans pareil cas, vous trouveriez pour moi une issue salvatrice ? Vous auriez un conseil malin ?

— Bien entendu. Pour peu qu'en cours de route vous atterrissiez chez moi par le vasistas et que vous formuliez votre problème, lui répondit Nicholas sur le même ton. Mais pour l'instant, n'est-ce pas, vous n'êtes pas tombé du toit, aussi ne perdons pas de temps pour rien. Qu'est-ce qui vous amène ici ?

— Trèèès bien, soupira le visiteur d'un ton mauvais avant de marmonner tout bas : Inscrivons au procès-verbal : la société le Pays des Soviets se révèle ne pas pouvoir, malgré tout, trouver une solution à n'importe quelle situation.

Et en effet il glissa la main dans la poche intérieure de sa veste comme s'il comptait véritablement noter cette phrase.

Sentant la moutarde lui monter au nez, Fandorine lui fit observer :

— Un homme qui tombe d'un toit se voit privé de toute possibilité de choix, du fait qu'il n'est plus alors qu'un objet en mouvement vers la terre avec une accélération de neuf cent quatre-vingt-un centimètres par seconde carrée.

— Ah ! voilà ! je vous y prends ! Par conséquent il faut qu'il y ait libre arbitre. En ce cas il eût mieux valu écrire dans l'annonce : « Solution garantie aux seuls clients jouissant d'une certaine liberté de choix. » C'eût été plus juste. Et plus honnête.

Le reproche, si absurde fût-il, piqua Nicholas au vif : il se tenait pour homme de parole et réagissait douloureusement au moindre doute sur son honnêteté.

— Vous ne m'avez pris à rien du tout. C'est ici une question de terminologie. Qu'est-ce qu'une « solution à une situation difficile » de votre point de vue ?

— C'est le fait d'en être délivré.

— Eh bien, en ce cas, il n'y a pas à discuter, trancha Nika d'une voix sarcastique. Bientôt vous toucherez terre et vous serez parfaitement délivré de votre situation.

La conversation tournait à une stupide prise de bec sur un sujet ridicule, et qui plus est avec un homme qui, de toute évidence, n'avait pas toute sa raison, c'est pourquoi Fandorine préféra conclure, d'un ton sec et sans sourire, cette fois-ci, comme pour mettre un point à une polémique idiote :

— Trouver la bonne solution, c'est faire le choix de la décision optimale, autrement dit la plus efficace, ou en tout cas la moins nocive. Voilà à quelle théorie je me réfère, moi.

— C'est bon, dit l'anonyme Kouznetsov avec un rictus carnassier. Si vous voulez, admettons qu'on ait le choix. Supposons que j'aie deux enfants. Je pars avec eux... disons à Kislovodsk ou à Mineralnye Vody. Bref dans une quelconque station thermale du Caucase. Et là, tout à coup, des terroristes nous enlèvent, des combattants tchétchènes, ils nous prennent en otages. Et les voilà qui me disent, à moi, le père : « Nous allons tuer un de tes gosses, choisis toi-même lequel. » Quelle issue aurais-je en pareille situation ?

— Il faudrait expliquer à ces gens qu'ils ne doivent pas agir ainsi, qu'ils ne feraient que nuire à leur cause...

— J'ai bien essayé, coupa l'inconnu avec un bref ricanement. Mais ce ne sont pas des êtres humains, ce sont des fauves abrutis de haschich.

— Alors... Dites-leur qu'il vaut mieux qu'ils vous tuent, vous, et qu'ils ne touchent pas aux enfants.

— C'est ce que je leur répète. Ils rigolent. Ils aiment me regarder souffrir.

— Ecoutez, qu'est-ce que vous attendez de moi, bon sang ?! s'exclama Fandorine en tapant du poing sur la table, étonné lui-même par le caractère totalement inadéquat de sa réaction.

Lui qui se tenait pour un homme équilibré et maître de lui, il lui suffisait de se chicaner avec un Kouznetsov pour perdre le contrôle de ses nerfs. Tout cela provenait sans doute de ce que la nature avait doté le passionné d'histoire d'une imagination trop vive, et comme Nicholas avait lui-même deux enfants encore petits, il s'était aussitôt représenté, l'espace d'un instant, d'un seul et unique instant, la situation démente qu'on lui décrivait...

Il étouffa sur-le-champ cette flambée de colère et se reprit en main. S'il s'agissait d'un fou, mieux valait ne pas le provoquer. Qu'avait-il à garder constamment la main dans sa poche intérieure ? Et s'il planquait là un rasoir ?

— Bien, je vais vous donner un conseil.

Fandorine s'écarta prudemment de son bureau pour avoir le temps de bondir de sa chaise au besoin.

— Ce dilemme est bien connu grâce à la littérature, il existe même un roman entier consacré au sujet, et quand je l'ai lu, je me suis demandé comment j'agirais à la place du malheureux parent. La solution est la suivante : jetez-vous sur celui des bandits qui vous paraît le plus abject, plantez-lui les dents dans la gorge, et laissez-vous tuer, peu importe. Mais en aucun cas ne choisissez entre vos enfants.

L'anonyme, pour la première fois, sembla perdre de son assurance : il cligna des yeux, visiblement surpris par une telle réponse.

— Ah bravo ! s'emporta-t-il. La mort serait donc une solution ?

— Je vous l'ai dit : il s'agit de faire le choix de la décision optimale, autrement dit, dans le cas présent, de la moins nocive. Même s'il existe une vie après la mort et un enfer où l'on tourmente les âmes des damnés, on ne saurait y trouver de pire torture que la situation que vous venez d'exposer. De sorte que dans tous les cas vous êtes gagnant.

L'inconnu tira la main de sa poche (sa main seulement, Dieu merci, pas un rasoir) et posa sur Nika un regard différent, sans raillerie ni lueur particulière dans les yeux.

— Ça existe, dit-il.

— Qu'est-ce qui existe ?

— La vie après la mort. Mais ça n'a pas de rapport avec notre affaire. Et que diriez-vous si je vous soumettais le cas suivant...

Encouragé par le fait que le visiteur n'avait entre les doigts aucun objet tranchant ou perforant, Fandorine décida qu'il était temps de manifester un peu de fermeté :

— Peut-être pourrait-on laisser là les cas d'école et les constructions abstraites ? Si nous nous occupions plutôt de *votre* problème ?

L'homme déclara d'un ton sévère :

— Ça, c'est *votre* point de vue.

Et il jeta à Nicholas un regard qui acheva de plonger celui-ci dans une anxiété extrême.

Comment savoir si Valia était à son poste ? Fandorine lorgna vers la porte. Si Kouznetsov était pris maintenant d'un accès de fureur, seul à seul avec lui, il était fort possible qu'il n'eût pas le dessus : on savait bien que les fous, au moment des crises, voyaient leur force décupler.

— Ainsi, me permettez-vous de vous exposer ma petite histoire ? demanda l'anonyme d'un ton tout à fait pacifique. Je vous assure qu'elle n'a rien d'abstrait ni de fantastique.

— Bien, bien, allez-y, s'empressa d'acquiescer Nika.

— Alors voilà. Il était une fois au monde un homme. Il avait vécu avec sa femme vingt-huit ans, disons trente, tenez, pour faire un compte rond. Le couple n'avait pas d'enfants. C'est important, car lorsqu'on a des enfants, l'amour a tendance à se diluer, alors que dans ce cas, tous les sentiments, vous savez, restent concentrés sur un même point. Bref, cet homme aimait infiniment... ou plutôt, aime encore infiniment sa femme. On peut dire qu'elle est pour lui l'unique lumière à sa fenêtre.

Nicholas écoutait, sourcils froncés, sachant déjà à l'avance que le récit serait déplaisant, du même ordre que l'histoire des gosses pris en otages.

Et il ne se trompait pas.

— Et puis un beau jour, on découvre que la femme est atteinte d'une maladie. Une maladie grave, peut-être même incurable, ajouta Kouznetsov en appuyant chaque mot pour que son interlocuteur les entendît bien, se pénétrât de leur sens.

Et Fandorine en effet s'en pénétra aussitôt : l'expression de son visage, dans l'instant, devint douloureuse. Nicholas possédait cette faculté, on peut même dire cette qualité professionnelle : quand quelqu'un lui racontait ses problèmes, le directeur du Pays des Soviets se mettait non seulement à la place du narrateur, mais pour un temps littéralement dans sa peau. Ainsi, à présent, un tableau venait tout naturellement de se dessiner devant ses yeux. Altyn revenait de chez le médecin, et évitant son regard déclarait d'une voix faussement tranquille : « Ne t'inquiète pas, surtout, il n'y a encore rien de certain, il a dit qu'il fallait seulement prendre ses précautions... » Brrr !

Il tressaillit, cependant que son tortionnaire continuait à développer son « cas d'école » :

— Le mari, comme de bien entendu, est pris de panique. Il se met à courir dans tous les sens. Au secours ! crie-t-il. Bonnes gens, à l'aide, sauvez-nous ! Et des bonnes gens, des sauveteurs prêts à tendre la main, il s'en trouve tout de suite. Aux cris de « au secours », ils rappliquent sur-le-champ et reniflent pour voir si ça sent le fric ou non. S'ils en décèlent l'odeur, ils promettent des miracles et même garantissent le résultat à cent pour cent. C'est avant, à l'époque de l'odieux totalitarisme, qu'il n'y avait pas de miracles. Si l'on pouvait vous guérir, on vous soignait ; si c'était impossible, on vous disait : la médecine est impuissante dans ce cas. Mais aujourd'hui, il n'y a plus rien d'impossible, pas vrai ? Le résultat est garanti ! ajouta Kouznetsov avec un clin d'œil, citant à l'évidence la publicité du Pays des Soviets. Pourvu qu'on ait de l'argent. Seulement le mari eut bientôt épuisé ses économies, et les miracles ne tardèrent pas à se raréfier. Voilà donc le problème que je vous pose : le temps manque, la femme se meurt, et il n'y a plus rien à faire. Quoique non ! objecta le sadique avec un sourire carnassier. Je vais vous peindre le tableau avec des couleurs encore plus vives. Quand il est impossible de rien faire, on peut se faire une raison, à l'impossible nul n'est tenu. Mais dans le cas présent, imaginez-vous, il existe une planche de salut. Loin d'ici, c'est vrai, en Suisse. Il y a là-bas je ne sais quelle clinique fabuleuse, qui est la seule à pratiquer l'opération salvatrice. Mais il y a un hic, bien sûr : le coût du traitement dépasse ce que notre homme pourrait espérer gagner au cours de sa vie entière. Peu importe ici de quelle somme il s'agit exactement, ce qui compte, c'est qu'elle excède totalement les bornes de la réalité. Chiffrons-la à un million, si vous voulez, pour fixer les idées. Eh bien, monsieur le spécialiste ès situations sans issue, que conseilleriez-vous à cet homme ?

Le sourire avait disparu de son visage, un grondement d'orage roulait dans sa voix, et ses yeux, braqués sur l'expert en bons conseils, lançaient des éclairs.

Nika, pendant que durait ce triste récit, avait eu le temps de souffrir mille morts : il grimaçait de douleur, exhalait des soupirs, griffonnait sans relâche sur une feuille des flèches et des couteaux. L'affaire du sieur Kouznetsov se révélait en effet complexe, pénible, et n'offrait, hélas, encore une fois aucune perspective de gain.

Ayant écouté l'homme jusqu'au bout, Fandorine ouvrit son carnet de notes.

— Un million, c'est beaucoup trop, aucun traitement médical n'est soumis à de tels tarifs, dit-il, la mine renfrognée. J'aurais tout de même besoin de connaître le montant exact. C'est un premier point. Deux : il me faudrait un dossier médical complet : renseignements, analyses, extrait de l'historique de la maladie, conclusion des spécialistes. Surtout, ne désespérez pas. Ce monde ne manque pas de gens généreux. Il existe des fonds internationaux, des organisations philanthropiques. Je ne connais pas le sujet à fond, vu que je ne me suis jamais trouvé moi-même dans une telle situation. (Il cracha mentalement trois fois, croisa les doigts et tapota sans bruit contre le pied de table.) Mais je vous le promets : dès demain, j'aurai rassemblé toute l'information nécessaire. Revenez me voir... à quatre heures. Non, disons plutôt à cinq, c'est plus sûr. Apportez tous les papiers. Je rédigerai moi-même les lettres aux éventuels donateurs : l'anglais est ma langue maternelle. Ne perdez pas courage. Tout ce qu'il est possible de faire, nous le ferons.

Cependant, contre toute attente, le client ne bondit pas de joie, pas plus qu'il ne se répandit en remerciements. Sur son maigre visage aux yeux exorbités se refléta un intense étonnement, qui aussitôt, du reste, céda la place à une sorte de soulagement.

— Vous oubliez que cet homme n'a pas d'argent ! s'exclama-t-il, triomphant. Il s'agit d'un particulier totalement insolvable ! Il ne pourra pas vous payer. Je vous ai bien dit que ses économies avaient été dévorées par les charlatans et les escrocs !

— Je l'avais déjà compris. Néanmoins, je m'emploierai à aider votre femme.

A ces mots, l'anonyme soudain parut baisser la tête. Il cligna des yeux d'un air las, se frotta les paupières, puis laissa tomber d'une voix atone :

— Où avez-vous pris qu'il s'agissait de moi ? Je vous ai juste dépeint une situation difficile, comme ça, à titre d'exemple...

Et là, Nicholas sortit de ses gonds pour la deuxième fois, et avec autrement plus de virulence que la première.

Il se leva si brutalement que son fauteuil valdingua en arrière, et se prit à hurler contre le pseudo-Kouznetsov de la plus indigne, la plus honteuse manière. Non, sa philippique ne contenait point d'insultes, mais le mot « conscience » y résonna trois fois, et l'expression « qui vous a donné le droit ? » au moins quatre. Dieu sait ce que l'Anglo-Russe avait ce jour-là : lui-même ne se reconnaissait pas. Sans doute l'hypothétique présence d'un rasoir lui avait-elle mis les nerfs à vif.

Le déplaisant personnage écouta avec attention la litanie de Nicholas, sans manifester le moindre signe de repentir ou de désagrément. Il se lisait plutôt dans ses yeux quelque chose comme un étonnement joyeux.

Alertée par le bruit et les cris, Valia fit irruption dans le bureau, visiblement inquiète. « Visiblement inquiet », serait-il d'ailleurs plus juste d'écrire, car la femme fatale arrivée le matin au bureau, et qui moins d'une demi-heure plus tôt servait encore le thé à son chef, avait eu le temps de se transformer en un svelte jeune homme au crâne rasé. Disparus le maquillage et la perruque mauve ! Les escarpins à talons de dix centimètres de haut avaient fait place à de lourds godillots, et le chemisier à un pull asymétrique à grosses mailles. Cette métamorphose signifiait que l'assistant de Fandorine, personnage au caractère capricieux et imprévisible, s'était trompé dans la définition du jour et en avait changé la couleur en cours de route, passant du rose au bleu.

Valia Glen était né créature de sexe masculin, cependant lors du passage de l'adolescence à l'âge adulte le positionnement sexuel du singulier jeune homme était devenu extrêmement flou. Certains jours Valia avait le sentiment d'être un homme (ces jours-là étaient qualifiés de bleus), et certains autres d'être une femme (état d'humeur qualifié de rose). Fandorine au début était quelque peu effrayé par la transsexualité de son adjoint, et s'embrouillait totalement dans la grammaire, ne sachant plus trop s'il devait dire « Tu n'es pas folle de faire de l'œil à ce client ! » ou bien « Tu n'es pas fou de faire de l'œil à cette cliente ! ». Mais ensuite, il s'y était habitué. Les jours roses, il conjuguait les verbes et accordait les adjectifs au féminin, les jours bleus il passait au masculin. Il était du reste difficile de se tromper, du fait que Valia allait jusqu'à user de deux voix différentes, ténor et contralto.

L'androgyne, donc, qui avait eu le temps de repeindre la date du jour en bleu ciel, fit irruption dans la pièce et courut se camper près du visiteur d'un air belliqueux.

— *Was ist los*, chef ? Si vous voulez, je vous *delete* ce gobelin et je vous l'expédie à la corbeille !

Son auto-identification sexuelle du moment ne se reflétait nullement sur le lexique de Valia : quelle que fût son hypostase, l'individu s'exprimait de manière si singulière que, sans un peu d'habitude et une bonne connaissance des langues, il était impossible de le comprendre. La faute en était à l'éducation chaotique qu'il avait reçue : Glen avait tour à tour étudié dans une pension suisse, une *high school* américaine et un internat catholique de la banlieue de Paris, mais il n'était resté en chaque lieu que trop peu de temps pour ne retenir de chaque idiome autre chose que des bribes. Nicholas frémissait à l'idée que dans cent ans toute l'humanité, définitivement mondialisée, s'exprimerait à peu près de la sorte. Et aurait sans doute aussi la même allure. Pour l'heure, cependant, Dieu merci, Glen pouvait encore passer pour une créature exotique.

Fandorine eut honte tout à coup, de ses propres cris, et de son adjoint mal élevé. Il fit signe à Valia de disparaître et s'excusa devant son visiteur en achevant par les mots :

— ... Vous devez me comprendre.

— Ne vous inquiétez pas, je comprends fort bien, lâcha le client d'un ton condescendant en regardant Valia sortir. Ce jeune homme ressemble beaucoup à votre secrétaire. Ils sont parents ? Il travaille aussi chez vous ?

— Oui, c'est son frère. Il vient donner un coup de main quand il y a trop de boulot, mentit Nika.

Il n'allait pas se lancer dans des explications sur le bleu et le rose, l'homme avait l'air bien assez dérangé comme ça.

Apparemment satisfait de cette réponse, l'étrange personnage fixa à nouveau Fandorine du regard. Il esquissa une moue, puis déclara :

— Le cas n'est pas évident. Le tribunal se retire pour délibérer.

Il se leva, salua avec dignité et se dirigea vers la porte. Un schizophrène, ça sautait aux yeux. Qu'est-ce qu'un type pareil pourrait lui rapporter ?

Nicholas poussa un soupir accablé, puis tourna le moniteur dans une position plus commode. L'écran leva le rideau noir et s'anima. Le visage de Catherine II apparut en gros plan. La plus grande femme qu'eût connue l'histoire de Russie observait Nika avec attention, sans ciller, comme si elle eût su que son sort était en train de se décider.

Chapitre deuxième

COMME IL VOUS PLAIRA

Les yeux de Sa Majesté la souveraine se révélaient gris clair, lumineux, avec de petites rides rusées au coin des paupières. Mais peut-être ces rides n'ont-elles rien à voir avec la ruse, et tout avec les joues, pensa Mithridate. Elles sont tellement rebondies, ces joues, qu'on dirait deux gros coussins. Elles doivent lui comprimer les yeux.

La divine Felicia était ainsi : grosse, bouffie, logeant à peine, eût-on dit, dans sa robe. Le pied qu'elle avait posé sur un petit tabouret sculpté débordait du soulier de maroquin comme de la pâte trop gonflée hors d'une bassine de métal ; son menton formait plusieurs replis, et même sous son nez, où normalement la structure physiologique l'interdisait, se dessinait un bourrelet – dû certainement au fait que Sa Majesté était contrainte de souvent sourire sans vraie gaieté, conclut Mitia, habitué à remonter de l'effet à la cause.

Le très auguste regard s'arrêta sur sa minuscule silhouette l'espace d'un infime instant, mais Mithridate porta aussitôt la main à son cœur, comme le lui avait enseigné son papa, et s'inclina avec élégance, en sorte qu'un peu de poudre, tombant de ses cheveux, vint lui chatouiller le front. Hélas, les yeux lumineux de la tsarine glissèrent sur lui avec indifférence, se détachant de ce gamin mesurant à peine une aune pour se poser sur l'Indien de plus d'une toise campé à côté de lui, personnage auquel, du reste, elle ne parut pas s'intéresser davantage. Juste un peu plus loin, elle dévisagea une femme arborant une splendide moustache. Elle esquissa un sourire distrait, puis se replongea dans ses cartes.

— La dame de carreau est déjà sortie, je crois ? prononça-t-elle d'une faible voix chevrotante, articulant les mots à l'allemande.

Sa grosse main adipeuse tira une fiche blanche d'une corbeille posée sur la table et, indécise, la garda en l'air. Comment trouvez-vous cela ? Elle était belle, la maîtresse toute-puissante de l'empire de Russie, incapable de se rappeler quelles cartes avaient déjà été jouées ! Et cela au boston, un jeu simple, sinon simplet, où l'on n'utilisait que trente-six cartes !

A ce moment, Mitia acheva d'être déçu par l'impératrice. Sur les tableaux, on peignait cette femme en Minerve, en Athéna Pallas, alors qu'elle n'était juste qu'une vieille grand-mère. Le portrait craché de Louisa Karlovna, la femme de l'assesseur, qui venait prendre le café avec maman chaque jeudi. Même son bonnet était le même ! Mais qu'avait donc Sa Majesté au-dessous de l'oreille (la souveraine venait de se tourner vers sa partenaire de gauche) ? Ma parole ! un poireau ! en d'autres termes une excroissance verruqueuse de l'épiderme, d'où sortait une touffe de poils gris. Ah ça alors !

Il adressa un regard compatissant à son papa, debout à sa droite, un peu en retrait, comme le prescrivait l'étiquette. En voilà un qui devait se trouver confondu et mortifié. Avec quel sentiment, quelle émotion il lui avait décrit la beauté céleste et la majesté de la nouvelle Sémiramis ! Ses yeux, parfois, en étaient mouillés de larmes, et voyez maintenant le spectacle !

Mais papa semblait n'avoir remarqué ni les joues de goret de la tsarine, ni le répugnant pli de graisse saillant sous son nez, ni la verrue hérissée de longs poils. Ses beaux yeux presque à fleur de tête brillaient au contraire d'un enthousiasme extatique. Alexeï Voïnovitch toucha légèrement du doigt l'épaule de son fils, comme pour lui signifier : ne te retourne pas, tiens-toi sage. Aussi Mithridate se tint-il sage mais, au lieu de regarder la grosse vieille dame, il entreprit d'observer les autres joueurs, incomparablement plus plaisants à l'œil.

Quand Catherine se fut enfin décidée et eut posé, d'une main mal assurée, sa carte sur le drap bleu de la table, la toute jeune femme assise à sa gauche battit vivement des cils, qu'elle avait fort longs, mordilla sa lèvre inférieure et jeta un coup d'œil hésitant à son voisin, un jeune homme à la figure aimable, vêtu d'un uniforme bleu ciel. Ces deux-là, Mithridate les avait tout de suite reconnus, parce que à la différence de l'impératrice ils ressemblaient tous deux à leur portrait. Le jeune homme était Son Altesse le petit-fils de la souveraine, et la charmante personne, son épouse, née marquise von Baden-Durlach. (Mitia, par habitude, contrôla sa mémoire : margraviat de Baden – 712 000 habitants, tous sexes confondus, dont les deux tiers s'en tenaient au luthérianisme ; superficie : 3 127 milles carrés ; mines de fer, production de vins, dont les plus fameux étaient le margrave et le klingelberg.) Son Altesse inclina très légèrement ses cartes pour que son épouse pût les entrevoir, puis le grand-duc chuchota quelques mots à la petite oreille rose de la jeune femme, et celle-ci lâcha dans un soupir :

— *Je passe.*

Le très auguste petit-fils passa lui aussi : à l'évidence, il n'avait pas une bonne main. Le quatrième joueur, en revanche – véritable apollon, arborant large ruban de moire bleue, avec entrelacs de brillants brodés sur l'épaule, les pieds chaussés de magnifiques souliers à boucles serties de pierres étincelantes (non pas des strass, comme sur celles de Mithridate, mais à coup sûr d'authentiques rubis et émeraudes) –, abattit d'une main négligente une carte sur celle de la souveraine.

— La voilà, votre dame ! Votre mémoire vous a trahie, ma chère, s'exclama le vainqueur avant d'attirer à lui toutes les fiches déposées sur la table.

Mitia avait déjà deviné qu'il s'agissait forcément de l'homme le plus haut placé à la cour de Sa Majesté, le favori en personne, Sa Très Haute Excellence le prince Platon Alexandrovitch Zourov, pas moins. Son papa lui avait beaucoup parlé du prince. Et ce faisant, chaque fois, il se mordillait la lèvre, les ailes de son nez frémissaient – et il se lamentait sur la terrible malveillance du destin à son endroit. L'un avait tout : il était tout à la fois grand maître d'artillerie, commandant en chef de la flotte, général d'infanterie, et s'était vu octroyer près de cinquante mille âmes ; tandis qu'à l'autre, dont les mérites pourtant n'étaient pas moindres, étaient échus une vie brisée, un cœur inconsolable et des regrets amers. Or tout aurait pu se passer autrement, assurait papa, et ses yeux chaque fois s'allumaient d'étincelles, ses sourcils soigneusement épilés se haussaient, et sa voix commençait à trembler et à s'entrecouper de sanglots.

Mitia avait déjà entendu l'histoire des dizaines de fois, et la connaissait par cœur, mot pour mot. Il savait ainsi que son papa, en ses jeunes années, avait servi dans le même régiment de chevaliers-gardes d'où par la suite Platon Alexandrovitch avait pris son essor, et lui aussi avait réussi à se distinguer et à attirer l'attention de la tsarine. Et pas qu'un peu ! Un jour (qui resterait éternellement gravé dans sa mémoire !), elle avait daigné lui faire signe du doigt de s'approcher, et le prenant par le menton lui avait fait tourner la tête de profil – or le capitaine en second Alexeï Voïnovitch Karpov avait un profil qu'on eût dit taillé dans le marbre –, après quoi le candidat avait été expédié pour examen auprès du médecin de la garde, et avait dignement passé l'épreuve probatoire chez la « tasteuse » officielle, Anna Stepanovna Protassova en personne, ce dont par la suite il s'était montré particulièrement fier. En quoi consistait cette épreuve, Mitia n'en avait guère d'idée précise, mais en cet endroit du récit paternel, il était toujours saisi d'effroi. Au dire de son papa, la célèbre dame d'honneur de Sa Majesté était plus effrayante que le rhinocéros d'Afrique, or, des rhinocéros, Mithridate en avait vu sur une planche illustrée de l'encyclopédie : c'étaient des bêtes monstrueuses. C'était la souveraine, expliquait Alexeï Voïnovitch, qui avait exprès organisé les choses ainsi, afin de se garantir d'un éventuel affront fait à son sexe : si le candidat n'avait pas été intimidé par la Protassova elle-même et s'était conduit galamment avec elle, il n'irait pas décevoir Sa Majesté impériale.

Mais le papa de Mithridate s'était comporté en héros pour rien. Rentré à la capitale plus tôt que prévu, le terrible cyclope avait bouté le hardi petit officier hors de Saint-Pétersbourg, en même temps qu'il le chassait de la garde, et de manière si brutale que le malheureux en avait contracté une maladie nerveuse, dont il s'était ensuite péniblement guéri à force d'applications de sangsues et de décoctions d'amanite tue-mouche. Quand Mitia était encore un garçonnet à la tête vide, souvent il croyait voir la nuit le cyclope lui apparaître, un monstre cruel et perfide pourvu d'un seul et unique œil flamboyant, qui projetait d'exterminer toute la famille Karpov. Ce n'est que plus tard, quand la raison lui fut venue, et que de petit Mitia il se fut mué en Mithridate, qu'il apprit que son cher papa avait été malmené non par le géant grec troglodyte, mais par le prince Potemkine de Tauride. Trois ans plus tôt, le tout-puissant favori avait rendu son dernier souffle, et le capitaine en second à la retraite s'était empressé de regagner la capitale. Cependant il ne s'y était guère attardé et en était revenu en larmes : il se trouvait que le nouveau favori, ce même Zourov, était déjà solidement installé, d'une beauté éblouissante et, par-dessus le marché, plus jeune que le pauvre papa d'une bonne dizaine d'années.

« Une beauté éblouissante ». Mitia avait plus d'une fois relevé l'expression dans différents romans, mais il pensait que c'était là une manière de métaphore. Or il se révélait qu'elle était exacte. Le prince Zourov éblouissait réellement : la peau de son visage et de ses mains scintillait de menues étoiles d'or – on en avait les yeux blessés. Jusqu'à ce jour, Mitia savait pertinemment que le plus bel homme au monde, c'était son père, Alexeï Voïnovitch Karpov, mais à présent, tout à coup, il doutait. Aussitôt il eut honte de lui-même : si son cher papa avait porté lui aussi un pourpoint blanc et argent brodé d'autant de pierres précieuses, et qu'il se fût poudré le visage et les mains de poudre d'or, il eût fallu voir encore qui des deux était le plus beau.

— Une autre partie ? demanda Sa Majesté, non pas au grand-duc et à la grande-duchesse, mais à Zourov.

Le favori s'étira, bâilla d'un air d'ennui, sans masquer sa bouche, en sorte qu'on vit briller ses dents, toutes parfaites, recouvertes d'une laque nacrée.

— Non, j'en ai assez.

Leurs Altesses, sans attendre la réponse de l'impératrice, quittèrent sur-le-champ la table. Un laquais d'un certain âge s'approcha en trottinant et escamota prestement cartes et fiches sur un plateau d'argent.

La souveraine, d'un geste tendre, défroissa la manchette de dentelle du prince.

— Que diriez-vous alors de jouer aux échecs, mon ami ?

Son père planta à nouveau son doigt dans le dos de Mitia : tiens, ça y est, ça commence, ouvre bien les yeux.

Un autre laquais apportait déjà un échiquier, une pure merveille à voir, tout d'ivoire et d'ébène ; en deux temps, trois mouvements, il eut installé les pièces – les blanches pour Sa Majesté, les noires pour Sa Très Haute Excellence.

Les courtisans s'approchèrent et se rangèrent en demi-cercle autour de la table : auparavant, quand on jouait aux cartes, aucun n'avait osé s'approcher. Profitant du couvert qu'offrait ce rempart, le papa de Mitia prit celui-ci dans ses bras pour qu'il pût suivre la bataille par-dessus les têtes poudrées et les coiffures des dames.

A présent que le petit-fils et son épouse avaient quitté la table, hormis les deux joueurs d'échecs, seul un individu restait encore assis, individu au physique étonnamment disgracieux. Mitia l'avait déjà un peu observé, cherchant à déterminer qui il pouvait être, et pourquoi il se tenait à l'écart de tous les autres, et d'où venait que son visage était constamment tiraillé de grimaces. Déjà sans cela, il était laid à faire peur : nez camus, front bosselé, crâne chauve : une vraie tête de mort. Le vilain personnage arborait au revers de son pourpoint une étoile étincelante, mais Mithridate ignorait de quel ordre il s'agissait, car il n'avait

43

jamais éprouvé d'intérêt pour le domaine des distinctions honorifiques dans la sphère sociale : c'étaient là des sottises indignes de l'attention d'un être doué d'intelligence. En dépit de sa décoration, il ne semblait pas que le camard fût un personnage important. Il était assis dans son coin, tout seul, personne ne le regardait, et ceux qui se tenaient dans son voisinage lui tournaient tous le dos. Sans doute était-il estropié et ne pouvait-il rester debout, pensa Mitia, soudain plein de compassion pour l'infirme. D'ailleurs, tenez, il avait une canne à la main. Allons bon, que Dieu l'ait en Sa sainte garde, ce malheureux invalide.

Derrière la souveraine était campé un vieillard vraiment très vieux, dont même la perruque était noire, comme on en portait sous le règne de Pierre le Grand. De tous les hommes présents, seul ce vieillard portait une perruque bouclée ; les autres, suivant la mode, délaissaient les postiches et poudraient leur propre chevelure. On dirait un corbeau au milieu de perroquets, se dit Mitia en le voyant si déplacé au milieu des robes somptueuses, des pourpoints dorés et des redingotes multicolores. Seul son visage n'avait rien d'un oiseau, on eût plutôt dit une tête de chien, de ces carlins anglais : la lèvre inférieure recouvrant celle du dessus, les commissures pendantes, le nez inexistant, et les yeux vifs, petits et ronds comme des boutons.

Avant que la tsarine jouât le premier coup, le carlin se pencha vers elle et lui chuchota quelques mots.

— Je le sais fort bien sans toi, mon ami, répondit-elle, plissant le front, puis elle avança le pion e2 en e4. Vous devriez sacrifier un peu moins à l'oignon cru, Prokhor Ivanovitch.

Le vieillard eut un sourire confus :

— Vous savez pourtant, Majesté, ce qu'on dit dans le peuple : « Un oignon par jour, la santé toujours. »

Sa plaisanterie ne rencontrant aucun écho, le carlin baissa la tête, sans s'éloigner pour autant des joueurs. Mitia le plaignit lui aussi. Cet homme vénérable eût mieux fait de rester chez lui, entouré de ses petits-enfants, au lieu d'être là à tendre le cou et se hausser sur la pointe des pieds.

Le favori médita un long moment, puis riposta en avançant le cavalier dame sur la colonne de la tour. Ah tiens ! On allait jouer un début de Carlsbad. Intéressant ! Mais au déplacement du fou blanc opéré par la souveraine, Sa Très Haute Excellence répondit en poussant d'un geste brusque son pion en h5, et il fut alors évident qu'il ne s'agissait nullement d'une défense de Carlsbad, mais que Zourov jouait tout bonnement sans réfléchir, au petit bonheur la chance. Etait-ce bien là une partie d'échecs ? Mitia préféra ne pas regarder la suite.

Un bruit retentit dans un coin. Plusieurs courtisans se retournèrent mais, voyant qu'il s'agissait de la canne de l'infirme au nez camus qui était tombée sur le parquet, ils se désintéressèrent aussitôt de ce petit incident. Lui, le pauvre, était incapable de ramasser lui-même son bâton (un objet, cela dit, d'une élégance remarquable, en acajou avec pommeau d'or), aussi restait-il assis, immobile.

Mitia voulut courir la lui donner, mais son papa le retint par les basques et lui murmura d'un ton effrayé :

— Que fais-tu ? C'est le Dauphin, voyons !

Ah ! voilà donc qui c'était. Son Altesse impériale, le fils de la grande tsarine. Lui non plus ne ressemblait nullement à ses portraits : sur ces derniers, s'il n'apparaissait pas comme un apollon, au moins semblait-il majestueux, imposant. Peut-être l'avait-il été autrefois, avant que la paralysie ne le frappât. Cependant comment se faisait-il que personne ne lui vînt en aide ? A moins que ce ne fût l'étiquette qui ne le permettait pas ?

Non, le carlin vêtu de noir s'écarta sans bruit de la table impériale, trottina jusqu'au Dauphin, se pencha, ramassa la canne et la remit à son propriétaire, qu'il salua avec respect.

L'homme assis regarda son bon Samaritain avec une sorte d'étonnement, mais ne le remercia pas pour autant, non plus qu'il ne répondit à son salut : au contraire, il haussa le menton. Le brave vieillard ne s'attarda pas davantage auprès de l'invalide, et regagna aussitôt sa place.

Juste à temps ! La souveraine, sans se retourner, lui demandait déjà :

— Qu'en pensez-vous, Prokhor Ivanovitch, dois-je prendre le pion du prince, ou pas ?

— Surtout n'y manquez pas, Votre Majesté.

Prendre le pion ? Mais à quoi bon ? Il y a beau temps que Zourov aurait dû abandonner.

— Le fils de la tsarine, murmura Mithridate à son père, souffre-t-il de débilité physique ?

— Mais non, c'est par orgueil qu'il se tient ainsi. Suis plutôt la partie.

Ah ! non, pas question !

Mitia se mit à tourner la tête en tous sens, pour étudier comment se présentait ce fameux Petit Ermitage.

Au mur était accroché un gigantesque tableau : Léda, couchée dans une pose lascive en compagnie de Jupiter métamorphosé en cygne. Une autre toile de moindre dimension représentait une jeune femme, ou peut-être une dame, vêtue d'une toge à l'antique et coiffée d'une couronne d'or ; derrière elle se dessinait un fabuleux palais d'aspect oriental sur le toit duquel verdoyait un jardin à la végétation luxuriante. Ah oui, ce devait être, sans doute, la reine de Babylone, Sémiramis (ou plus justement Shammuramat, ainsi que l'écrivait Hérodote) et ses jardins suspendus. Affaire élucidée.

Bien plus remarquable était l'appareil pendu à côté de la fenêtre : un objet rond, en bronze. Ça alors, s'exclama Mithridate en lui-même, il indique aussi bien la température que la pression de l'atmosphère ! J'aimerais bien m'en rapprocher pour l'observer de plus près, dommage que ce soit impossible.

Mais il n'y avait rien d'autre d'intéressant dans cette salle. Bon, il y avait bien aussi un lustre en cristal, aux reflets irisés. Des bustes en marbre. Un parquet à incrustations. Mais d'une pièce où s'assemblait le cercle le plus intime de la plus grande monarque du monde, on aurait pu s'attendre à un peu plus de merveilleux.

— Tenez, Platon Alexandrovitch, vous voilà mat ! déclara Catherine – et les spectateurs d'applaudir avec mollesse, délicatement. Mais ne te désole donc pas, mon chéri, je te consolerai plus tard.

Elle se pencha, murmura quelques mots à l'oreille de Zourov qui s'était rapproché, une plaisanterie selon toute apparence, car elle-même partit d'un rire léger tandis que tremblotaient ses double et triple mentons. Les courtisans s'écartèrent aussitôt, et quelques-uns même firent mine d'examiner le lustre et les moulures du plafond.

Le favori sourit à son tour, mais jaune. Puis répondit :

— Je vous remercie, Votre Majesté.

Ah ! Mais à quoi bon les regarder !

Mitia avait surtout envie de détailler ses singuliers voisins : le sauvage américain et une femme arborant une fière moustache aux extrémités recourbées vers le haut. Il fit deux pas en arrière, de manière à se dissimuler, et tendit le cou vers la droite, où l'étonnante moustachue dansait d'un pied sur l'autre.

Là, pour un phénomène, c'était un phénomène ! Pourtant la science anatomophysiologique affirmait que les personnes de sexe féminin, étant dotées sur les parties sincipitales et occipitales du crâne d'une chevelure au pouvoir de croissance élevé, n'étaient pas disposées par nature à cultiver une pilosité faciale. Peut-être, pensa Mitia, devrait-on lui tirer les moustaches pour vérifier si elles ne sont pas postiches ?

Apparemment, la souveraine avait été traversée de la même idée.

De nouveau, pour la deuxième fois déjà, elle considéra les personnes debout à l'écart : Mithridate et son papa, l'Indien, la femme-homme et (devant eux, dans l'attitude d'un commandant de régiment à la parade) le grand écuyer Lev Alexandrovitch Koukouchkine, bienfaiteur de Mitia et de son père.

— Qui m'avez-vous amené aujourd'hui, Lev Alexandrovitch ? Avec quoi comptez-vous me divertir ? demanda la tsarine en observant le groupe avec plus d'attention. Les moustaches de celle-là sont-elles bien vraies ?

L'Indien, couvert de plumes et de perles de verre multicolores (elles, on aurait bien aimé les toucher !), esquissa un mouvement. Il ne comprend pas notre langue, devina Mitia. Il croit peut-être qu'il est question de lui.

— Tout ce qu'il y a de plus vraies, Votre Majesté impériale ! J'ai déjà tiré et tiré sur le poil de la demoiselle Evfimia, au risque de me piquer les doigts. Impossible à décoller ! clama Koukouchkine d'une voie gaie et alerte.

Il était de toute façon tenu de parler gaiement ; telle était la charge de Lev Alexandrovitch : imaginer des farces et des bons tours pour égayer Sa Majesté.

D'un claquement de doigts, il fit signe à la moustachue de s'approcher de la souveraine. Et lui-même glissa derrière elle, tout en rondeur, le pas léger.

— Mais êtes-vous bien une femme, ma chère ? demanda Sa Majesté avec un sourire, tout en examinant ce prodige de la nature.

Koukouchkine répondit, une main sur la poitrine :

— Je l'ai vérifié personnellement, Votre Majesté. Toute sa *complectation* féminine est en place.

Les courtisans s'empressèrent d'éclater de rire : à l'évidence ils attendaient un trait d'esprit de Lev Alexandrovitch.

L'impératrice pouffa elle aussi :

— Oh vraiment ?

Lev Alexandrovitch leva deux doigts :

— Evfimia, montre.

La femme demanda dans un bruyant chuchotement :

— Il faut déjà se mettre toute nue ?

Elle s'accroupit et entreprit de relever le bas de sa jupe. Les rires redoublèrent.

Catherine, vaincue par l'hilarité, esquissa un geste de la main :

— Ça suffit, vieux fripon. Rembarque ton monstre. Et offre-lui cent roubles. Oh, qu'il m'a fait rire...

Le grand écuyer salua en même temps qu'il claquait des doigts dans son dos (Mitia, placé derrière, le vit parfaitement), et aussitôt deux serviteurs accoururent et entraînèrent Evfimia la moustachue hors de la pièce.

Le tour des Karpov était arrivé : la Junon russe, le sourire encore aux lèvres, considéra Mitia puis son père. Celui-ci déglutit, et Mitia sentit dans sa cavité thoracique, là où loge le cœur, comme un pincement aigu.

— Lequel des deux ? demanda Catherine. Le grand ou le petit ? Qui sont-ils ?

Papa fit un pas en avant, salua avec une extrême élégance, et déclara de sa plus belle voix – une voix douce et posée :

— Le très dévoué serviteur de Votre Majesté impériale, capitaine en second à la retraite des chevaliers-gardes, Alexeï Karpov.

Sur quoi il se tut un instant. Il cherche à vérifier si la souveraine se souvient de lui, devina Mitia.

Mais non, il ne semblait pas qu'elle eût aucun souvenir de lui. C'était même bizarre : un si bel homme, si agréable, et aucune trace dans sa mémoire ? Quoiqu'il fût vrai qu'elle était déjà bien vieille : soixante-six ans. Avec l'âge, comme on sait, la circulation de la teinture cérébrale ralentit, il se forme dans la matière grise des ganglions et des adhérences qui ruinent l'ordonnance de la mémoire.

— Et voici mon fils, Mithridate, reprit papa en désignant Mitia, qui aussitôt s'inclina très bas, comme on le lui avait enseigné. Par le moyen d'exercices quotidiens et prolongés, j'ai développé chez cet enfant prodige une agilité d'esprit et une érudition proprement inouïes. Mithridate multiplie et divise n'importe quels nombres avec une vivacité sans pareille. Il lui est tout aussi facile d'élever un nombre au carré ou d'en tirer la racine, de même qu'il effectue bien d'autres opérations mathématiques encore plus compliquées. En outre… (ici la voix de papa se fit de vrai velours), en outre Mithridate maîtrise à la perfection les secrets du noble divertissement des monarques et des sages de l'Orient. (D'un geste gracieux, il montra l'échiquier.) Dans ce jeu, il n'a pas non plus son égal, même parmi les maîtres reconnus. Or ce garçon a tout juste six ans…

Ayant achevé le discours qu'il avait préparé, Alexeï Voïnovitch s'inclina à nouveau, et demeura ainsi figé, comme accablé de respect. Mitia poussa un soupir. Il n'avait pas du tout six ans, papa avait exagéré. Dans un mois et demi il en aurait sept.

— Un enfant si petit ! Il sait jouer aux échecs ?

Touché ! comme disaient les Français. Elle avait mordu à l'hameçon ! La souveraine se tourna, se déplaçant de tout son corps volumineux, de telle sorte que son pied, qui jusqu'alors reposait sur le tabouret, glissa sur le plancher.

— Ouille !

Catherine venait de pousser un cri accompagné d'une grimace de douleur.

Surgi de l'angle le plus éloigné de la salle, écartant dames et cavaliers telle une frégate fendant la vague, un homme au teint basané, sanglé dans un uniforme de marine couvert de galons, se rua vers la table.

— Qué sé passe-t-il, Votré Mazesté, la zambé vous fait mal ? s'écria-t-il en écorchant les mots de manière comique. Mais mé voici, moi, ton fidèle Kozopoulo, portor dé la pétite potion mazique !

Il tira d'une immense poche un flacon rempli d'un liquide d'un mauve vénéneux, se laissa lourdement tomber à genoux, ôta avec précaution la pantoufle de la souveraine et entreprit de lui palper le pied de ses gros doigts boudinés et néanmoins d'une agilité surprenante, enduisant de liquide le membre enflé, le frottant et le massant, tout en marmonnant dans sa barbe dans un idiome incompréhensible.

— Il a fallu qu'il s'en mêle, ce fichu Grec ! grommela le grand écuyer d'un ton excédé. Il a tout gâché !

Papa se redressa et leva les bras au ciel d'un air désespéré :

— Qui est ce charlatan ?

— Le contre-amiral Kozopoulo, un pirate. Notre tout nouveau faiseur de miracles, actuellement préposé au soin de la jambe malade de la souveraine. Il détient, vois-tu, le secret d'une drogue aux pouvoirs particuliers. Ah ! les Turcs eussent mieux fait de l'empaler, ce bandit mal rasé.

Les joues de l'amiral étaient en effet bleues de barbe à l'approche du soir, et il ressemblait en effet terriblement à un pirate. Mitia imagina le Grec non pas vêtu de l'habit militaire et les cheveux poudrés, mais avec un foulard noir noué autour de la tête, une chemise écarlate déboutonnée sur une poitrine velue, et un sabre à lame courbe à la ceinture – quel tableau ce serait ! Pourquoi ne naviguait-il pas sur les mers ?

— Et voilà à présent l'Anglais, Crews, le médecin de Sa Majesté, ricana Koukouchkine. Eh bien, préparons-nous à une nouvelle bataille de Lépante.

La foule des courtisans fut agitée à nouveau d'un mouvement de houle. Un monsieur à la mine sévère, le nez chaussé de lorgnons dorés, se frayait un passage vers la table. Avant même de l'avoir atteinte, articulant lui aussi les mots de drôle de manière, mais sans la douceur de l'amiral, d'un ton au contraire exagérément cassant, il se mit à crier :

— Veuillez cesser *immediately* ! Votre *Majesty*, vous mettez en péril votre augouste santé en vous fiant à cette charlatane ! J'ai procédé à oune *analysis* de son *so-called* élixir ! C'est de l'ourine de cheval mêlée de rhum de la plous médiocre *quality*, comme on en donne aux *sailors* !

De sa main sèche et noueuse, il empoignait déjà le Grec par l'épaule pour tenter de l'écarter.

— Eh bien oui, c'est dou pipi dé séval. (L'amiral haussa le coude et le médecin de l'impératrice s'en fut dinguer quelques pas plus loin.) Et alors ? Ma grand-mère, la vieille poutain, y azoutait encore un peu dé pétits cacas dé mouton, mais moi, z'ai trouvé mieux, zé prend ouné sinze et zé loui frictionne lé…

Et le marin d'employer là un mot qui, de l'avis de Mitia, n'était absolument pas autorisé à résonner dans l'enceinte d'un palais impérial.

— Je n'entends rien à vos termes de médecine ! répliqua la souveraine dans un éclat de rire. Quant à vous, Iakov Fedorovitch, ne vous fâchez pas contre mon Kostia. Même s'il n'a pas étudié dans les universités, il a voyagé dans toutes sortes de pays, il a tout vu et a des mains d'une douceur de rêve. Mais vous, là, Adélaïda Ivanovna, où allez-vous tendre le nez ? Ah ! elle veut me lécher, cher petit trésor !

Mitia sursauta et se haussa sur la pointe des pieds. Dieu merci, ces dernières paroles ne s'adressaient pas à une des dames de la cour, mais à une levrette couleur gris perle, qui passait sa langue avec application sur le mollet impérial. Voilà comment étaient les choses chez nous : on appelait un chien par ses prénom et patronyme, mais à un amiral on donnait du simple « Kostia ».

— On nous a oubliés, nous et l'Indien, chuchota Mitia à son papa. Par conséquent, le Projet est à l'eau, n'est-ce pas ?

Le père étouffa un sanglot. Quant à l'Indien, il battait tristement des paupières sur ses yeux noirs comme des olives. Lui aussi, sauvage habitant des forêts vierges, avait dû miser sur cette journée quelque espoir particulier.

— Monsieur, à quelle nation indienne appartenez-vous ? demanda Mitia à voix basse, d'abord en anglais, puis en français. J'ai lu des récits parlant des Iroquois, et aussi des Cherokees et des Algonquins.

Il pensait avoir posé sa question poliment, avec respect, mais le sauvage, bizarrement, prit peur. D'un bond il s'écarta de Mitia en bredouillant :

— *Big little man !*

Et par là-dessus, il se signa. Vous parlez d'un sauvage !

Papa faisait affreusement peine à voir. Mais aussi on avait tant attendu ce jour ! Combien on avait seulement dépensé d'argent, pour la route, et pour les costumes, et pour les vivres, sans compter le cadeau destiné à Lev Alexandrovitch Koukouchkine, pour qu'il leur permît d'être invités à un jeudi du Petit Ermitage (même si c'était un ami, il fallait bien le remercier lui aussi) !

A dire vrai, il n'était pas difficile de calculer le montant des frais ainsi engagés, car papa avait confié à son fils le soin de tenir les comptes, lui-même n'étant pas très à l'aise avec l'arithmétique. La somme, donc, se partageait ainsi : vingt-huit roubles et trente-trois kopecks un quart pour les chevaux, huit roubles trente kopecks et demi de repas pris à l'auberge, cinq cent trente roubles pour l'habillement, cent cinquante roubles pour la naïade en bronze offerte à Lev Alexandrovitch, plus quatre roubles onze kopecks de dépenses diverses, soit un total de (l'addition était des plus simples, et Mitia n'eut même pas à plisser le front) sept cent vingt roubles soixante-quatorze kopecks et trois *polouchki*. Ça n'était pas rien, non ?

Et puis, l'argent n'était pas tout.

Papa s'était lancé corps et âme dans son Projet ; combien de fois il avait décrit à maman dans les moindres détails les merveilleux changements qu'allait connaître leur vie quand Sa Majesté l'impératrice, enthousiasmée par Mithridate, aurait pris celui-ci auprès d'elle, et qui sait, portant le feu solaire de son regard sur certain capitaine en second à la retraite, se serait rappelé la sympathie que celui-ci lui avait inspirée autrefois. Ah ! mais qu'était le soleil face à ce regard ? Le soleil était capable de faire naître d'une graine un brin d'herbe, pas davantage, alors que le regard enchanteur de Catherine pouvait, en l'espace d'un clin d'œil, métamorphoser ce même brin d'herbe en un fier baobab. Maman écoutait ces rêves et se contentait de rougir de bonheur.

Papa avait passé plus de trois ans à préparer Mitia. On peut dire qu'il ne vivait plus que pour son Projet depuis le moment où il avait découvert que son fils n'était pas comme les autres enfants.

Avant ce fameux jour, on plaignait le bambin, qu'on tenait pour simple d'esprit. Il faut avouer que Mitia allait déjà sur ses quatre ans et ne prononçait toujours pas un mot. Il clappait des lèvres, produisait de vagues sons, mais jamais ne prononçait le moindre discours articulé. On avait beau l'y exhorter, essayer même de le gronder, le menacer, il restait muet, obstinément, quoiqu'il ne parût pas être sourd, et entendît même fort bien. On avait fini par jeter l'éponge, jugeant qu'à l'évidence il n'était pas destiné à vivre bien longtemps, que le Seigneur le reprendrait en son jeune âge et qu'en attendant il pouvait bien grandir comme il l'entendait.

Sitôt que Mitia se trouva abandonné à lui-même, son existence devint des plus captivantes. Il aimait par-dessus tout rester assis dans la salle de classe où, à tour de rôle, monsieur de Chaumon et le séminariste Vikenti enseignaient les sciences à son frère aîné, Endimion. Si l'on cherchait à l'en chasser, il poussait des hurlements épouvantables puis ne cessait plus de hoqueter, en sorte qu'on s'était résolu à tolérer sa présence. Il était apparu en outre que le marmot se tenait sage pour un long moment si on lui donnait un tome de *La Grande Encyclopédie* française (Alexeï Voïnovitch l'avait rapportée autrefois de la capitale, quand il servait encore dans la garde ; il l'avait reçue en paiement d'une dette de jeu). Les adultes regardaient le petit innocent et se sentaient tout attendris : les yeux fixés sur une grande page du livre, il paraissait lire pour de bon. Si on leur eût dit que Mitia, à l'âge de quatre ans, lisait en effet l'encyclopédie française, article par article, tome après tome, jamais ils n'eussent voulu le croire.

Mais il convient ici de tout raconter par le début, depuis l'instant où Mitia, pour l'état civil Dmitri Alexeïevitch Karpov, membre de la noblesse héréditaire, originaire du district Zvenigorod, commença de faire la connaissance du monde sublunaire. Ce rejeton d'une antique famille (blason : sabot de cheval et tête de chien plantée sur un épieu) était venu au monde non pas comme un piailleur ordinaire, mais dans un complet silence, et les yeux grand ouverts, yeux qu'au grand étonnement du médecin et de la sage-femme, il se prit aussitôt à tourner en tous sens en battant des paupières. Que le nouveau-né se fût tu n'était pas si surprenant, à dire vrai, après les plaintes assourdissantes qu'avait poussées la parturiente épuisée par de longues heures d'improductives contractions et finalement forcée de subir une cruelle césarienne. Au milieu des cris émis par la malheureuse, le nouveau venu avait peu de chance d'être entendu. Mais ces yeux clairs et grand ouverts, qui dès le premier instant s'étaient allumés d'une insatiable curiosité, constituaient en effet un phénomène unique en son genre.

Une autre particularité étonnante était apparue quelque temps après, quand la tête du bébé s'était couverte d'un duvet de cheveux partout châtains, sauf au sommet du crâne, où s'était dessinée une petite tache blanche qui par la suite devait donner naissance à une mèche argentée. Cependant la signification de cette marque symbolique ne s'était révélée que beaucoup plus tard ; au début personne n'imaginait rien de tel. On en avait vu d'autres : l'un avait une tache de naissance, l'autre des taches de rousseur, et celui-là une tache blanche sur la tête, voilà tout.

Le père avait prévu de donner à son second enfant, pourvu qu'il naquît de sexe masculin, le superbe et mélodieux nom d'Apollon ; il avait dû cependant y renoncer pour celui, bien plus ordinaire, de Dmitri. Ainsi s'appelait son beau-père, dont à ce moment le secours financier était au plus haut point nécessaire au chevalier-garde à la retraite en raison de certaines circonstances étroitement liées à l'usage des cartes à jouer.

Le minuscule Dmitri Alexeïevitch fut couché dans un berceau en forme de navire fabriqué par un habile artisan d'Outechitelnoïé, la propriété parentale (anciennement Sopatovka), et c'est à bord de cette nef, donc, qu'il s'en fut naviguer sur l'océan de la vie, océan au début fort calme et peu profond.

On avait peint sur le plafond de sa chambre le mouvement des planètes autour du soleil. C'est ce tableau que Mitia était voué à contempler durant toute la première année de son séjour ici-bas. En face de chaque corps céleste était indiqué son nom en lettres cyrilliques et latines, de telle sorte que l'objet, pour Mitia, se fondit avec sa désignation écrite bien avant l'appellation orale censée l'accompagner. Au commencement il y eut Солнце ☀. Puis, quand Mitia fut pour la première fois promené dans le jardin et qu'on lui montra le disque jaune et brûlant qui brillait dans le ciel, le mot *soleil* apparut, et par son propre pouvoir de raisonnement, l'enfant relia le premier au second, et ce fut bien là l'instant le plus magique et le plus troublant de sa vie.

Il avait une terrible envie d'apprendre à marcher au plus vite, mais les monstres le maintinrent ligoté dans des langes durant presque un an. En revanche, sitôt qu'on le laissa se traîner à quatre pattes, Mitia, le soir même, savait déjà poser un pied devant l'autre en se tenant au mur, et dès le lendemain il clopinait vaillamment dans toute la maison, allant de découverte en découverte.

S'il n'avait parlé avec personne avant l'âge de trois ans, c'était tout bonnement faute de temps. Que pouvait-il entendre d'intéressant de la bouche de son entourage ? De sa nounou, Malacha, quand elle le mettait au lit : « Fais dodo mon petit Mitia, ou le croquemitaine t'emportera. » De sa maman, quand on le portait dans sa chambre le matin, pour le lui montrer : « Oh ! Mitioucha, gouzi gouzi, mon joli petit cœur en sucre. » De son frère, Endimion, quand celui-ci courait dissimuler en lieu sûr, dans la nursery, sous le berceau, un lance-pierre ou un bout de chiffon rempli de tabac dérobé à papa : « Eh bien, l'affreux, toujours à salir tes couches ? » (Ce qui était faux. Mitia, dès l'âge de six mois, avait enseigné à sa nounou que lorsqu'il claquait de la langue, c'était que la nature le pressait. Que la balourde n'eût pas compris plus tôt ce qu'il voulait lui signifier par là, il n'y était pour rien.)

La principale aventure qu'affectionnait Mitia en cette époque silencieuse était de se glisser en cachette dans le bureau de papa, où se trouvaient les livres, ou bien, mieux encore, de rester assis sous la table autour de laquelle se rassemblaient les hôtes. Là il pouvait remplir ses oreilles, là il pouvait apprendre du nouveau : sur la guerre contre les Turcs ou les Suédois, sur les jacobins et les événements de Moscou. Mais il n'avait pas plus intérêt à bavarder dans les appartements des adultes, sous peine de se voir empoigné sur-le-champ par les bras et ramené de force à Malacha, laquelle lui eût fait subir pour la millième fois l'histoire inepte du chat Kot Kotovitch ou de Baba Yaga.

Cependant, le jour où Mitia eut gagné de haute lutte le droit de rester dans la salle de classe avec son frère, la vraie vie pour lui commença. Chaque journée était l'occasion de nouvelles découvertes, un festin pour l'esprit ! Monsieur de Chaumon enseignait, en français et en allemand, aussi bien la géographie que l'histoire et l'astronomie, laissant à Vikenti l'arithmétique, la grammaire russe et le catéchisme. Malheureusement les leçons ne duraient que deux heures par jour, et étaient en partie gâchées par l'exaspérante bêtise d'Endimion : combien de temps perdu à cause de lui ! En son for intérieur, Mitia appelait son frère aîné Embryon, jugeant le développement des fonctions mentales de ce pauvre d'esprit guère plus avancé que celui d'un fœtus.

Le soir, quand la maisonnée était endormie (or l'on se couchait tôt à Outechitelnoïë : l'été à dix heures, l'hiver à huit), venait le moment le plus important de la journée.

Sans bruit, sur la pointe des pieds, passant à côté de la nounou qui ronflait, couchée sur une malle, Mitia gagnait le corridor ; là, telle une souris légère, il grimpait l'escalier et filait dans les appartements du dessus, en français « le bel étage », où se trouvait le bureau de son père. Sous la table l'attendaient quelques bougies et un tome de la *Grande Encyclopédie*, si pesant qu'il pouvait à peine le soulever. Jusqu'à cinq ou six heures, il se sentait comme un roi, conversant à loisir avec des individus qui lui étaient égaux en esprit : devant les uns il inclinait la tête avec respect et admiration, avec d'autres il se permettait quelquefois d'entamer un débat. A six heures du matin, il levait le camp et regagnait son lit. Il était décidément inconcevable que l'être humain gaspillât sur l'oreiller le tiers d'une existence déjà fort courte ! Pourquoi autant ? Trois heures pour le repos du corps et le rafraîchissement de l'esprit, c'était amplement suffisant.

Encore à présent il arrivait à Mitia de se demander s'il n'avait pas commis une bévue ce jour d'automne où il avait enfin ouvert la bouche. Un élan spontané, une incitation de son cœur sensible avaient mis un terme aux douces joies d'une muette solitude. Mais c'était tant pitié que de voir son papa se consumer de mélancolie à son retour de

Saint-Pétersbourg, où il était parti rempli d'espoir après la mort du cyclope et d'où il était rentré bredouille. Jour après jour, littéralement du matin jusqu'au soir, Alexeï Voïnovitch versait des torrents de larmes, levait les bras au ciel et maudissait le sort cruel qui le condamnait à croupir au fin fond du néant qu'était la région de Moscou, avec pour subsister deux mille huit cents malheureux roubles de rente annuelle, père inconsolable de deux rejetons frappés d'idiotie : un grand nigaud bon à rien et un simplet privé du don de la parole.

Tout était silencieux dans la maison. Maman souffrait de ses vapeurs, Endimion s'était réfugié au grenier pour échapper au fouet, les domestiques eux-mêmes se tenaient cois. C'est alors que Mitia prit une décision des plus généreuses : celle d'apporter au moins un soulagement à son papa. Qu'au moins celui-ci se trouve consolé de découvrir que son cadet n'était nullement un simplet et pouvait même articuler des mots s'il le souhaitait.

Pour commencer, à titre d'exercice pratique, il essaya de parler tout seul à haute voix. Auparavant, il lui était déjà arrivé, bien sûr, d'user du monologue, mais silencieusement, en remuant juste les lèvres, or là, il découvrit que sa voix avait le plus grand mal à suivre sa pensée. (Cette manière de s'exprimer en bousculant les mots devait lui rester par la suite, en sorte que tout le monde n'était pas capable de le comprendre, surtout si Mitia se laissait entraîner par une idée particulièrement intéressante.) Il convenait aussi de tenir compte de la sensibilité exacerbée de papa. La phrase prononcée devrait être courte et s'achever avant qu'Alexeï Voïnovitch ne pousse de grands cris enthousiastes et n'en gâche ainsi tout l'effet. Le plus simple était sans doute d'entrer et de saluer, pas en russe cependant (la belle affaire pour un gosse de trois ans !), mais dans une langue étrangère. Ce serait à la fois bref et marquant.

Mitia pénétra donc dans la salle à manger où son papa sanglotait toujours. Là, il dit, en s'efforçant de prononcer les groupes de mots français exactement comme monsieur de Chaumon : « *Bonjour, papa.* »

Ledit papa se retourna. Soit il avait mal entendu, soit il pensait avoir rêvé. Il esquissa une grimace de souffrance et gémit : « Va, va, mon pauvre enfant sans raison ! » Et, de la main, il désigna la porte tandis que lui-même redoublait de sanglots, terrassé de chagrin à la seule vue de son fils.

Alors Mitia lui cita une phrase tirée des *Pensées* de Pascal (il avait lu ce livre la veille et avait retenu mot pour mot quantité de maximes) : « *Deux excès : exclure la raison, n'admettre que la raison.* »

L'effet fut encore plus puissant qu'il ne l'avait souhaité. Mitia avait sous-estimé la sensibilité de son père : Alexeï Voïnovitch, en entendant ses mots, montra les yeux blancs et perdit connaissance. Mais quand il reprit ses esprits, qu'il vit penché sur lui le visage confus de son fils cadet, et l'entendit encore bredouiller des paroles de consolation en russe, en français et en allemand, il leva les bras au ciel et remercia la providence du miracle qui venait de se produire.

Puis il passa un long moment encore à s'exclamer et s'extasier, en découvrant que le mioche savait également lire le latin et possédait de vastes connaissances dans toutes sortes de domaines scientifiques. Mais ce qui semblait le frapper le plus, c'était l'extraordinaire mémoire dont Mitia faisait preuve, ainsi que son habileté pour les opérations arithmétiques. Pourtant, mémoriser un sujet intéressant n'était pas un grand prodige, quand même il s'agissait de pages entières – Mitia n'eut aucune difficulté à expliquer cela à son père, en revanche il se trouva très embarrassé pour parler des chiffres en couleur, car lui-même ne comprenait pas très bien comment fonctionnait dans son cerveau sa machine arithmétique.

C'était ainsi : pour lui le chiffre un était blanc, le deux rose, le trois bleu foncé, le quatre jaune, le cinq marron, le six gris, le sept rouge vif, le huit vert, le neuf mauve, le zéro noir. A qui ne voyait pas cela, il était vain d'expliquer que lorsqu'on prenait par exemple le nombre 387, celui-ci se présentait un peu comme un berlingot tricolore : bleu-vert-rouge. Qu'on veuille le multiplier par 129, blanc-rose-mauve, et tous les chiffres dans l'instant s'entrelaçaient en une grosse tresse multicolore, les teintes se fondaient l'une dans l'autre, et la suite était des plus simples : il suffisait d'énoncer dans l'ordre les différentes parties du nouveau spectre ainsi formé, et l'on obtenait le total recherché, soit 49 923. Même chose pour les divisions.

Papa écouta un long moment l'exposé confus de son fils, puis soudain, tel Archimède de Syracuse, il s'écria : « Eurêka ! » Il prit Mitia dans ses bras et courut jusqu'à la chambre de maman. Là, il tomba à genoux et se prit à couvrir de baisers le ventre de sa femme, à travers l'étoffe de la robe. « Que faites-vous, Alexeï ? s'exclama-t-elle.

— Je baise vos entrailles bénies, qui ont mis au monde un Hercule du savoir, et ouvert ainsi un chemin qui nous conduira à l'éden ! Contemplez, chère Aglaïa Dmitrievna, le fruit de notre union ! »

C'est à cet instant que le Projet avait été conçu.

Au temps où papa était enfant, on parlait beaucoup d'un petit musicien nommé Mozart, que son père promenait dans toute l'Europe pour le montrer aux monarques et recevoir en échange récompenses et honneurs. En quoi Dmitri Karpov valait-il moins que le *Natürwunder* autrichien ? Parce qu'il ne connaissait pas la musique ? Mais qu'avait-on à faire, chez nous, en Russie, de ce passe-temps stupide ? Si la souveraine éclairée écoutait des opéras et des symphonies, c'était surtout pour donner l'exemple et inculquer le bon goût à ses courtisans, mais, disait-on, il arrivait souvent qu'elle-même s'assoupît dans sa loge. Il n'était besoin d'aucune musique ! A la capitale on ne parlait que de la nouvelle passion de Sa Majesté : le jeu d'échecs. Beaucoup s'étaient empressés de s'initier à ce divertissement intellectuel. Papa avait lui aussi acheté un échiquier et des pièces, et appris par cœur les règles en dépit de leur complexité. Et quel bénéfice en avait-il tiré ? Hélas aucun. La tsarine n'avait pas attendu Alexeï Karpovitch pour se trouver un partenaire de jeu.

Mais si l'on présentait à Sa Majesté un adversaire totalement hors du commun, à savoir un minuscule garçonnet pas plus haut que trois pommes ? Ce serait là une attraction bien plus forte que Mozart.

Blême, tenaillé par la peur d'être déçu, le hobereau de Zvenigorod énuméra à son étonnant rejeton les règles du noble jeu, et, bien entendu, le miracle s'accomplit, même si le terme de miracle ne convient guère, car rompu comme il l'était aux calculs en couleur, Mitia assimila les subtilités des échecs avec la même facilité. Dès la première partie, le gamin de trois ans remporta sur son père une victoire décisive, pour bientôt battre tout le monde à la file, en concédant à ses adversaires l'avantage de la dame, et même d'une tour si cela ne suffisait pas.

De ce moment, la vie de la famille Karpov, et en premier lieu de son plus jeune membre, changea du tout au tout. L'Hercule du savoir eut droit à une demi-douzaine de précepteurs engagés tout exprès pour lui enseigner l'ensemble des sciences connues du genre humain, et les progrès du jeune Mithridate (c'est ainsi qu'on avait décidé d'appeler désormais Mitia) dépassèrent les attentes les plus folles de l'heureux géniteur. Une fois par mois, on se rendait exprès à Moscou pour acheter de nouveaux livres – tous ceux que Mitia désirait. Pour cela on avait imposé aux paysans d'Outechitelnoïé, et à ceux du lointain village de Karpovka, une redevance spéciale, dite « taxe du livre », fixée à cinquante kopecks (ou à défaut deux poules, ou bien trois livres de miel ou encore un sac de champignons séchés, selon ce que décidait le staroste) par an et par âme recensée.

Mitia était devenu le personnage le plus important de la maison. S'il était installé dans la salle de classe, tout le monde ne parlait plus qu'à voix basse ; s'il lisait un livre, on se déchaussait et on marchait sur la pointe des pieds. Et comme le nouveau Mithridate passait son temps soit à étudier, soit à lire, la maison des maîtres n'était plus que silence et murmure, comme lors de funérailles.

Malacha, la nounou, ne pouvait plus à présent tyranniser l'enfant. S'il ne voulait pas dormir, elle ne l'obligeait pas à se coucher, s'il ne voulait pas de sa kacha, elle ne le forçait pas à l'avaler. Elle en était malade et se désolait pour lui.

Un jour que Mitia avait passé brillamment un examen d'allemand devant toute la maisonnée réunie, bavardant en cette langue avec beaucoup plus d'aisance encore que son maître, la nounou déclara, la voix brisée de chagrin : « Voyez ça, comme il est pressé de vivre. On voit bien qu'il ne durera guère, le pauvre chéri. » Papa l'entendit et ordonna que le fouet fût donné à la sotte, pour lui faire passer l'envie de jouer les oiseaux de mauvais augure.

Bien sûr, la nouvelle vie de Mitia n'était pas qu'un chemin de roses, elle avait aussi son lot d'épines. Son frère, par exemple, ne cessait de l'embêter. Il était très jaloux qu'on habillât à présent le « morpion » comme un adulte, avec culottes et bas, pourpoint et redingote. Tantôt il le pinçait sournoisement, tantôt il lui tordait les oreilles, ou bien glissait des grenouilles dans ses souliers. Le persécuteur de Mitia profitait du fait que celui-ci s'en tenait à la philosophie stoïcienne et n'avait que mépris pour la délation. Au reste, que pouvait-on attendre d'un imbécile ? Il méritait bien son nom d'Embryon.

Un an plus tard, Mithridate était prêt. L'eût-on fait monter dans un carrosse et conduit tout droit à la souveraine ou même devant l'Académie des sciences, il ne se fût pas couvert de ridicule. L'affaire traîna cependant en raison d'un menu détail : l'absence d'occasion opportune. Comment présenter l'enfant prodige à la souveraine, et du même coup se montrer ? (Pour d'évidentes raisons, il n'était pas question d'emmener maman à la cour.)

L'occasion se fit attendre encore deux ans, jusqu'au jour où Lev Alexandrovitch, leur bienfaiteur, vint en visite à Moscou. Entre-temps, Mitia avait fini d'apprendre par cœur toute la *Grande Encyclopédie,* et s'était pris d'intérêt pour le calcul intégral, ce qui, aux yeux de papa, était maintenant tout à fait superflu. Alexeï Voïnovitch supportait très mal l'attente, tel le père d'une fille d'une grande beauté à laquelle on eût tardé à trouver un bon parti, au risque de la voir avec le temps se faner et se flétrir. Un joueur d'échecs de quatre ans était une chose, avec trois de plus, c'en devenait une autre, toute différente.

Mitia pour sa part ne se faisait aucun souci, et endurait très bien son sort. Il eût bien aimé continuer à vivre de la sorte, entre ses livres et ses leçons, si son papa ne lui eût pas fait tant de peine.

Combien d'efforts déployés, d'espoirs formulés, combien d'obstacles surmontés, pour qu'au bout du compte elle ne leur accordât pas même un regard ! A cause de la mine effondrée de son papa, à cause du pourpoint trop étroit qui le mettait au supplice, à cause du crâne qui le démangeait sous ses cheveux rendus gras (et pas moyen de se gratter avec les ongles, c'était sévèrement défendu), Mitia se sentait plein de colère contre la grosse vieille, et fronçait les sourcils. Si ses yeux avaient pu émettre de la chaleur comme le font les rayons du soleil, il eût fait rôtir l'ingrate, en commençant par incendier son haut chignon poudré.

Chaleur ou pas chaleur, toujours est-il que certain fluide dut émaner de son regard, car l'impératrice, riant encore de la prise de bec entre le Grec et l'Anglais, tourna soudain la tête et considéra pour la troisième fois le petit personnage vêtu de l'uniforme azur des chevaliers-gardes. Et là Mitia lui rendit la monnaie de sa pièce, à cette capricieuse, pour tous les tourments endurés : il afficha une grimace offensée et lui tira la langue. Et na ! Voilà pour toi !

La Sémiramis écarquilla les yeux, stupéfaite : visiblement, personne à la cour ne lui tirait la langue.

— Quel âge, dites-moi, a votre enfant ? demanda-t-elle à papa.

— Six ans, Votre Altesse impériale, s'écria Alexeï Voïnovitch, reprenant espoir. J'ai emporté avec moi le registre paroissial, vous pouvez vérifier !

Un doigt rose fit signe à Mitia d'approcher.

— Eh bien, dis-moi...

Elle chercha à se rappeler son nom, mais en vain. Papa souffla de sa voix la plus douce :

— Mithridate.

— Dis-moi, Mithridate...

Elle ne trouva pas tout de suite quoi lui demander. On voyait à son sourire amical qu'elle désirait poser une question facile.

— En quelle année sommes-nous actuellement ?

— Selon quel calendrier ? demanda vivement Mitia en allant se camper près de la vieille femme (il émanait d'elle un parfum de lavande, de poudre de riz, et aussi d'épice, de muscade eût-on dit).

Sans attendre la réponse, il débita d'un trait :

— En comptant à partir de la création du monde selon les chronologues grecs, nous sommes en l'an 7303, et selon les Romains en 5744 ; en comptant depuis le déluge, selon les chronologues grecs, en 5061, pour les Romains en 4088 ; depuis la naissance du Christ, en 1795 ; depuis l'hégire, autrement dit la fuite de Mahomet, en 1173 ; depuis la fondation de Moscou, en 648 ; depuis l'invention de la poudre, en 453 ; depuis la découverte de l'Amérique, en 303, et depuis le couronnement de l'impératrice Catherine II, en l'an 33.

La tsarine battit des mains, et tout le monde autour d'eux se mit d'un coup à murmurer. Ensuite tout alla comme sur des roulettes.

Mitia effectua quelques multiplications à trois chiffres (le favori refit lui-même le calcul en posant l'opération sur un bout de papier – les résultats concordaient) ; puis il se fit un jeu d'extraire la racine carrée de 79 566 (seul le petit-fils parvint à vérifier, et encore dut-il s'y reprendre à trois fois tant il s'embrouillait) ; il énonça les noms de tous les gouvernements de Russie, avec même leur capitale quand on la lui demandait. Après quoi il battit aux échecs le grand écuyer Koukouchkine (quatre coups lui suffirent), puis le vieillard vêtu de noir, qui se révéla être le conseiller privé Maslov, chef du Département secret (celui-ci jouait plutôt bien, mais quelles chances avait-il contre Mithridate ?), pour affronter en dernier lieu la souveraine en personne. Ici, il se laissa un peu emporter par le jeu et, oubliant que son papa lui avait recommandé de laisser gagner Sa Majesté, il écrasa littéralement l'armée des blancs. Mais

Catherine ne parut pas s'en offusquer, au contraire, elle alla même jusqu'à baiser Mitia sur les deux joues, lui donnant du « chérubin joli » et de la « bonne petite tête ».

Mitia déclama encore la *Felitsa* de Derjavine, poème certes assez bête, mais sonnant superbement, et pour conclure sa geste triomphale se fendit d'une profonde révérence et déclara :

— Je me flatte d'espérer avoir su, par ces modestes exercices intellectuels, distraire la grande souveraine du fardeau que représentent les soucis du pouvoir. Je tiendrais pour un immense bonheur que Votre Majesté et Vos Altesses impériales, ainsi que Votre Très Haute Excellence (il désignait le favori : papa lui avait bien recommandé de ne l'oublier en aucun cas), pour me récompenser de ma bonne volonté, répondissent à mon salut par des applaudissements d'adieu.

Chapitre troisième

LA MORT D'IVAN ILITCH

Ayant pris poliment congé du jeune chauve, frère de la secrétaire de Fandorine (occupé à épiler ses sourcils, violets comme ceux de sa sœur, l'énergumène ne lui adressa même pas un coup d'œil), le Correspondant quitta le bureau n° 13 la mine extrêmement pensive.

Il appuya du bout du doigt sur le bouton d'appel de l'ascenseur, et mit un certain temps à comprendre que la cabine n'avait aucune intention d'arriver. Pendant qu'il rendait visite au Pays des Soviets, le grinçant appareil avait réussi à tomber en panne. Tel était visiblement son lot ce jour-là : user ses semelles à gravir et descendre des marches d'escalier.

Bon, quatre étages ce n'était pas le bout du monde, ses jambes y survivraient.

Le Correspondant se dirigea vers la fenêtre et cligna des yeux : le soleil brillait à travers la vitre poussiéreuse, il faisait étonnamment beau et chaud pour un mois de novembre.

Mieux vaut bien réfléchir avant d'agir, grommela-t-il tout bas. C'est une leçon, une bonne leçon pour l'avenir. Autrement, on fonce tête baissée, et on est sûr de tout faire en dépit du bon sens. Ainsi là, tout indiquait pourtant qu'il s'agissait d'une canaille doublée d'un menteur, or à y regarder de plus près, les yeux dans les yeux, on découvrait un être humain. Quand on vous témoigne une telle confiance, quand on vous donne un tel pouvoir, il faut se montrer plus responsable, éviter le formalisme. C'est qu'eux, là, ils n'iraient pas par quatre chemins : une, deux, et hop ! terminé ! Et des gosses innocents risquaient encore de trinquer, comme l'autre fois, dans la Mercedes. A Sodome et Gomorrhe aussi, quand on y réfléchit, il devait bien y avoir des enfants qui ne prenaient aucune part aux débordements des adultes, or ils n'avaient pas plus échappé aux torrents de feu et de soufre que le Seigneur avait déversés sur les villes, ils y avaient eu droit en même temps, comme les autres. A qui la faute ? Pas à Dieu, non, à Loth. C'est lui, le mandataire du ciel, qui aurait dû penser aux enfants et rappeler leur présence à son supérieur. Lui aussi faisait office, pour ainsi dire, de correspondant. Ça n'est pas une mince responsabilité. A la rédaction, par exemple, avant d'envoyer quelqu'un pour la première fois en mission longue durée, combien de séances de contrôle on lui faisait subir et re-subir, et combien de séances d'instruction ?! Tout ça pour qu'il comprenne bien qu'un correspondant spécial, ce n'est rien de moins que les yeux et les oreilles du journal, et pas de n'importe quel journal, du plus grand quotidien du plus grand pays du monde. Et il ne s'agissait encore que d'un journal, alors que là, l'instance était autrement plus élevée.

Tu ne dois pas te laisser entraîner en avant, tu ne dois pas te couper des gens, se dit le Correspondant avec sévérité. Ajourner le verdict, c'est la première chose à faire. Qu'il vive donc, puisqu'il n'est pas perdu.

Sur le palier du troisième étage s'était installé un groupe de SDF. Deux étaient assis sur le large rebord de fenêtre (où une bouteille de gros rouge côtoyait quelques œufs durs et une baguette entamée, le tout posé sur une feuille de papier journal), le troisième roupillait déjà, étendu en travers de l'escalier, jambes écartées. Ses yeux étaient clos, un filet de bave pendait à sa bouche, et un morceau de coquille d'œuf était resté collé à sa joue hérissée de barbe.

Tu parles d'un bourgeois, se dit le Correspondant en pensant au président du Pays des Soviets. Bureau à l'ancienne, ascenseur détraqué, et clodos qui picolent dans le passage.

— Et vive les réformes démocratiques ?! lança-t-il tout haut en adressant un clin d'œil aux malheureux. Pas vrai, les gars ?

Le type affalé par terre ne réagit pas. L'un des deux autres, un rouquin, qui, une fois lavé et récuré, aurait paru encore tout jeune, répondit d'une voix cassée :

— Allez, allez, quoi. On finit de bouffer et on se tire. Qui est-ce qu'on dérange ?

Le troisième, dont le nez trop court était passablement boursouflé, se contenta de renifler, et s'empara du morceau de pain.

Eh, pauvres prolétaires, pauvres laissés-pour-compte de la loi du marché.

— Mais je ne vous reproche rien. Vous pouvez bien loger là, si vous voulez, rétorqua le Correspondant avec un geste las de la main.

Il aurait dû poser des questions, chercher à savoir comment ils en étaient arrivés là. Sûrement chacun avait-il croisé sur son chemin quelque salopard fini qui l'avait trompé, escroqué, lui avait fait perdre son logement, son travail, et l'avait poussé vers la déchéance.

Le Correspondant s'immobilisa, hésitant sur la conduite à tenir : engager la conversation ou pas ? Les types assis le regardaient avec une inquiétude manifeste. Jamais ils ne voudraient se confier, ce dont ils avaient besoin maintenant c'était de boire un coup et d'avaler un morceau.

Eh bien, tant pis, qu'ils continuent donc à s'aveulir.

Il passa devant eux et dut enjamber le poivrot endormi qui, décidément, prenait ses aises.

A l'instant même où le Correspondant, un pied encore sur le palier, posait l'autre sur la première marche en contrebas, le clochard ouvrit soudain les yeux – des yeux clairs, nullement embués d'alcool – et, de son pied chaussé d'un gros godillot de l'armée, le frappa de toutes ses forces à l'entrejambe.

Aveuglé de douleur, le Correspondant n'eut pas le temps de pousser un cri. Le rouquin et le camard sautèrent à bas du rebord de fenêtre et lui tordirent les bras dans le dos

– les deux vagabonds, bizarrement, portaient des gants de caoutchouc transparent –, tandis que le faux dormeur tirait brutalement sur le pantalon du Correspondant et plantait dans sa fesse dénudée un tube noir muni de deux aiguilles.

Il y eut comme le crépitement d'une décharge électrique, puis une soudaine odeur de brûlé, et l'instant d'après (l'instant d'après pour lui seulement, sorti qu'il était du système de temps réel) le Correspondant rouvrit les yeux sur les planches d'un plafond d'où pendaient de vieilles toiles d'araignée et des lambeaux de peinture décollée.

Ledit plafond était en pente, et dans l'angle rejoignait le plancher. Mais quand le Correspondant tourna la tête, il découvrit le carré scintillant d'une fenêtre à la vitre fendue et, entendant soudain le son d'un klaxon provenant de quelque part en bas, il pensa : je me trouve dans les combles d'un immeuble. La lucarne donne sur une cour, et non sur la rue, autrement on percevrait le bruit de la circulation.

Un courant d'air traversait la pièce, mais il ne faisait pas froid. Le toit devait être chauffé par le soleil.

Le Correspondant regarda de l'autre côté. Il découvrit au-dessus de lui, un peu sur le côté, mais toute proche, la gueule mal rasée de Coquille-d'œuf. De coquille, l'homme n'en avait plus sur la joue, mais c'est ainsi qu'en pensée il baptisa le voyou. Coquille-d'œuf tenait à la main un gros tampon d'ouate d'où émanait une odeur forte et déplaisante. De l'ammoniaque. A l'évidence, il venait juste de l'ôter du visage du prisonnier. Le Rouquin et le Camard se tenaient debout un peu plus loin.

« Bande d'idiots, vous avez trouvé qui dépouiller ! » voulut leur dire le Correspondant, mais au lieu d'une phrase articulée, il ne parvint à émettre qu'un vague mugissement, ses lèvres refusant de s'entrouvrir. Elles étaient recouvertes de sparadrap, il ne s'en était pas tout de suite aperçu.

La conscience revenait peu à peu à la victime des bandits, et les découvertes se succédaient. Il avait les mains menottées dans le dos. Et les pieds ligotés avec une ceinture.

La sienne, à en juger par son pantalon descendu sur ses jambes.

— Il revient à lui, déclara Coquille-d'œuf en soulevant la paupière du prisonnier. La pupille est normale, le contact avec la réalité est rétabli. Venons-en aux débats. Veuillez porter votre regard éclairé sur l'objet que voici.

Le Correspondant loucha et vit une seringue entre les doigts du bandit.

— Ceci, collègue, est une solution corrosive. Il suffit de planter l'aiguille dans un ganglion nerveux. L'intensité et la durée du syndrome névralgique dépendent de la dose injectée.

Le « syndrome névralgique », voyez-moi ça, on croirait entendre un professeur de médecine, pensa le Correspondant.

Coquille-d'œuf le tira brutalement par le bras, manquant de peu lui démettre l'épaule, et, d'un geste assuré et précis, lui planta l'aiguille dans le coude, à travers veste et chemise.

Gmmmm ! fit le Correspondant, suffoqué par le hurlement qui refusait de sortir de sa gorge. Il se contorsionna durant une dizaine de secondes, martelant le plancher de la nuque et des talons

Coquille-d'œuf attendit que les convulsions fussent passées pour reprendre :

— C'était la dose minimale. A titre d'échantillon. Pour économiser du temps et des forces. Je veux dire mon temps et vos forces. Et pour que vous compreniez bien : nous ne sommes pas des dilettantes, mais des professionnels. Vous êtes vous-même un professionnel, non ?

Le Correspondant ne comprit pas la question, mais hocha néanmoins la tête.

— Bien, par conséquent, vous êtes en mesure d'évaluer la situation. Le match est perdu pour vous, nous parviendrons de toute manière à vous soutirer les informations dont nous avons besoin. Vous savez que les moyens techniques le garantissent, c'est juste une question de temps. Alors, nous sommes d'accord pour causer ?

Le Correspondant acquiesça de nouveau.

— Ah ! vous êtes un vrai trésor, ricana Coquille-d'œuf. Parfait, donc. Vous êtes dispensé de nous raconter votre biographie officielle, nous la connaissons déjà. Dites-nous plutôt, cher Ivan Ilitch Chibiakine, né en 1948, comment s'est orientée cette ligne de votre destin qui reste dissimulée à un œil non averti. Je pose les questions, vous répondez. De manière nette, franche et précise. Je suis entraîné à repérer les pulsions désinformatrices aux microcontractions de la pupille. A la moindre tentative, vous recevrez votre dose. Bien. Question numéro un. Dans quelle structure avez-vous reçu votre formation spéciale ? A la DGSR ?

Le Correspondant hocha la tête pour la troisième fois.

— Parfait. Je sens que nous allons bien nous entendre.

Coquille-d'œuf tendit la main vers le sparadrap.

— Question numéro deux. Combien êtes-vous ?

A peine sa bouche fut-elle délivrée de la bande adhésive, le Correspondant, sans perdre un instant, planta les dents dans le doigt de son inquisiteur. Il y mordit de toutes ses forces, et très vite un goût salé se répandit sur sa langue. Son idée était de le sectionner complètement, mais l'homme, poussant un juron, lui planta l'index de l'autre main en un point situé sous la pommette, et d'un coup son visage se trouva paralysé, en sorte que ses mâchoires se desserrèrent d'elles-mêmes.

Coquille-d'œuf remit le sparadrap en place en secouant sa main ensanglantée.

Le Rouquin lui tendit un mouchoir et dit :

— Elle nous avait prévenus : ce n'est sûrement pas un pro, plutôt un intello convaincu, le genre de type qu'on ne fait pas craquer avec deux beignes. Qu'est-ce qui t'a pris de vouloir jouer à la Gestapo ? On nous a dit de le conduire à Moukhanovka, conduisons-le à Moukhanovka. Tu veux toujours en faire plus que ce qu'on te demande. Tu cherches quoi ? A lui damer le pion ?

Coquille-d'œuf tordit le mouchoir et banda son doigt blessé.

— On va devoir rester ici jusqu'à la nuit, de toute façon, grommela-t-il entre ses dents, l'air mauvais. On ne peut tout de même pas le trimbaler à travers la cour en plein jour, non ? Le temps est une denrée rare, il faut le ménager. Et ne pas rester là encore une fois à se faire suer pour rien, et se mettre au boulot. T'inquiète pas, j'en ai déjà piqué des tas. Y compris des intellos. Ça ne fait pas de mal d'essayer. Pas vrai, camarade ?

Il s'adressait cette fois-ci au Correspondant : il se pencha à toucher le visage du prisonnier, lui fit un clin d'œil, mais son regard était furieux. Il était hors de lui, évidemment, à cause du doigt.

Le Correspondant ne pouvait pas parler, aussi lui répondit-il lui aussi par un clin d'œil. Il ne savait plus à présent qu'une chose : l'heure de la souffrance avait sonné. Il n'en éprouvait absolument aucune peur. Il se réjouissait même, car il savait qu'il tiendrait.

Le Rouquin déclara :

— Pourquoi te prendre la tête ? A Moukhanovka, on lui injectera une dose, et il chantera comme un canari. Il dira tout : et combien ils sont, et qui ils sont, et où loge tout ce petit monde.

Le troisième, que le Correspondant avec baptisé le Camard, pour sa part se tenait coi, les mains enfoncées dans les poches. Les paroles du Rouquin avaient troublé le prisonnier. Et si vraiment ils le droguaient ? Ne risquait-il pas de déballer ce que personne, jamais, n'était censé savoir ?

— Je me prends la tête si je veux, rétorqua Coquille-d'œuf. Je vais te raisonner cette saleté de vipère sans chimie, à l'afghane.

Il se pencha, empoigna d'une main la ceinture qui liait les chevilles du Correspondant, et tira dessus avec force, dans l'intention de traîner le prisonnier jusqu'au milieu du grenier.

La secousse fut d'une telle violence que la vieille lanière de cuir, passablement usée en plusieurs endroits, céda sous le choc. Coquille-d'œuf faillit perdre l'équilibre. Le Correspondant, quant à lui, se releva vivement, d'abord à genoux, puis à croupetons, glissa entre les mains du Camard et, sans perdre de temps à se redresser davantage, se rua vers la lucarne, tête baissée. Défonçant le cadre de fenêtre vermoulu, il roula sur le toit tiédi par le soleil et scintillant de mille reflets, puis dégringola dans le vide, au milieu d'une ombre dense.

Son dos heurta l'asphalte. Dans l'instant, il ne perçut plus aucun bruit, ne ressentit plus nulle douleur, mais conserva encore un moment la vue et l'odorat. Il s'imprégna avidement des odeurs de la cour : humidité, essence et acétylène. Le soleil brillait dans le rectangle bleu coincé entre les corps de bâtiment.

Tout à coup, de manière très nette et précise, il se revit, tout jeune, comme vingt-cinq ans plus tôt. Sa femme se tenait à côté de lui. Ils venaient juste d'arriver à l'Ile de la Liberté, c'était leur premier voyage à l'étranger, ils étaient sortis sur le balcon et contemplaient l'océan, La Havane inondée de soleil. « … Nous dépenserons sept cents bons d'achat pour vivre, et nous en mettrons cinq cent cinquante de côté, d'accord, Vania ? Nous allons économiser, Vania, et nous nous offrirons un deux-pièces sur la perspective Lénine, ou avenue de l'Académie», gazouillait Liouba d'une voix heureuse. Le Correspondant l'écoutait et souriait, et il y avait alentour plus de lumière qu'il n'y en avait jamais eu sous pareille latitude.

Le soleil soudain se mit à pâlir, le ciel s'assombrit, et les nuages se changèrent en autant de grands trous noirs. C'est la fin du monde, pensa Ivan Ilitch avec satisfaction. Vous l'avez bien cherché, non, salopards ? Eh bien, maintenant vous allez devoir répondre pour tout.

Il aspira une large bouffée d'air, bloqua sa respiration à la moitié, se raidit et mourut.

Chapitre quatrième

AMOUR ET PSYCHÉ

— Malheureux que je suis, que n'ai-je rendu l'âme/Plutôt que de laisser mon cœur infiniment/Souffrir, et se noyer de mes amours la flamme/Sous le flot impétueux de mes larmes d'amant, marmonnait dans sa barbe un monsieur hirsute vêtu d'une redingote graisseuse, qui grimaçait atrocement en brandissant les poings.

Un poète, pensa Mitia avec respect. Il tend l'oreille à l'appel des muses. Néanmoins, il préféra à tout hasard s'éloigner de quelques pas de peur que l'autre, dans son ivresse lyrique, ne lui flanquât un mauvais coup ; ce prêtre d'Apollon avait des mains comme des battoirs, en outre il émanait de lui une mauvaise odeur de chou aigre et de sueur.

Parmi tous les gens rassemblés à cette heure tardive de la matinée dans les appartements de Sa Très Haute Excellence le prince Zourov, le poète était le seul à n'être ni coiffé ni poudré ; tous les autres étaient en grande tenue et sentaient bon le parfum de fleurs et l'eau de toilette allemande.

A nouveau, comme la veille, on était contraint d'attendre mais, instruit par l'expérience, Mitia avait déjà compris que la vie de cour se résumait essentiellement à cela. Ce jour-là, il est vrai, les Karpov n'étaient pas les seuls à se morfondre, tous ceux venus présenter leurs respects au grand homme enduraient la même épreuve. Il n'y avait presque aucune dame, seulement des messieurs, parmi lesquels des personnages très importants, certains en uniforme de général, et quelques-uns même arborant des pourpoints cousus de boutons en diamants si gros que chacun d'eux, sans doute, eût permis d'acheter deux Outechitelnoïé. Ils se tenaient immobiles, bien sagement, personne ne parlait, et de manière générale, observa Mitia, affectaient en ce lieu une attitude beaucoup plus sévère que tantôt, en présence de la souveraine. Lui-même s'expliquait ce curieux phénomène ainsi : aux réceptions du jeudi organisées chez l'impératrice, on était flatté d'avoir été convié, et c'était tout, alors qu'ici on voyait se jouer son destin. C'était ici qu'était vraiment l'antre du pouvoir, dans ces salons de marbre blanc contigus aux appartements privés de la tsarine.

Pas moins de cinquante personnes étaient déjà rassemblées, et toutes regardaient constamment la haute porte blanc et or par laquelle, sans doute, devait paraître Platon Alexandrovitch. Chaque jour, à dix heures du matin, Sa Très Haute Excellence se faisait friser les cheveux, et recevait en même temps les solliciteurs et les personnages importants qui venaient d'arriver à Saint-Pétersbourg ou bien au contraire s'apprêtaient à en partir. Tous les ambassadeurs, même ceux des plus puissants royaumes d'Europe, le savaient : avant que de se présenter devant l'impératrice, il importait d'aller présenter ses respects au favori, il était inutile autrement d'espérer un accueil favorable. Ainsi ce jour-là, attendait avec les autres un haut dignitaire de quelque pays d'Orient, coiffé d'un turban de brocart, la barbe rousse, les doigts dignement posés sur le ventre, paupières mi-closes, lesquelles laissaient entrevoir par instants un éclair fulgurant, preuve que l'homme restait attentif et guettait. Mitia eût bien aimé savoir de quel pays il venait, de Perse, ou bien de l'émirat de Boukhara ? Voilà avec qui il eût été intéressant de s'entretenir, de poser des questions, au lieu de perdre son temps à ne rien faire.

Mitia et son papa étaient arrivés en avance, un peu après dix heures, et il en était déjà onze passées. Apparemment le prince avait du mal à se réveiller, mais les visiteurs, même ceux comptant parmi les grands seigneurs, ne bronchaient pas. Seul un général ventripotent, dont un œil disparaissait sous un bandeau noir, ne cessait de se lamenter, répétant que le café allait être froid. A côté des Karpov, trépignait un petit vieillard fort loquace, arborant une décoration, et celui-ci leur murmura que cet honorable militaire, héros de la prise d'Izmaïl, avait appris chez les Turcs à préparer un excellent café. Un jour, Platon Alexandrovitch avait goûté du fameux breuvage et daigné en faire compliment. Depuis ce temps, Mikhaïla Illarionovitch (tel était le nom du héros) jugeait de son devoir de venir chaque matin chez Sa Très Haute Excellence pour lui préparer le café de ses propres mains. Un malin ! conclut le vieillard d'un ton jaloux. Il finira bien par décrocher le grade de général en chef, juste avec son café.

Est-ce donc là vraiment la fabuleuse vie de cour dont rêvait papa ? soupira Mitia. Combien de bouquins j'aurais pu dévorer entre hier et aujourd'hui, combien d'idées captivantes j'aurais pu repasser dans ma tête...

— Cesse de gesticuler, lui chuchota Alexeï Voïnovitch.

Il se pencha, et ajouta tout bas pour que leur voisin n'entendît pas :

— Ce n'est rien, *mon ange*, patiente un peu. Ce sont tous des solliciteurs, alors que nous, nous sommes invités. Cela fait une grosse différence.

Les mains de papa tremblaient encore plus fort que la veille. Pensez : Zourov en personne les avait convoqués chez lui, l'affaire était d'importance ! L'impératrice leur avait bien offert mille roubles et demandé de revenir le lendemain soir au Salon de diamant pour une partie d'échecs, mais elle avait dit cela d'une voix fatiguée, en bâillant, alors que Sa Très Haute Excellence, elle, avant de suivre Sa Majesté dans sa chambre à coucher, avait ordonné d'un ton bref et sans réplique : « Soyez demain chez moi, à l'heure du frisage. Tous les deux. »

76

Papa n'en avait pas dormi de la nuit ; il n'avait cessé d'arpenter en tous sens la chambre d'hôtel. Tantôt il s'effrayait de la possible jalousie du favori, tantôt il espérait en des faveurs inouïes, tantôt encore il se prosternait avec ferveur devant l'icône de voyage. Mitia lui-même était curieux de savoir en quoi ils pourraient être utiles au prince. Peut-être voulait-il apprendre à mieux jouer aux échecs, pour battre la tsarine ? Ce serait un jeu d'enfant.

Enfin ! La poignée de l'imposante porte eut comme un frémissement, le murmure des voix s'éteignit aussitôt. Tous se préparèrent, affichant un sourire attendri.

Cependant, ce ne fut point Sa Très Haute Excellente qui entra dans la salle, mais un grand flandrin d'officier du régiment Preobrajenski, le visage chiffonné et maussade. Sans accorder un regard à l'assistance, il marcha à grands pas jusqu'au guéridon doré où était servi un *Frühstück* pour une personne, se versa un plein verre de vin et le porta à ses lèvres. On vit sa pomme d'Adam tressauter, tandis que le liquide coulait dans sa gorge avec un glouglou nettement perceptible au milieu du silence.

Le vieux chuchota :

— C'est le capitaine Andrioucha Pikine, l'aide de camp du prince. Une tête folle, c'est en prison qu'il devrait être. Mais ce bandit réussit chaque fois à y échapper.

Son verre vidé, le capitaine poussa un grand « ah ! » de contentement, lissa sa fière moustache, passa la langue sur ses lèvres rouges, puis, dans un tintement d'éperons, se dirigea vers les fauteuils rangés contre le mur, où jusqu'à présent personne n'avait eu l'audace de s'asseoir, même un moment. Lui s'y laissa tomber de la manière la plus désinvolte du monde, croisa les jambes et, comme si cela ne suffisait pas, alluma une pipe.

La porte grinça à nouveau, derechef le silence se fit, mais cette fois-ci encore, ce ne fut pas le prince qui entra, mais un personnage d'une extrême élégance, dont le visage, toutefois, ressemblait étonnamment au sterlet dont Mitia et son papa s'étaient régalés, la veille au soir, après

77

leur victoire au Petit Ermitage : même nez pointu dressé en l'air, même bouche aussi large que mince, il n'était pas jusqu'à son derrière qui ne frétillât comme la queue d'un poisson

— Metastasio Eremeï Umbertovitch, les informa le vieillard, décidément bien utile. Le secrétaire de Sa Très Haute Excellence. Je dois aller le saluer. Le prince ne va pas tarder lui-même à paraître.

Et le voisin des Karpov de s'élancer vers le secrétaire. Mais comment aurait-il pu, ce pauvre vieux, se frayer un passage au milieu des autres solliciteurs ? Le sieur Metastasio était assailli de tous côtés, on lui fourrait des bouts de papier entre les doigts, on tentait de lui glisser quelques mots à l'oreille... Lui-même ne restait pas immobile à la même place, au contraire il parcourait la salle d'une démarche souple et légère, et toute la foule, se bousculant, lui emboîtait le pas.

— C'est un Italien, n'est-ce pas ? demanda Mitia au vieil homme revenu bredouille.

— C'est un aventurier, voilà ce que c'est ! répondit l'autre d'un ton furieux, tout en frottant son coude meurtri. A Milan, il a été condamné au pilori pour avoir triché au jeu. Il n'y a pas si longtemps, il donnait encore des cours de danse aux demoiselles pour un malheureux rouble de l'heure, et le voilà aujourd'hui chevalier et conseiller d'Etat effectif. (Il cracha par terre.) Le roi se repose sur son ministre, le ministre sur son barbier. Voilà en vérité qui gouverne réellement l'empire. Impossible d'obtenir quoi que ce soit sans passer par cet agité.

Ayant prononcé ces mots, lui-même fut effrayé de ce qu'il venait de dire. Il serra fortement les mâchoires en jetant des regards inquiets autour de lui.

Aventurier ou pas, l'Italien offrait un spectacle en tout cas étonnant. Il était si vif et alerte qu'il parvenait à tout faire à la fois : saluer les hauts dignitaires, prêter l'oreille à plusieurs solliciteurs en même temps, baiser la main des dames. Mais tout à coup, il s'immobilisa et déclara, dans un russe parfait, presque sans accent :

— Vous, général, vous passerez en premier. Vous, comte, en deuxième. Ensuite, ce sera votre tour, madame, après quoi, je verrai qui...

Il n'acheva pas, inclina la tête à la manière d'un chien, comme attentif à quelque bruit que lui seul percevait. Puis vivement, il leva un bras en l'air, tel un chef d'orchestre devant ses musiciens.

— Sa Très Haute Excellence, Platon Alexandrovitch Zourov !

Des pas sonores s'entendirent derrière la porte, qui lentement se rapprochèrent.

Les deux battant étincelant d'or grincèrent pour la troisième fois, et ceux qui se tenaient tout devant se plièrent en deux, en un profond salut, de sorte que Mitia pouvait à présent tout voir parfaitement par-dessus les dos courbés et les nuques blanches.

Mince alors !

Au milieu de la pièce, déboula une guenon vêtue d'un jupon court et d'une culotte en dentelle. Se dandinant comiquement, l'animal, à la vue de la rangée de toupets penchés vers lui, se mit à taper des mains en montrant ses dents jaunes.

Ensuite seulement, Platon Alexandrovitch apparut dans l'encadrement de la porte, en proie à un immense fou rire.

— C'est tout... tout à votre honneur, que d'honorer à une dame !

Il avait les larmes aux yeux, tant il riait. Le capitaine Pikine bondit de son fauteuil pour hennir encore plus fort que le prince, tandis que Metastasio se contentait d'un sourire joyeux.

— Parfait. Nous sommes de bonne humeur ce matin, déclara le vieillard d'un ton réjoui.

Et l'audience s'ouvrit.

Sa Très Haute Excellence, qui accueillait ses visiteurs vêtue d'une robe de chambre chinoise, commença par prendre sa collation : elle mangea des olives fourrées de langues de rossignol, et picora quelques grains de raisin de Chemakha. Après quoi elle se cura les dents. Quand elle

79

en eut fini avec ses dents, elle s'occupa de l'intérieur de son nez, sans paraître gênée le moins du monde par la nombreuse assistance. Au matin, la peau de Platon Alexandrovitch ne scintillait plus de paillettes d'or, mais cela dit, il avait le teint frais et les joues colorées. Il écouta la plus grande partie des solliciteurs d'un air pétri d'ennui, mais peut-être ne les écoutait-il nullement, et les pensées de l'enfant chéri de la fortune étaient-elles bien loin de là. Par moments, contraint par le coiffeur, il tournait complètement la tête, présentant sa nuque à la personne inclinée très bas devant lui. Que lui demandait-on ? Mitia ne l'entendait pas, et à dire vrai chacun s'efforçait d'exposer son affaire à voix la plus basse possible, se penchant presque à toucher l'oreille du prince.

A certains, il ne répondait même pas, et il convenait alors qu'ils se retirassent aussitôt. Quant aux balourds qui ne comprenaient pas, le sieur Metastasio les saisissait, entre pouce et index, par le coude ou par un pan de leur vêtement, et les tirait en arrière : par ici, venez, venez. Mitia nota à plusieurs reprises que l'Italien se penchait à l'oreille de son patron en désignant la nouvelle personne qui s'approchait, et que Zourov écoutait alors celle-ci avec beaucoup plus d'attention, puis lâchait deux ou trois mots que le secrétaire s'empressait d'inscrire dans un petit carnet.

Papa risqua une manœuvre tactique. Il prit Mitia par la manche et, insensiblement, avec une infinie discrétion, se déplaça vers la gauche. Son plan était le suivant : quand on aurait fini de friser le côté droit du crâne de Sa Très Haute Excellence, celle-ci devrait offrir son autre profil, et son regard tomberait pile sur le père et le fils Karpov.

C'est exactement ce qui se produisit. Apercevant Mithridate et son géniteur, le prince tout à coup s'anima, ses yeux, de brumeux qu'ils étaient, s'éclairèrent d'une flamme d'intelligence.

— Ah ! voilà où vous êtes ! s'écria-t-il.

Il haussa la tête et poussa un cri : il avait oublié le frisoir chauffé à blanc.

— Je te ferai couper les mains, animal ! hurla-t-il en français à l'adresse du coiffeur. Fiche-moi le camp ! Quant à vous deux, venez ici !

Papa se précipita le premier. Il vola vers Son Excellence tel un faucon, salua et se figea, sans plus oser bouger. Mitia le suivit et alla se camper à côté de lui. Eh bien, qu'allait-il se passer maintenant ?

— Comment vous appelez-vous déjà ?... Peskariov, c'est ça ? demanda Zourov en scrutant le beau visage d'Alexeï Voïnovitch – et, sans qu'on sût pourquoi, il fronça les sourcils.

— Non. Karpov, capitaine en second à la retraite, camarade de régiment de Votre Très Haute Excellence pour avoir servi comme vous dans la cavalerie de la garde.

— Karpov, hein ? Bon, peu importe. Ecoutez-moi, Karpov : je prends votre fils à mon service, en qualité de page. Il vivra désormais chez moi.

— Oh ! Quel honneur ! s'exclama papa tout réjoui. Je n'osais pas même en rêver ! Nous allons immédiatement emménager dans les appartements qu'il plaira à Votre Très Haute Excellence de nous assigner.

— Quoi ? fit Zourov, surpris. Non, non. Vous, Karpov, vous n'avez besoin d'emménager nulle part. Vous, voilà ce que vous allez faire. (De nouveau il fronça les sourcils.) Vous allez partir et vous rendre... eh bien, disons là d'où vous êtes venu. Et sans tarder, aujourd'hui même. Eremeï !

— Oui, Votre Très Haute Excellence ? répondit Metastasio en se haussant sur la pointe des pieds.

— Tu lui remettras mille, ou bien tiens, deux mille roubles, pour sa peine, et puis qu'on l'installe dans un traîneau et bon vent ! Mais attention, Karpov, reprit Platon Alexandrovitch d'un ton sévère, tutoyant soudain le pauvre papa livide. Ne t'avise pas de revenir à Saint-Pétersbourg, tu n'as rien à faire ici. Quant à ton fils, ne t'inquiète pas pour lui, il ne manquera de rien chez moi.

— Mais... mais... Mon cœur de père... Un si jeune enfant... et puis, l'invitation de Sa Majesté au Salon de diamant... bredouilla Alexeï Voïnovitch, incapable d'articuler une phrase cohérente.

Cependant le prince ne l'écoutait plus, et Metastasio le tirait déjà par une basque.

— Papa ! s'écria Mitia, en se jetant vers son père. Je pars avec vous ! Je ne veux pas rester ici, chez ce type !

— Que dis-tu ! Que dis-tu ! murmura papa avec un sourire effrayé. Qu'il en soit ainsi, ce n'est rien, ne t'en fais pas... Tu finiras par t'habituer, tu te plairas ici, et tu nous garderas dans ton cœur. Sois agréable à Sa Haute Excellence, et tout ira bien. Allons, que le Christ te protège.

Il esquissa un rapide signe de croix pour bénir son fils puis, n'osant s'attarder davantage, recula vers la porte tout en saluant Platon Alexandrovitch.

— Vous avez fait vos adieux ? demanda celui-ci. Voilà qui est parfait. Et maintenant, approche un peu ici, petite grenouille.

Mitia se retrouvait seul, tout seul parmi cette foule d'étrangers, dont il n'avait que faire. Et tout était arrivé si vite ! Un instant auparavant il était encore avec son père, et rien au monde ne lui faisait peur, et brusquement il s'était changé en orphelin, en minuscule brin d'herbe perdu au milieu d'arbres géants.

— Eremeï, comment le trouves-tu ? demanda Zourov en pinçant légèrement la joue de Mitia.

— Tout dépend de l'usage que Votre Très Haute Excellence compte faire de ce jeune homme, répondit l'Italien en examinant l'enfant.

Celui-ci écoutait, plus mort que vif. Comment ça « l'usage » ? Il ne pensait pas le manger, tout de même ? Lui revint alors en mémoire un passage lu dans un livre sur l'histoire de la Chine, qui racontait qu'un méchant empereur se rajeunissait la peau avec du sang de nouveau-nés. Etait-ce possible ?

— Comment, lequel ? s'emporta le prince. Tu ignores peut-être ce qui me fait perdre le sommeil et la digestion de l'estomac ? Dis-moi, peut-il convenir comme messager de l'amour ?

La tête hirsute du poète de tantôt surgit au-dessus des crânes des solliciteurs.

— Le très noble prince a prononcé le mot « amour » ?
s'écria le faiseur de vers en brandissant une feuille de
papier. Voici l'ode que je souhaiterais déposer aux pieds de
Votre Très Haute Excellence, strophes merveilleusement
inspirées dont je suis tout prêt à renoncer à la paternité !
Me permettez-vous de le lire ?

Zourov ne le lui permit pas :

— Pas le temps !

Le secrétaire prit la feuille que tendait le poète, fourra
une pièce d'or dans sa grosse main sale et agita le bras en
direction de l'assistance : reculez, reculez, ce n'est pas pour
vos oreilles.

Il revint au guéridon en dansotant, non sans avoir pris le
temps de caresser la tête de Mitia au passage.

— N'est-il pas trop petit ?

— Tu es un sot, Eremeï, même si tu passes pour un
malin. C'est dans les petits pots que sont les bons
onguents. Moi, j'y ai tout de suite pensé, dès hier.

Avec un sourire rusé, Zourov tira de sa poche une feuille
de papier couverte d'une fine écriture.

— Ecoute, et retiens bien, commanda-t-il à Mitia.

Sur quoi il commença de lire à mi-voix, d'un ton pénétré :

— « Pavlina Anikitichna, mon âme, *mon tout ce que
j'aime* ! Vous avez tort de me fuir, je ne suis plus celui que
j'étais. Je ne suis pas le libertin volage, ni l'amateur de plaisirs charnels esclave d'une vieille femme, que sans doute je
semble à vos yeux, mais un vrai Werther pour qui la vie, en
lui refusant de combler sa funeste passion, se montre si
cruelle qu'il ne lui reste plus qu'à se tirer une balle dans la
tête ou se jeter à l'eau. Mais le plus douloureux pour moi
est que tu ne souhaites point me regarder, et ordonnes de
tirer les volets quand je passe à cheval devant ta maison.
Cœur sans pitié ! Pourquoi ne viens-tu point aux bals ni
aux jeudis de la souveraine ? Même celle-ci l'a remarqué.
Elle me demandait encore tout à l'heure où était sa
parente, et mon cœur sur-le-champ s'est pris à palpiter
aussi fort que les ailes du dieu Amour. Et du reste je puis
en conscience vous dire, adorable Pavlina Anikitichna, que

je ne serai plus moi-même si je ne deviens avec toi comme Amour avec Psyché, car en vérité vous êtes l'incarnation d'icelle. Vous rappelez-vous ces vers ? «Amour, en folâtrant, se prit de fantaisie de conduire Psyché à un grand lit de fleurs, qui tel un rets piégeux tous les deux les surprit et ensemble les lia d'un nœud de pur bonheur. » Aussi sache donc, ô, Psyché de mon âme, que le nœud qui nous lie fut l'œuvre du Ciel, et qu'à présent nulle puissance ne saurait le défaire ! Ton Amour. »

Tandis qu'il lisait, des larmes d'émotion avaient perlé à ses yeux, qu'il épongea de sa manchette.

— Eh bien, sage Mithridate, répète-moi tout cela. Et prends garde de ne pas omettre un mot. Tu en es capable ?

S'il en était capable ? Quelle question ! Mitia récita le tout, sans se faire prier. Sa Très Haute Excellence suivait sur la feuille de papier.

— Qu'est-ce que je disais ! Tout est exact ! Mot pour mot ! s'exclama-t-il, transporté de joie. Tu vois, Eremeï ? Je lui écrirai, à la reine de mon cœur, et personne n'ira subtiliser mes lettres, ne t'inquiète pas. En cas de problème, le petit aura tout inventé, on pourra toujours nier. La vieille me croira. Et puis regarde. (Zourov prit Mitia par les épaules, le força à se tourner, à gauche, puis à droite.) On lui boucle les cheveux, on l'habille d'un chiton, on lui colle dans le dos des ailes de mousseline, et il fera un parfait Cupidon. On pourrait même l'armer d'un petit arc doré et de flèches.

Metastasio à ce moment parut s'émouvoir et se pencha à l'oreille du favori. Mitia s'éloigna – qu'ils échangent donc leurs petits secrets, ça ne l'intéressait pas.

Il ne parvenait toujours pas à se remettre du soudain bouleversement survenu dans sa vie. Où trouver un appui ? A qui demander conseil ?

Il erra à travers la salle, en poussant des soupirs, et finit par aller se camper près du vieillard de tantôt, qui en vérité n'était plus tout à fait un étranger après plus d'une heure passée à attendre côte à côte.

— Avec votre permission... dit celui-ci en s'accroupissant pour être à même hauteur que Mitia. Plus tôt l'on commence, plus haut l'on s'élève. Peut-être un jour prochain l'occasion se présentera-t-elle, et pourrez-vous glisser un petit mot en ma faveur ? Voilà trois semaines que j'use ces parquets, sans réussir à me faire entendre. Or j'ai une affaire importante, mon cher ami, écoutez de quoi il s'agit...

Et le vieux de se lancer dans une histoire compliquée à propos de son dadais de fils, mais de manière si longue et détaillée que Mitia ne tarda pas à se laisser distraire, préférant de loin observer la guenon. La bestiole était terriblement entreprenante et habile à se faufiler partout. Visiblement, le général expert en café devait lui plaire, car elle s'était campée devant lui, immobile, ses yeux brillants levés vers lui, son doigt ridé enfoncé dans sa bouche – on aurait dit un être humain.

— Oh là ! attention, Mikhaïla ! lança le favori d'une voix joyeuse. Ma Zéphyrette est prompte à s'amouracher. Prends garde à ne pas profiter de ses faiblesses de jeune fille. Si jamais tu me l'engrosses, je t'oblige à l'épouser.

Le général éclata de rire à la plaisanterie du prince et répondit sur le même ton :

— Ah pour ça, Platon Alexandrovitch, cela dépend de la dot que vous voudrez bien lui allouer. Mais autrement, je l'épouse, ma parole !

Il s'inclina vers la bête et lui montra les cornes avec les doigts d'une main. Zéphyrette, tout intimidée, repoussa de sa patte la main du général, et tourna la tête de côté, tout en gardant les yeux fixés sur lui. Tout le monde se prit à rire de la coquetterie de la guenon. Celle-ci s'en trouva encore plus confuse. Elle tomba à quatre pattes, recula, et soudain fila se cacher sous l'opulente robe d'une dame voisine.

Quel drame ce fut là ! La dame se figea, plus morte que vive, ne sachant plus que pousser des cris perçants, à demi fléchie sur ses genoux, devant toute l'assistance tordue de rire, parmi laquelle le favori n'était pas le moins hilare.

Mitia, lui, avait pitié de la dame. Comment allait-elle se tirer d'affaire ? Elle ne pouvait tout de même pas retrousser sa robe pour chasser l'animal ! Et le rigide panier empêchait de l'atteindre avec la main à travers l'étoffe.

— Aïe ! aïe ! se lamentait la pauvre femme. Arrête ! Zéphyrette chérie ! Aïe ! que fais-tu ?!

Elle voulut gagner la porte tant bien que mal, mais manqua s'affaler par terre. Visiblement, la guenon se cramponnait à sa jambe – pas moyen de faire un pas.

Mitia vit des larmes couler sur le visage de la malheureuse, une mouche s'était même décollée de sa joue et glissait vers le bas de sa mâchoire. Personne n'allait donc lui venir en aide, personne n'allait intervenir ? Eh bien, en ce cas, c'était au chevalier Mithridate de voler à son secours.

Il courut jusqu'à la dame, se mit lui aussi à quatre pattes, souleva le pan de la robe de mousseline et se glissa sous la carcasse d'osier.

Il y faisait noir, et il y régnait une forte odeur de fauve, provenant sans doute de Zéphyrette.

Les rires fusaient, nombreux, et le fait de ne plus voir les visages leur donnait une résonance un peu sinistre : on eût dit une meute de chiens enroués à force d'aboiements furieux. Eh bien, tant pis, qu'ils rient donc !

La guenon se tenait cramponnée solidement à la jambe dont la forme blanche se dessinait dans l'ombre. N'allait-elle pas le griffer ? Mais non, toute réjouie au contraire de l'apparition de ce libérateur, elle se pendit à son cou, et il ressortit, toujours à quatre pattes, en s'efforçant de ne pas soulever trop haut la jupe du plancher.

Mitia fut accueilli par des applaudissements et des plaisanteries. Des plaisanteries d'adultes, des plaisanteries pas drôles. Mitia savait les reconnaître à l'intonation particulière avec laquelle ces *bons mots* étaient prononcés, et il ne cherchait pas à en pénétrer le sens – à quoi bon ?

— La valeur n'attend pas le nombre des années ! A courir le monde, il en a vu les merveilles !

— D'un coup il contente deux nymphes !

— Félicitations pour ce nouveau galant, Maria Proko-fievna !

Décidément, de vrais gamins.

Zéphyrette relâcha son étreinte, glissa sur le plancher, et là s'immobilisa, fascinée par la boucle de chaussure de Mitia. Il est vrai que les strass multicolores brillaient d'un tel éclat, dans un tel chatoiement, que c'en était un régal pour les yeux.

Le singe toucha la boucle du bout des doigts, tira dessus, puis brusquement l'arracha !

— Rends-moi ça !

Pas question. La perfide bestiole fourra son trophée dans sa bouche et détala à quatre pattes, en louvoyant habilement entre les jambes qui lui faisaient obstacle.

— Vous pouvez la passer aux pertes et profits, déclara le vieillard, son voisin. Et une boucle de soulier, encore, ce n'est rien. Avant-hier cette satanée bête m'a chipé la médaille de Saint-Alexandre Nevski qui était épinglée sur ma poitrine ! Elle aime ce qui brille, la canaille. Je voulais demander à Sa Très Haute Excellence qu'il la fasse rechercher, mais je n'ai pas osé. Je le regrette, c'est une grosse perte ! Une étoile sertie de diamants...

Mitia regarda son soulier orphelin qui un instant plus tôt encore était si beau et si élégant, et des larmes jaillirent à ses yeux. Ah ! maudit Cercopithecus, de la famille des primates ! Aucune loi ne permettait qu'on volât leurs boucles de souliers aux fils de la noblesse ! Aussi se lança-t-il à la poursuite du singe, à quatre pattes lui aussi, car ainsi le point de vue était meilleur.

Ah tiens ! voilà où tu es, derrière cette paire de grandes bottes vernies !

Zéphyrette paraissait trouver à son goût ce jeu de chat et de souris. Elle se retournait, faisait des grimaces, et refusait de se laisser prendre.

Elle quitta les bottes pour des bas couleur paille ; puis gagna une paire de souliers à l'ancienne mode, à hauts talons rouges, pour enfin se glisser sous un fauteuil. Mitia manqua l'attraper par la jupe, mais elle lui glissa entre les doigts. Plus loin cependant, Zéphyrette aboutit à une impasse : le parquet nu, un mur, une porte latérale. Elle était prise !

Mitia se releva, mains écartées :

— Allez, donne-moi ça !

La guenon sortit la boucle de sa bouche, la coinça sous son aisselle, et tout à coup exécuta un tour d'acrobatie inattendu : elle sauta en l'air et se pendit à la poignée de la porte. Celle-ci s'entrouvrit, la méchante voleuse se faufila illico dans l'interstice et disparut dans le noir.

Eh bien, non ! Tu ne t'en tireras pas comme ça ! Mithridate Karpov n'abandonnera pas le but qu'il s'est fixé.

Mitia jeta un coup d'œil derrière lui : que des dos tournés, personne ne le regardait. Par conséquent, en avant ! Poursuivons la chasse !

Zéphyrette l'attendait à l'autre bout d'une grande pièce aux fenêtres voilées par des rideaux. Elle releva sa jupe, agita la queue, pour laquelle une fente avait été spécialement pratiquée dans sa culotte, et déguerpit plus loin, pas trop vivement néanmoins, comme si elle tenait à ne pas semer tout à fait son poursuivant.

Tous deux parcoururent ainsi cinq ou six pièces vides. Mitia ne s'attarda pas à les détailler, il avait autre chose en tête. Mais, arrivée dans une petite chambre excellemment chauffée (dans un angle miroitait un immense poêle hollandais à carreaux de faïence blanc et bleu), la voleuse sauta sur un banc, puis du banc sur la portière, qu'elle escalada jusqu'au plafond avant de disparaître brusquement.

Quel était ce prodige ?

Mitia scruta la pénombre. Ah ! C'était donc ça ! Le haut du poêle ne touchait pas le plafond, il subsistait là un espace de cinq ou six pouces. Sans doute pour permettre la circulation de l'air réchauffé.

Escalader un rideau n'était à la portée d'aucun être humain, aussi grimpa-t-il sur le banc, puis de là sur le rebord de fenêtre ; il s'appuya d'un pied sur la poignée de cuivre de la porte fermant le foyer, se haussa de l'autre sur un ressaut, s'agrippa au châssis de la croisée, et se trouva ainsi à même d'atteindre le sommet du poêle.

Eh bien nous voilà de nouveau réunis, mademoiselle Zéphyrette !

Dans l'étroite niche plongée dans le noir, il n'était guère possible de se déplacer qu'à plat ventre. La poussière lui picotait le nez, et sans doute son uniforme et sa culotte en étaient-ils à présent maculés, en revanche l'objet volé lui fut rendu sur-le-champ : la guenon lui tendit la boucle d'elle-même, sans se faire prier davantage.

Elle n'était donc ni méchante ni cupide. Une fois en haut de son poêle, elle s'était calmée et ne cherchait plus à le faire enrager. En fin de compte, peut-être ne cherchait-elle nullement à fuir Mitia, peut-être au contraire désirait-elle simplement l'inviter chez elle ?

A en juger par certains détails, c'était ici, en haut de ce poêle, que se trouvait la demeure de l'animal, ou pour mieux dire son ermitage, où personne d'autre n'avait accès. Quand ses yeux se furent accoutumés à l'obscurité, Mitia distingua le trésor qu'elle avait accumulé là, réparti en plusieurs tas : d'un côté une demi-pomme, quelques biscottes, une poignée de noisettes, de l'autre, des choses beaucoup plus intéressantes : une petite cuiller en or, un grand flacon de cristal, et un autre objet encore, qui luisait dans l'ombre avec des reflets bleutés. Il le prit dans sa main : c'était une étoile en diamant. Sûrement celle dérobée au vieillard malchanceux. Il fallait la lui rendre, le pauvre homme serait bien content. Le flacon contenait un liquide sombre. Du parfum ?

— Ce n'est pas bien, dit Mitia à la maîtresse du logis. Imagine que tout le monde se mette à emporter chez lui ce qui lui plaît. Ce serait alors chez nous comme ce qui est arrivé en France : la révolution.

Zéphyrette lui caressa la joue de sa patte sèche, lui glissa un morceau de biscuit, comme pour lui dire, tiens, régale-toi.

— *Merci*. Mais redescendons plutôt d'ici, autrement...

A ce moment, des pas retentirent dans la pièce : deux personnes venaient d'entrer, peut-être même trois, et Mitia aussitôt se tut. Ah ! saperlotte. On allait le découvrir caché dans la niche, et qui plus est en possession d'objets volés. Or il n'allait tout de même pas cafarder Zéphyrette, cet humble animal privé du don de la parole, qui en outre s'était révélé n'avoir pas mauvais cœur.

— ... Comme s'il n'y avait pas assez de filles ! Je n'arriverai jamais à comprendre pourquoi il faudrait absolument n'en regarder qu'une seule ! dit une voix masculine qui parut à Mitia familière. D'autant que l'essentiel se résume à ça, et à rien de plus !

Il y eut un léger claquement, comme si l'on avait frappé dans ses mains, ou plutôt comme si quelqu'un avait frappé son poing de sa paume ouverte, après quoi la même voix reprit :

— Eh ! la belle idée que vous avez trouvée là, il vous faut une grande dame de la cour ! Une parente par alliance de la tsarine ! Mais avez-vous toute votre raison, prince ? Voilà bien une lubie, et qui plus est fort dangereuse. Toutes les précautions que vous pourrez prendre en utilisant le gamin ne vous sauveront pas. Prince, vous ne pensez ni à vous, ni aux serviteurs qui vous sont dévoués !

Metastasio, voilà qui c'est ! devina Mitia.

— Arrête, tu me fatigues, répondit le deuxième (dont l'identité à présent ne faisait plus de doute). Je jure qu'elle sera mienne, à n'importe quel prix.

— *A n'importe quel prix ?* répéta l'Italien d'un ton sarcastique. Et même au prix, par exemple, de votre position, du pouvoir suprême, de votre vie enfin ! Rappelez-vous le testament. Vous êtes à deux doigts d'accéder au sommet le plus vertigineux, et vous faites tout pour vous précipiter dans l'abîme ! Savez-vous bien ce qui vous attend si le camard monte sur le trône ? Y avez-vous pensé ?

— Ce qui l'attend ?... intervint un troisième, à la voix de basse, voix que Mitia ne pensait pas connaître. Eh bien, c'est d'être exilé sur ses terres, si encore il n'est pas contraint, sacredieu, de déguerpir à l'étranger. Et c'est nous deux, Eremeï Umbertovitch, qui aurons à payer les pots cassés. *Ma foi*, Platon, tu ferais mieux d'envoyer au diable cette sotte mijaurée. Ne va pas croire que je ne comprends pas ce qu'il t'en coûte de faire le joli cœur avec une vieille. Mais sacré nom d'une pipe, aujourd'hui même je peux te ramener une de ces déesses tsiganes, à te faire tomber à la renverse. Et tout ça dans le secret le plus absolu, personne n'en saura rien !

— Tais-toi, Pikine. Tu es un imbécile, tu ne fréquentes que des traînées. Fermez-la tous les deux ! Mon désir a valeur de loi pour vous. Et si vous persistez à me contredire, je vous chasse. Non, je ne vous chasse pas, vous iriez aussitôt déblatérer sur moi. Je vous fais jeter dans la fosse aux ours, compris ?

Un martèlement de pas furieux retentit : il venait de repartir, seul, les deux autres étaient toujours là. Force était par conséquent de continuer à patienter. Zéphyrette avait posé la tête sur l'épaule de Mitia et se tenait tranquille.

En bas, les deux hommes gardèrent le silence un moment.

— Eh bien, Pikine ? dit le secrétaire de Sa Très Haute Excellence, articulant lentement chaque mot. Vous le voyez vous-même, notre coq a totalement perdu l'esprit. La suite est connue d'avance : on finira par le prendre sur le fait (il se trouvera toujours des malins pour y parvenir) et on le flanquera dehors. La vieille ne le lui pardonnera pas. Nous perdons du temps, Pikine. Vous êtes de service, demain, au palais, n'est-ce pas ?

— En effet.

— En ce cas, procédez à l'échange de flacons, comme il a été ordonné. La vieille boira et en crèvera, mais pas tout de suite, au bout de deux ou trois jours seulement. Elle aura ainsi le temps de dévoiler son testament, et de passer son sceptre au petit-fils. Nous n'aurons alors plus rien à craindre, nous serons plus forts que nous ne l'avons jamais été. Mais qu'avez-vous à remuer les moustaches ? Vous avez la frousse, peut-être, vous, le soldat dont chacun connaît la bravoure ?

Mais « la vieille », c'est l'impératrice ! devina Mitia, et il fut saisi soudain d'une grande frayeur. Elle allait « crever », disaient-ils ? Ils pensaient donc l'empoisonner ? Comme Catherine de Médicis l'avait fait avec la reine de Navarre ? Ah, les gredins !

— Eremeï Umbertovitch...

— Eh bien, Pikine, pourquoi ne me regardez-vous pas dans les yeux ? Auriez-vous oublié votre reconnaissance de dette ? Ou bien cette autre polissonnerie ? Elle pourrait bien vous valoir le bagne, pourtant, et sans sursis.

— Gardez vos menaces pour vous, je ne suis pas de ceux qu'on effraie, répondit sèchement le militaire. Le bagne, tu parles. Remplacer un flacon par un autre, c'est un jeu d'enfant, seulement voilà, il y a un hic... Le flacon en question a disparu.

— Quoi ?! Comment ça disparu ?!

— Je n'arrive pas à comprendre. Il était dans ma chambre, caché dans une botte. Je pensais que personne n'irait fouiller là. Or ce matin, j'y mets la main... plus rien.

— C'est Maslov, gémit l'Italien. C'est lui, ce vieux corbeau, j'en suis sûr. Mais alors il est une chose que je ne comprends pas : pourquoi êtes-vous encore en liberté ? A moins qu'il ne l'ait pas reconnu, bien sûr... Mais j'en doute. Il est chez la vieille tous les jours, il est impossible qu'il n'ait pas remarqué que les deux flacons étaient exactement identiques. Mais si... Chut ! Qu'est-ce que c'est ? Tenez, là-haut, sur le poêle !

Ah ! malheur ! Cette nigaude de Zéphyrette venait de trahir Mitia. Fatiguée de rester sagement assise, elle s'était mise à s'agiter, à gigoter, et avait fini par faire tomber un de ses trésors

— Une souris.

— Une étrange souris alors, qui émet des tintements. Allons, appelez un domestique.

— Un domestique ? Pour quoi faire ? Je vais y jeter un coup d'œil moi-même. Vous savez, Eremeï Umbertovitch, je suis terriblement curieux de nature.

Un bruit sourd s'entendit en bas, tout près : c'était Pikine qui entamait l'ascension du poêle pour satisfaire sa curiosité. Il ne se pressait pas, le malfaisant, et même, il chantonnait d'une voix enrouée :

— Amour ne bouge pas, immobile est son aile/Immobiles son arc et ses traits,/Psyché ne cherche point à fuir, ni ne chancelle –/Si étroitement sont enlacés.

Une forte main se glissa dans la niche, un bouton doré étincelant sur le revers de manche.

Mitia se blottit tout contre le mur et retint son souffle. Mais c'était sans espoir : le capitaine semblait décidé à fouiller méthodiquement l'endroit, sans se presser.

— Taralapapapam, taralapapapam,/Respirant l'harmonie tout le jour./La chaîne ne peut rompre où sont liés ensemble/ De deux êtres le cœur et l'amour...

Chapitre cinquième

L'EXTERMINATION DES TYRANS

A peine la chaîne qui unissait l'âme d'Ivan Ilitich Chibiakine à son corps fut-elle rompue qu'aussitôt il apparut que tout ceci était un leurre : il n'était nullement question de fin du monde. Le ciel sur-le-champ s'éclaircit, les nuages, de noirs qu'ils étaient, redevinrent blancs, et le soleil, changeant d'avis, renonça à s'éteindre. Bien mieux : il se mit à briller encore plus fort, comme pressé d'achever sa brève course automnale.

Au moment où l'épais crépuscule de novembre s'amassait sur la ville, Nicholas Fandorine se détacha du chaleureux scintillement de l'écran, s'étira, puis s'approcha de la fenêtre.

Encore hébété par le travail de programmation, Moscou lui apparut étrangement floue, diffuse, et même, pour s'exprimer en langage informatique, boguée. A première vue, c'était l'habituel paysage vespéral : les enseignes et les panneaux publicitaires multicolores, le fabuleux serpent lumineux dessiné par le flot des automobiles ondulant le long de la rue Solianka, les projecteurs allumés des tours du Kremlin, au loin les dents dressées des quelques gratte-ciel en construction du nouvel Arbat. Mais quand on y accordait plus d'attention, tous ces objets avaient une consistance et un comportement différents. Le Kremlin, les églises et le massif parallélépipède de la Maison de l'éducation se dressaient en blocs serrés, opaques, mais les autres bâtiments tremblotaient de manière à peine perceptible et se laissaient

94

pénétrer par le regard. Là-bas, au-delà de ces murs mouvants, presque vaporeux, transparaissaient les contours d'autres constructions, trapues celles-là, en bois pour la plupart, avec des cheminées crachant des nuages de fumée. Sous la persistance du regard, les automobiles se dissolvaient presque pour ne laisser qu'un chatoiement de reflets dansant sur la chaussée.

Nicholas regarda à ses pieds et aperçut en bas, sous le plancher de verre, un toit couvert de bardeaux, avoisinant une rangée d'autres toits identiques, et plus loin une palissade de pieux au sommet acéré. Ce sont les entrepôts de sel, devina le spécialiste en histoire. Bien longtemps avant qu'au début du XXe siècle la société immobilière Varvarinski édifiât en ces lieux un colosse de pierre grise divisé en une multitude d'appartements, se trouvait là le Dépôt de sel impérial. Pas étonnant que rien ne poussât dans ces passages encaissés : la terre y était imprégnée de saumure. Fandorine distingua alors devant la porte du Dépôt la silhouette d'une sentinelle emmitouflée d'une touloupe et coiffée d'un tricorne, il vit même un reflet de lune s'allumer au bout de sa baïonnette. C'était trop, et Nicholas secoua la tête pour chasser cette vision d'une précision folle.

Etait-il possible de se plonger à ce point dans le XVIIIe siècle ? Le temps était une chose perfide et imprévisible. Un jour il se laisserait sombrer dans son abîme et ne parviendrait pas à remonter à la surface.

Encore une fois il se secoua, énergiquement, et l'hallucination se dissipa enfin. Le plancher redevint impénétrable au regard, un solide plancher de chêne, dehors les automobiles se reprirent à grouiller, et de l'étage supérieur parvint l'écho de la musique lancinante des Caraïbes : le logement était occupé par un rasta, nommé Filia.

Il faut dire que des rapports quelque peu étranges s'étaient établis entre Fandorine et son nouveau lieu de résidence. Telle est cette ville... Moscou. Au lieu de vous captiver d'emblée, dès la première rencontre, comme Venise ou Paris, elle vous pénètre lentement le cœur. Elle

95

est comme un gigantesque oignon : cent robes, que ne retient aucune agrafe ; on les ôte l'une après l'autre, on les ôte et on fond en larmes. On pleure de comprendre que jamais on ne parviendra à la dévêtir entièrement.

La voix de la Ville millénaire – la vraie voix, voulons-nous dire, pas la fausse, destinée aux visiteurs de la capitale – n'est point chahut ni vacarme, mais très doux et paisible murmure. Ceux à qui il est destiné l'entendent, les autres n'en ont pas besoin. Depuis quelque temps, Nika avait appris à discerner ces discours étouffés. Ensuite, ce premier pas franchi, il s'était accoutumé à voir ce que bien peu de monde avait la chance de découvrir. Par exemple, les contours des anciens bâtiments qui se dessinaient à travers les murs des nouvelles constructions. Les églises détruites flottant au-dessus de la terre. Les cercueils de cimetières oubliés, sous des places aujourd'hui populeuses. Même des gens qui vivaient là autrefois. Des foules issues d'époques différentes de Moscou se déplaçaient dans les rues, sans se croiser, ni se voir. Il arrivait que Fandorine s'arrêtât au milieu du trottoir comme pétrifié, pour admirer quelque inconnue coiffée d'un somptueux chapeau orné d'un voile. On venait se heurter au dos du grand empoté, on le traitait de tous les noms d'oiseaux (et l'on n'avait pas tort). Reprenant ses esprits, Nicholas esquissait un sourire coupable et reprenait son chemin, mais sans cesser de regarder derrière lui, de regarder si de nouveau n'allait pas surgir de la vitrine du Septième Continent une silhouette des siècles passés.

Un jour, il avait bêtement essayé de parler de l'autre Moscou à sa femme. Celle-ci, prise d'inquiétude, avait voulu le traîner chez un psychiatre. Il n'avait réussi à l'en dissuader que de justesse. Et puis quoi, si c'était bel et bien de la folie, cette folie plaisait à Nika, il ne tenait pas du tout à en guérir. En tout cas, il n'était jamais qu'un doux cinglé qui n'importunait personne, rien à voir avec ce monsieur Kouznetsov rencontré aujourd'hui. « Le tribunal se retire pour délibérer. » Impayable, non ? Bon, c'est vrai, on pouvait toujours parler quand on était soi-même le président d'une société fournisseuse de bons conseils, victime d'hallucinations et perdant un temps colossal à créer des jeux dont tout le monde se contrefichait.

Absorbé qu'il était par cette occupation absurde, il n'avait pas vu la journée passer. Il avait finalement résolu le problème de l'énigme destinée au sergent. Il lui était venu une idée du tonnerre ou, comme disait Valia, un *super-puper absolu*.

Le secrétaire n'était venu qu'une seule fois jeter un coup d'œil dans le bureau, sans doute pour lui poser une question, mais Nicholas lui avait signe de la main de se retirer : va-t'en, va-t'en, je n'ai pas de temps à te consacrer : la porte du Salon de diamant refusait de s'ouvrir devant Danila. Le téléphone sonnait à tout instant, mais puisque Valia s'en débrouillait tout seul, on pouvait conclure qu'il ne s'agissait de rien d'important. Il n'avait été contraint de prendre la communication qu'une seule fois, pour répondre à sa femme.

— C'est le coup de feu, avait dit Altyn, comme toujours sans préambule ni petits mots tendres, et même sans « bonjour ». On a appelé de Saint-Pétersbourg. Le Barje là-bas est sens dessus dessous. Le président de la section Corruption est tombé malade. Il faut absolument les dépanner. Je quitte la rédaction pour filer à l'aéroport. Passe prendre les petits fauves au jardin d'enfants. Je serai rentrée dans trois jours. Tout va bien pour toi ?

— Oui, mais…

— Ne m'embête pas.

Et elle avait raccroché. L'épouse de Nicholas était affreusement mal élevée. Il s'y était depuis longtemps accoutumé et ne s'offensait pas, mais parfois, en ses instants philosophiques, il s'étonnait. Quel étrange couple tout de même ils formaient : lui, le grand empoté de deux mètres de haut, posé et réfléchi, sorti d'une école privée de West End, et elle, petite panthère batailleuse, née au fin fond de la jungle impénétrable. On était en présence d'une totale différence de goûts et de tempéraments radicalement opposés ; même leurs horloges internes n'étaient pas synchrones :

97

Altyn vivait accordée sur la trotteuse, tandis que Nicholas comptait le temps en siècles. Pourquoi cette jeune femme battante, stylée, n'avait-elle pas encore expédié son « foutu baronet » (comme s'exprimait Altyn dans ses moments de colère, et encore dans le meilleur des cas) se faire voir chez la reine mère (autre exemple de son lexique extrêmement dynamique) ? C'était là pour Fandorine une énigme, un miracle d'entre les miracles. Heureusement, cela dit, qu'il y avait des miracles en ce monde qu'il n'était pas besoin de soumettre à une analyse chimique.

Le nom complet de la section Corruption était celui-ci : section Lutte contre la corruption des mineurs, attachée au Bureau de l'Association pan-russe pour la protection de la jeunesse (familièrement « Barproje » ou « Barje »), dont la revue *Eros* comptait justement parmi les principaux fondateurs et sponsors. Altyn traitait ces obligations sociales avec le même sérieux qu'elle mettait à tenir son rôle de rédactrice en chef, et elle ne voyait aucune contradiction entre ces deux sphères de son activité. Aux remarques caustiques de Nika, elle répondait : une vie sexuelle de qualité n'est en rien un obstacle à la moralité, et si passé quarante ans tu ne l'as pas encore compris... à quoi s'enchaînaient divers propos vexants.

Passer prendre les enfants à la maternelle ? Le problème était que Nicholas avait promis à Valia Glen d'aller avec lui au Music-Hall. Valia pratiquait depuis longtemps la danse moderne, mais exclusivement pour son plaisir personnel, or il avait soudain décidé de tester ses compétences sur une scène professionnelle. Le Music-Hall ouvrait un casting pour une nouvelle superproduction, intitulée *Le Valet de pique*, et l'homme du futur, dévoré par le trac, avait réclamé un soutien moral. C'était sans doute pourquoi il venait de temps à autre jeter un coup d'œil dans le bureau : pour s'assurer que le patron n'avait pas oublié sa promesse.

Il était à présent six heures un quart. L'établissement gardait les enfants jusqu'à huit heures, au plus tard huit et demie. Par conséquent, il fallait se presser.

Fandorine sortit dans la pièce d'accueil.

Glen se tenait debout devant la fenêtre qui donnait sur la cour, et semblait particulièrement absorbé par ce qu'il y voyait. D'étranges reflets rouges et bleus dansaient sur la vitre. Intrigué par leur origine, Nicholas rejoignit son assistant.

Le puits que formait la cour, entièrement repeint par le syndic de l'immeuble couleur cratère de lune, avait un aspect un peu sinistre, mais néanmoins plaisant à l'œil. Les fenêtres brillaient comme autant de planètes, et tout en bas stationnait même un véhicule lunaire : une voiture de police, qui projetait sur les murs l'éclair rouge et bleu de son gyrophare. Des gens promenaient sur le sol des disques de lumière vive, et l'espace d'un instant une silhouette humaine tracée à la craie se trouva ainsi tirée de l'obscurité.

— Qu'est-ce qui se passe ? demanda Fandorine.

— Envol, *starflight*, répondit Valia d'un ton pensif.

— Quel envol ?

— Total. Un type qui a voulu s'envoler. Définitivement. Il a dit *fuck off* à tout le monde, et il a sauté. Il avait dû se shooter à la blanche ou bien se gaver de bonbons – c'est le genre de truc également qui donne des ailes.

— Quelqu'un s'est défenestré ? demanda Nika d'une voix tremblante. Juste à l'instant ?

On mène une existence normale et heureuse, où l'on s'irrite et se réjouit pour des riens, et pendant ce temps, tout à côté, quelqu'un étouffe d'une douleur ou d'une solitude si intolérables qu'il préfère se donner la mort...

— Non, il y a déjà un bon moment. Trois heures environ. D'abord les concierges ont appelé la *Altfrau*, puis les flics ont débarqué. J'ai voulu vous prévenir, mais vous m'avez fait signe de *get out*.

— Que me chantes-tu là à propos de bonbons ? dit Nicholas en s'écartant de la fenêtre, sourcils froncés. De quelles ailes parles-tu ? Attention, Valentin, tu m'as donné ta parole. Si jamais tu t'avises de jouer avec la drogue, tu es viré dans la seconde, et sans indemnités de licenciement.

— C'est sûr que j'y perdrais un sacré filon, grinça l'autre.

Touché. C'était la pure vérité : Nicholas payait très mal son assistant, et qui plus est souvent avec retard. D'un autre côté, si Glen travaillait au Pays des Soviets, ce n'était pas pour des considérations mercantiles. Sa mère banquière (Valia l'appelait Mamona) donnait à son fils chéri, pour le cinéma et les glaces, bien plus que ce que Nicholas avait jamais gagné, même à son époque la plus prospère, avant la crise. A plusieurs reprises déjà, Fandorine avait laissé entendre au représentant de la jeunesse dorée que, dans la conjoncture présente, il pouvait parfaitement se passer de secrétaire, mais cette démarche avait provoqué une réaction des plus orageuses. Les jours bleus, Valia s'emplissait d'un ressentiment tout masculin, avare de paroles, et les jours roses, il, ou plutôt elle piquait des crises d'hystérie avec larmes et sanglots.

Glen ne faisait pas mystère de la raison pour laquelle, cinq jours par semaine, il siégeait de onze à six à la réception du bureau n° 13. Cette raison était romantique et avait pour nom « Amour ». En laquelle de ses deux qualités Valia était-il (était-elle ?) amoureux (amoureuse) de son chef ? Cela demeurait pour celui-ci une énigme, car Nicholas surprenait le regard langoureux de son assistant aussi bien les jours bleus que les jours roses. Glen était doué de la monstrueuse patience de la larve xylophage et, en dépit de l'absence absolue de réceptivité de la part de son patron adoré aux tentations androgynes, il ne perdait manifestement pas l'espoir d'un jour ou l'autre atteindre son but. Fandorine s'était fait peu à peu aux épuisantes manières de son secrétaire – battements de cils racoleurs, langue passée sur des lèvres prétendument desséchées, bretelles glissant constamment d'une épaule à la forme parfaite – et avait cessé d'y prêter attention. Tout compte fait, Valia s'acquittait à merveille des tâches administratives, et en sortie se révélait tout bonnement irremplaçable. Où trouver un autre collaborateur de cette qualité, et pour un salaire aussi peu convaincant ? Il entrait certainement dans cette logique un honteux élément de maquereautage, mais Fandorine escomptait que la passion que Valia nourrissait pour lui passerait progressivement à une phase platonique, car après tout la vie sexuelle de l'homme du futur était déjà bien assez agitée sans qu'il y contribuât.

Valia baissa les yeux d'un air de reproche, d'un geste caressant passa les mains sur son propre cou gracile douillettement encadré par le col d'un pull à cinq cents dollars, puis caressa le sommet de son crâne lisse et poli comme un miroir. Il était très fier de la forme idéale de celui-ci, et en son hypostase masculine l'exhibait à tout va, alors que, femme, il préférait changer constamment de coiffure – ainsi gardait-il pendues dans une armoire spéciale plusieurs dizaines de perruques de modèles et de teintes les plus inconcevables.

— Arrêtez de vous prendre la tête. (Glen toucha d'un doigt l'épaule de Nika.) Ce type a voulu sauter, il l'a fait. C'est sa *privacy*. Nous sommes tous des *Fogelen* migrateurs. Nous picorons des graines, nous faisons des poussins et puis cui-cui-cui, nous regagnons à tire-d'aile les contrées paradisiaques. Chef, nous allons au théâtre, oui ou non ? *I am so nervous,* un vrai cauchemar !

Concernant le cauchemar que représentait son trac, il mentait sur toute la ligne. Ce devint particulièrement évident quand les trois dizaines de candidats commencèrent à danser sur scène en suivant les ordres du régisseur (« Coulé arrière ! Saut ! Encore ! Maintenant travaillez des jambes ! La demoiselle en maillot vert, j'ai dit des jambes, pas des fesses ! *Wave* avec les bras ! Voilà ! Vous montrez de la souplesse ! »).

Au milieu de ce mouvement brownien, Glen avait l'air d'une danseuse étoile au milieu d'un corps de ballet. Ses sauts étaient les plus hauts, son coulé le plus élégant, il lançait la jambe si haut que son genou touchait l'épaule, et quand le régisseur commanda de « faire de l'érotique », toutes les personnes présentes dans la salle ne regardaient déjà plus que le nouvel Antinoüs.

En même temps, Valia parvenait encore à jeter de brefs regards vers son patron, de sorte que son plan devenait évident : s'il l'avait amené là, c'était dans l'espoir de l'impressionner. Fandorine poussa un soupir, consulta sa montre : dans dix minutes, il serait temps d'aller chercher les enfants.

Le régisseur demanda à tous les candidats de descendre de scène, excepté à Valia, qu'il continua de faire danser seul, de sorte que l'issue du concours pouvait être tenue désormais pour décidée d'avance.

Le groupe de concurrents suivants aussi bien que leurs supporters, et même les précédents prétendants humiliés, ne quittaient pas des yeux le divin danseur, qu'ils encourageaient par des cris et des applaudissements. Les filles étaient parmi les plus enthousiastes. Nicholas remarqua que certaines d'entre elles le regardaient à la dérobée avec un intérêt manifeste. C'était flatteur. Quand, à l'âge de quarante ans, vous êtes encore l'objet de la curiosité des nymphettes, ça veut dire que vous valez encore quelque chose, non ? Il redressa les épaules et jeta négligemment un bras sur le dossier du fauteuil vide voisin.

Après avoir chuchoté un moment avec ses copines, une fille très maigre, que son maillot rouge vif faisait ressembler à une carotte nouvelle, se dirigea vers lui. Là, tout de même, c'était trop. Observer innocemment de loin une jeunesse, c'était une chose, mais engager avec elle une conversation, c'en était une autre, surtout quand celle-ci risquait de prendre un tour quelque peu immodeste.

A tout hasard, il ôta son bras du fauteuil, reboutonna sa veste et se renfrogna.

— Excusez-moi, vous êtes gay ? demanda l'enfant une fois devant lui.

Connaissant le laisser-aller de la jeunesse moscovite, Nicholas ne fut pas surpris outre mesure. Il répondit simplement :

— Non.

Le visage de la Carotte s'éclaira, elle se tourna vers ses amies et leur montra deux doigts joints en anneau : OK, tout va bien.

— Vous êtes son daron alors, c'est ça ? dit-elle en désignant la scène d'un mouvement de menton. Vous êtes venu lui faire une crise ?

Alors seulement Nicholas comprit la raison de l'intérêt que la jeune fille témoignait pour sa personne. Le mot « daron » (qui semble tirer son origine d'une contraction des mots « dam » [seigneur] et « baron ») avait en argot ancien comme en langage moderne le sens de « père ».

— Je ne suis pas son daron, mais un collègue, répondit-il tristement. Cependant je vous conseille, chère demoiselle, de ne pas vous amouracher de Valia.

La fille porta une main à son cœur.

— Quoi, alors c'est lui qui est gay ? Il kiffe pas les meufs ?

Nicholas mit un certain temps à trouver comment expliquer les variations d'inclinations sexuelles de Valia.

— Il est... cyclothymique. Mais je vous le répète encore une fois, je ne vous le conseille pas. Vous en verseriez toutes les larmes de votre corps.

— Vous devriez monter un commerce pour vendre vos conseils, m'sieur, répondit la demoiselle amusée. Vous vous feriez un paquet de fric.

Sur quoi elle s'en fut. On a bien raison de le dire : c'est de la bouche des enfants...

Nicholas mit moins de temps qu'il ne pensait à atteindre la rue Pokrovka où se trouvait le jardin d'enfants le Péripate. Le boulevard était libre de ses éternels embouteillages – merci au mois de novembre, à cette saison de semi-assoupissement où se ralentit l'écoulement de tous les fluides porteurs de vie, y compris le flot des automobiles moscovites.

Le jardin d'enfants n'était pas calqué sur le modèle courant imposé par l'Etat. Il s'agissait d'un établissement privé, et progressiste. Une institutrice à la retraite, fatiguée de végéter avec mille cinq cents roubles par mois, avait recruté un groupe de dix enfants. Une des colocataires de l'appartement, par le passé dessinatrice, se chargeait des repas. Les autres voisins de chambre complétaient l'effectif spontanément constitué de cette modeste école maternelle : une pharmacienne au chômage et un invalide, ancien major des forces spéciales, auquel on avait confié le sport et les jeux d'action. Le coût de la garde des enfants n'était pas négligeable, mais le Péripate en valait la peine : même la tatillonne Altyn en était satisfaite.

Guélia était assise dans l'entrée sur le coffre à chaussures, ballottant des jambes.

— Ah ! te voilà ! dit-elle (elle avait adopté la sécheresse de ton de sa mère). En attendant, il est huit heures. Kostia et Vika sont déjà partis.

Prêtant l'oreille aux hurlements qui lui parvenaient du fin fond de l'appartement, Nicholas riposta :

— Mais les autres sont toujours là.

— Peut-être, mais Kostia et Vika sont déjà partis, répéta sa fille, inflexible, en déposant malgré tout un gros baiser sur la joue de son père, ce qui suffit à le faire fondre comme à l'habitude, bien que ce baiser ne fût qu'un tribut rendu à la tradition.

— Pourquoi tu ne joues pas ?

— Je n'aime pas jouer à la prise du palais d'Amin.

— Le palais de quoi ? s'exclama Fandorine, surpris.

— Eh quoi, papa, tu débarques de la Tchoukotka ? répondit Guélia en secouant la tête. Amin, c'est l'Afghanistanais qui voulait tous nous trahir.

— L'Afghan, corrigea Nika tout en se promettant à part lui, pour la énième fois, d'avoir une petite conversation avec le major Vladlen Nikititch qui farcissait la tête des enfants de toutes sortes d'idioties. Et puis, qu'était-ce que cette expression à propos de la Tchoukotka ? Ou bien j'en parlerai plutôt avec Serafima Kondratievna, se dit l'expert en histoire, car à la vérité le vétéran des forces spéciales lui faisait un peu peur, avec sa prothèse en titane remplaçant un morceau de crâne.

Il lui fallut une bonne vingtaine de minutes pour extraire son fils de la bataille. Eraste ne se laissa évacuer qu'après avoir reçu une grave blessure au cœur. Nicholas emporta le héros dans l'entrée, l'habilla et le chaussa. Le blessé ne revint à lui qu'une fois dans l'escalier.

Il était tout de même stupéfiant de voir à quel point les deux enfants se ressemblaient peu. Guélia était blonde comme son père, mais avait les yeux de sa mère, marron foncé. Eraste, au contraire, avait hérité de cheveux bruns et d'yeux bleus.

Une vraie guerre avait éclaté entre les époux à cause des prénoms : ils s'étaient révélés incapables de trouver une entente sur la manière d'appeler leur fils et leur fille. Pour finir, ils avaient adopté une honnête solution : le père baptiserait le garçon, la mère la fille. Chacun d'eux, aussi bien Nicholas qu'Altyn, s'était trouvé extrêmement mécontent du choix de la partie adverse. La femme de Nika prétendait qu'on allait se moquer du petit, trouver à son prénom des rimes insultantes, et ne voulait rien savoir de l'héroïque grand-père Eraste Petrovitch. Nika de son côté trouvait le nom d'Angelina vulgaire et prétentieux. Même si, il faut le reconnaître, il convenait parfaitement à sa fille, qui pouvait à son gré prendre une mine de petit ange à faire fondre d'attendrissement Raphaël en personne.

En l'absence d'Altyn, le principe de commandement unique cessait de s'appliquer dans la famille Fandorine et il soufflait aussitôt un vent d'anarchie et de permissivité totale, de sorte qu'il était déjà près de dix heures quand Nicholas réussit enfin à coucher ses enfants. Restait encore à leur lire le conte vespéral rituel, puis il pourrait travailler au scénario des prochaines aventures du premier secrétaire de Catherine II.

— « Ivan tsarévitch et le Loup gris », lut Nika, déchiffrant le titre du conte, avant de retenir son souffle pour ménager un savoureux suspense.

Eraste, gros garçon aux gestes lents et posés, appuya sa tête sur sa main et fronça les sourcils. Dans le coin où était son lit, le mur était tapissé d'armes diverses et d'images de batailles. Guélia entrouvrit les lèvres et tira la couverture jusqu'à son menton, prête à affronter la peur.

— « Il était une fois un royaume, le royaume de Russie, où vivait le fils du tsar, Ivan tsarévitch... » commença Fandorine.

— Un garçon ? coupa aussitôt Guélia. Encore ? Un coup c'est le Petit Poucet, l'autre coup c'est Emelia. Mais quand est-ce qu'on aura droit à une fille ?

Eraste leva les yeux au ciel de manière éloquente, cependant il fit preuve de retenue et ne dit rien.

— Il sera question également d'une fille, promit Fandorine tout en parcourant rapidement les lignes. (A dire vrai, il ne se souvenait guère du conte du Loup gris, hormis le tableau de Vasnetsov.) Un peu plus tard.

— Ce n'est pas juste. Pourquoi la fille n'apparaît-elle pas tout de suite ?

— Bon, très bien. Où vivait aussi une petite fille qu'on appelait Maria tsarevna. Très jolie de sa personne, aimable, le teint d'une blancheur de lait...

— Et Ivan tsarévitch ? intervint sur-le-champ son fils jaloux. Il est moche peut-être ?

— Non, bien sûr, lui aussi était très joli de sa personne...

— Et puis aimable et le teint d'une blancheur de lait, acheva Eraste.

— Oui.

Nicholas reposa le livre. En régime interactif, il était bien rare de parvenir à lire un conte jusqu'à la fin, force était d'improviser en cours de route.

— Ivan tsarévitch et Maria tsarevna étaient tombés amoureux l'un de l'autre et avaient décidé de se marier...

— Impossible, coupa Eraste.

— Pourquoi donc ?

— Ils sont frère et sœur.

— Où as-tu pris cela ?

— Ils vivent dans le même royaume. Tsarévitch et tsarevna, c'est « fils du tsar » et « fille du tsar ». Les frères et les sœurs se marient pas ensemble, ça se fait pas.

Nicholas réfléchit un instant et trouva une riposte :

— Mais c'est un conte. Dans les contes, comme tu sais, tout peut se produire.

Eraste hocha la tête. On pouvait continuer.

— Mais le méchant sorcier Kachtcheï l'Immortel s'était lui aussi épris de Maria tsarevna. Il l'enleva et l'emporta loin, très loin, par-delà vingt-sept royaumes, par-delà vingt-sept...

Cette fois-ci il fut interrompu par les deux.

Guélia déclara :

— S'il est tombé amoureux d'elle, ça veut dire qu'il est pas si méchant que ça.

Eraste, lui, cligna les yeux d'un air soupçonneux.

— Je co-o-omprends pas. (Les pubs de la télé avaient déteint sur sa manière de parler, et impossible à présent de lui faire perdre cette intonation.) C'est quel Kachtcheï l'Immortel ? Celui à qui on a cassé l'œuf avec Ivan l'idiot, et puis pété l'aiguille ? Mais il est tombé par terre et il est mort !

— Eh bien... dit Fandorine, ne sachant comment parer l'objection. Ça, c'était plus tard. Il avait déjà enlevé Maria tsarevna.

— Dans ce cas, il fallait raconter d'abord l'histoire d'Ivan tsarévitch, et ensuite seulement celle d'Ivan l'idiot, grommela Eraste. Parce que comme ça, là, ça va pas. Mais bon, allez, continue.

Nicholas ne répondit pas à la très juste remarque de Guélia concernant l'amour ; il se contenta de lui sourire et de caresser ses doux cheveux. La fillette secoua la tête avec impatience : l'heure n'était pas à ces bêtises, il fallait poursuivre le conte.

— Ivan tsarévitch monta sur son bon cheval et s'en fut à la quête de Maria tsarevna. Il chevaucha à travers de sombres forêts, traversa des mers profondes, franchit de hautes montagnes, et la vaste étendue bleue des lacs. Il chevaucha pendant un mois, puis deux, puis trois, pour enfin arriver en un lieu totalement désert, où seul le vent hurlait et les corbeaux croassaient. Il voit là une grande et grosse pierre couchée en travers du chemin, et gravés sur cette pierre ces mots : « Va tout droit et la vie perdra, prends à gauche et ton âme perdra, prends à droite et ton cheval perdra, or d'ici il n'y a point de chemin de retour. »

— Peut-être qu'on a assez parlé d'Ivan tsarévitch, non ? s'insurgea Guélia. Maintenant il faut raconter ce qu'est devenue Maria tsarevna. Comment elle vivait là-bas, chez Kachtcheï l'Immortel, de quoi ils parlaient entre eux, ce qu'il lui servait à manger, ce qu'il lui offrait comme cadeaux...

— Pourquoi penses-tu qu'il lui servait à manger et lui faisait des cadeaux ?

— Tu oublies qu'il était amoureux d'elle !

— C'est juste... (Nicholas se gratta le nez.) Eh bien, à dire vrai, on ne peut pas prétendre qu'elle vivait mal chez lui. C'était un assez bel homme, encore jeune, qui avait une riche expérience de la vie, et ne manquait pas d'esprit. Il possédait en outre un formidable talent de conteur. Mais Maria tsarevna ne pouvait pas l'aimer, car...

— On ne commande pas à son cœur, c'est ça ? souffla Guélia.

Eraste toussota discrètement :

— Hum hum !

Ce qui signifiait : on pourrait peut-être en finir avec ces âneries ?

Fandorine poussa donc l'histoire plus loin.

— Voici Ivan tsarévitch debout devant la pierre, hésitant sur le choix de la direction à prendre. Il n'a aucune envie de perdre la vie, l'âme encore moins...

— Mais qu'est-ce que c'est, perdre son âme ? demanda Guélia, curieuse.

— C'est le pire qui puisse arriver. Parce que, vu du dehors, on ne remarque rien. L'homme paraît être exactement comme tout le monde, seulement il n'y a plus d'âme en lui, il n'est plus qu'une apparence d'être humain.

— Et il y en a beaucoup des comme ça ? s'inquiéta la fillette ?

— Non, la rassura Nika. Très peu. Et même ceux-là ne sont pas tout à fait perdus, car si on le veut très fort, on peut récupérer son âme.

— Et si on poursuivait l'histoire ? intervint Eraste, mettant un terme à la discussion scholastique. Par où est-il allé finalement ?

— A droite, bien sûr.

Guélia demanda d'une voix tremblante :

— Et son cheval ? C'était une bonne bête pourtant, c'est toi-même qui l'as dit.

Son frère fronça les sourcils lui aussi : tout ça ne collait pas.

— Mais il n'a pas pris le cheval avec lui, expliqua Nika, toujours improvisant. Il l'a laissé près de la pierre, à paître.

— Bonne idée, approuva Eraste d'un ton pratique. Comme ça il pourra le reprendre pour rentrer chez lui.

Ici, les lois du genre réclamaient d'introduire du suspense, aussi Nicholas poursuivit-il d'une voix terrible :

— Prenant à dextre, Ivan tsarévitch s'enfonça dans l'épaisseur d'une forêt presque impénétrable. Ouh ! comme il y faisait noir ! Ivan sentait le sol frémir sous ses pieds, et des ailes s'agiter au-dessus de sa tête, tandis que d'étranges lueurs s'allumaient au cœur des ténèbres.

— Oh ! gémit Guélia en tirant la couverture jusque sur ses yeux, tandis qu'Eraste serrait les dents courageusement.

— Et puis tout à coup, sur le sentier, surgit le Loup gris ! continua Nicholas, impitoyable. Des dents comme ça, des griffes, tenez, comme ça, toute sa fourrure hérissée sur le dos ! Il fallait le voir découvrir ses crocs jaunes et pointus...

Il dut là s'interrompre car la sonnette de la porte d'entrée venait bizarrement de tinter. Qui cela pouvait-il être, à onze heures du soir ? Peut-être Altyn avait-elle renoncé à prêter main-forte à sa section Corruption ?

— Je vais ouvrir et je reviens, dit Nika en se levant.

Non, ce n'était pas Altyn.

Sur le palier se tenait un homme vêtu d'une veste de sport. Visage glabre, menton volontaire, petits yeux vifs. L'inconnu tenait serrée sous le bras une serviette en similicuir à fermeture éclair.

— C'est bien ici qu'habite Nikolaï Alexandrovitch Fandorine ? demanda-t-il, contraint de lever la tête pour regarder le géant dégingandé qui venait de lui ouvrir la porte.

— Oui, c'est moi, répondit prudemment Nicholas.

Tout citoyen russe sait pertinemment que les visites impromptues et tardives ne promettent jamais rien de bon.

— Par conséquent, c'est vous que je viens voir, déclara l'homme avec un large sourire, comme si c'était là une nouvelle dont il convenait de se réjouir particulièrement. J'appartiens à la police judiciaire de Moscou, 16ᵉ bureau. Officier chargé d'enquête Volkov Sergueï Nikolaïevitch.

Il ouvrit un petit livret qu'il brandit un instant sous le nez de Fandorine, instant trop bref cependant pour que celui-ci eût le temps d'y lire autre chose que le mot « capitaine ».

— Vous me permettez d'entrer ? J'ai besoin d'avoir une petite conversation avec vous.

Le capitaine parut se laisser tomber en avant, et Nicholas, instinctivement, fit un pas en arrière, lui cédant ainsi le passage.

Le seuil franchi, l'officier de la police judiciaire déclara d'une voix ravie :

— Vous êtes dans un foutu pétrin, citoyen Fandorine. Comme on dit, vous pouvez commander le sap'.

Et de découvrir des dents jaunes et pointues en un sourire carnassier.

A la vue de ce rictus, Nicholas recula malgré lui de deux pas encore, et le capitaine s'empara sur-le-champ du territoire ainsi libéré. Il tourna la tête à droite, à gauche, et sans raison apparente passa un doigt sur l'antique miroir encadré d'ébène (acheté par Fandorine rue Arbat au temps de sa prospérité d'avant-crise).

— Miroir vénitien ? Sacré objet !

— Pourquoi vénitien ? C'est un miroir russe, fabriqué à Moscou, bredouilla Nika. De quelles sapes parlez-vous ? Qu'avez-vous là sous le bras ?

— Nous devons causer un peu, chuchota le policier en touchant un des boutons de veste de son interlocuteur (telle était visiblement sa mauvaise habitude : tout toucher avec les mains). Oui, causer un peu.

Cette manière de tripoter sans gêne tout ce qui était à portée de main, ajoutée à ce chuchotement idiot, eut le mérite de sortir enfin Fandorine de sa stupeur et de le mettre

110

en colère. Non pas contre son visiteur tardif, mais bien contre lui-même. Comment pouvait-on avoir des réactions aussi absurdes, nom d'un chien ? ! Pourquoi un homme honnête, respectueux des lois, devait-il se sentir nerveux à cause d'une visite de la police, fût-elle criminelle ?

— A qui voulez-vous parler ? demanda-t-il sans aménité en ôtant de sa poitrine la main de l'officier. Pourquoi vous présentez-vous sans avoir passé un coup de fil avant, qui plus est à une heure aussi tardive...

— C'est à vous que je veux parler, coupa Volkov. On peut entrer ?

— Faites, puisque vous êtes là.

Nicholas le précéda dans le salon.

Le capitaine ne se donna pas la peine de demander s'il pouvait téléphoner. Il tira de sa poche un téléphone mobile, un appareil coûteux, bien plus luxueux que le modeste Siemens de Nika, et pressa une touche.

Un corrompu, conclut Fandorine, auquel les manières désinvoltes de l'officier de police déplaisaient terriblement. On sait ce que gagne un flic, ça ne suffit pas pour acheter un téléphone pareil. Il accepte des pots-de-vin ou bien il couvre quelque activité illégale. On connaît l'histoire, tout le monde l'a vue à la télé.

— Allô, Mich ? grommela Volkov en tournant le dos. C'est moi, le Gris[1]. Alors, où en êtes-vous avec le macchab' ?... Je comprends. Et aucun signe particulier ?... Je vois... Merde, non, vas-y toi-même aux Kolobki, je ne suis pas votre bonne... Oui, je suis pas mal occupé pour l'instant... Exact, chez notre candidat.

Comme il prononçait ce mot, il se tourna brièvement vers Nicholas, et celui-ci comprit que ledit « candidat » n'était autre que lui. Bizarrement, ces trois innocentes syllabes lui flanquèrent la chair de poule.

---

1. Volkov pourrait se traduire par Leloup en français. Le surnom de « le Gris » est une manière de jeu de mots, allusion au conte populaire d'*Ivan tsarévitch et le Loup gris*, que Fandorine était justement en train de raconter à ses enfants. (*N.d.T.*)

— Je repasserai un coup de bigo, je raccroche... C'est ça, allez.

Le capitaine tourna sa tête ronde, tondue au sabot de trois, puis demanda :

— J'imagine que vous avez une baraque en banlieue et qu'ici c'est juste un pied-à-terre ?

— Pourquoi ? s'étonna Fandorine. Non, je vis ici. Je n'ai pas de maison en banlieue.

L'officier de police parut déconcerté par cette information. Il s'approcha vivement de la porte du bureau et passa la tête par l'embrasure – non mais vraiment, quel sans-gêne !

— Ecoutez, capitaine Sergueï Nikolaïevitch Volkov du 16ᵉ bureau... commença Nika d'un ton sévère, bien décidé à remonter les bretelles à l'arrogant personnage, mais le policier se tourna vers lui et, le menaçant de l'index, déclara d'une voix traînante et ironique :

— Plutôt minable comme appart'. Ça ne colle pas pour nous.

Nicholas fut surpris. Selon les standards moscovites, son appartement ne pouvait en aucun cas être qualifié de « minable ». Deux cents mètres carrés, dans un immeuble ancien, certes, mais entièrement restauré, avec une belle hauteur de plafond... Il avait englouti une bonne part de son héritage britannique. Il semblait alors que ce fût une acquisition superflue, mais compte tenu de la dévaluation qui avait suivi, il s'était révélé que c'était là l'unique investissement judicieux qu'il eût fait.

— Qu'est-ce qui ne « colle » pas ?

— Le décor. Pas de marbre, pas de tapis non plus en vue, absence de cristal et de bronze. Quoi, vous faites dans le clandestin ? Comme le citoyen Koreïko[1] ?

---

1. Personnage du fabuleux roman d'Ilf et Petrov *Le Veau d'Or*, suite des non moins fameuses *Douze Chaises*, œuvres célébrissimes en Russie et dont de nombreuses répliques sont passées en proverbe dans la langue courante. Koreïko est un milliardaire russe qui dissimule son inutile fortune. (*N.d.T.*)

— Comme qui ? s'exclama Fandorine, interloqué, son père sir Alexander ne lui ayant pas permis dans son enfance d'aborder la littérature soviétique. Mais en voilà des manières ! Vous vous introduisez dans un lieu privé, vous fourrez votre nez partout ! Que voulez-vous à la fin !

Le policier s'empara de deux chaises pour les poser l'une en face de l'autre. Il prit place sur l'une et d'un geste invita le maître des lieux à s'asseoir sur la seconde.

— Tu ferais mieux de me parler franco, dit-il, sévère. Dans ton propre intérêt. Tu as vu ma carte ? J'appartiens au 16e bureau. C'est le service qui s'occupe des grosses affaires de meurtre, celles qui font du bruit, compris ? Je ne suis pas un flic quelconque, ni un mec de la brigade des fraudes. Compter les thunes dans les poches des autres, ce n'est pas notre rayon. Accouchez donc, Nikolaï Alexeïevitch, dites-moi comment vous faites votre fric... Parole de Sergueï Volkov, je ne cafterai pas... Vos sales combines resteront entre nous... D'accord, je vais te montrer un foutu truc, quand tu l'auras vu, crois-moi, tu ne feras pas plus de chichis avec moi qu'une gonzesse avec son gynécologue.

Nicholas fronça les sourcils : la métaphore du capitaine lui déplaisait tout autant que ces sauts permanents du « tu » au « vous ». Cependant les propos obscurs de l'officier de police lui inspiraient un malaise de plus en plus grand. A l'évidence, il se tramait une sale histoire.

— Cette conversation ne pourrait-elle pas attendre demain ?

Il jeta un coup d'œil à la porte de la chambre des enfants. Eraste et Guélia devaient attendre avec impatience la suite du conte. Il eut soudain envie d'envoyer ce flic au diable, avec ses discours incompréhensibles et ses sinistres charades, de revenir au monde clair et lumineux où il n'était personne de plus effrayant que le Loup gris et où la justice triomphait toujours.

Mais Volkov lui avait déjà fourré un bout de papier dans la main, et il semblait bien qu'il fût impossible d'échapper à cette méchante hallucination.

— Lisez-moi ça. Ensuite vous déciderez vous-même s'il vaut mieux reporter ou non à demain. C'est votre vie, après tout, pas la mienne.

Il s'agissait de la photocopie d'un texte dactylographié. Nika lut, sans en croire ses yeux :

VERDICT

NIKOLAÏ ALEXANDROVITCH FANDORINE,
président de la société le Pays des Soviets, est reconnu
être une canaille et un escroc, en vertu de quoi il est
condamné à la plus haute mesure de justice : la mort.

— Qu'est-ce que c'est que ce délire ? s'écria Fandorine. Où avez-vous pêché ça ?

— Demain, c'est demain ! déclara le policier avec un sourire sarcastique.

Il reprit la feuille de papier et fit mine de vouloir s'en aller.

Passant cependant de la colère à la mansuétude, il sortit de sa serviette une photo grand format, tirée sur papier glacée.

— Ça sort de la poche de ce citoyen, tenez.

La photo était un gros plan d'un visage de cadavre : yeux grands ouverts, auréole de sang maculant l'asphalte. Le mort affichait un masque singulier : satisfait, et même triomphant eût-on dit.

Nicholas laissa échapper un « oh ! » de surprise.

— Une connaissance ? demanda Volkov, soudain tendu.

— Oui... Cet homme est venu me voir aujourd'hui. Au travail.

— Je sais. Il y avait dans sa poche une pub de votre société. C'était à quelle heure ?

— Trois heures environ. Que... que lui est-il arrivé ?

— Son nom, son prénom, vous les connaissez ?

Le policier était passé au chuchotement, comme s'il craignait d'effrayer sa proie.

114

— De qui, de lui ? demanda bêtement Fandorine. Kouznetsov, euh... en revanche je n'ai pas retenu son patronyme. Quelque chose de très courant. Ivan Petrovitch, Sergueï Alexandrovitch... Je ne me rappelle pas. Mais je doute qu'il se soit présenté sous sa vraie identité. Que lui est-il arrivé ?

— Pourquoi doutez-vous ?

— Je ne sais pas. Une impression que j'ai eue, comme ça... M'expliquerez-vous à la fin comment il est mort ? Et ce que signifie cette conversation ridicule ?

Prenant son temps, le capitaine répondit d'un air déçu :

— Votre impression était juste... Vous êtes un homme perspicace, citoyen Fandorine. En aucun cas il ne vous aurait confié son vrai nom... Comment il est mort, demandez-vous ? Il s'est parachuté d'un toit. Celui du numéro 1 de la rue Solianka, c'est tout à côté d'ici.

— Ainsi c'était lui !

Nicholas venait de se rappeler le véhicule lunaire au fond du cratère, et la silhouette tracée à la craie sur l'asphalte.

— J'ai vu une voiture de police depuis la fenêtre. C'est là qu'est mon bureau !

— Je sais. Pourquoi venait-il vous voir ? De quoi a-t-il parlé ?

— En toute franchise, je n'ai toujours pas compris ce qui l'avait conduit chez moi. Il avait une attitude bizarre. A mon avis, il avait dû subir un drame personnel. Peut-être sa femme était-elle tombée malade, ou bien même était morte. Ou peut-être n'était-ce que le délire d'une imagination malade. Il n'était pas dans un état normal, en tout cas, c'était manifeste... Mais il ne m'est pas venu un instant à l'esprit qu'il irait se suicider juste en sortant de chez moi !

Ah ! il est bon, le donneur de conseils, le préparateur d'âmes, se dit-il avec amertume. Tu n'as même pas su voir que l'être humain qui se tenait en face de toi était au bord de l'abîme. Peut-être celui-ci avait-il tout simplement envie d'entendre une chaude parole de compassion, et toi, au lieu de ça : « Vous avez une conscience ? Vous dérangez dans son travail un homme très occupé ! » Et surtout : occupé à quoi ?! Seigneur, quelle honte !

— Se suicider ! Ben voyons ! ricana le policier. Avec les mains menottées dans le dos. Et sur la cuisse une brûlure de taser. Il sortit une autre photographie : le cadavre retourné sur le ventre, les mains en effet entravées dans le dos par des menottes. Nicholas attarda son regard sur les doigts du défunt, noirs de sang, et tressaillit.

Volkov rangea les terribles images, puis se rassit. Fandorine cette fois-ci l'imita, sentant ses genoux trembler.

— Ecoutez, Nikolaï Alexandrovitch, parlons franchement. D'abord je te livre toute la vérité, ensuite tu fais de même avec moi. Nous sommes d'accord ?

Nicholas opina du chef, désemparé. Il se sentait la tête soudain totalement vide ; au rebours de l'expression consacrée, ses idées ne s'embrouillaient pas : elles étaient tout bonnement absentes.

— Vous avez suivi dans les journaux l'affaire du meurtre du P-DG de la société Intermedconsulting ? demanda l'officier d'un ton affairé. Un certain Zaltsman ? Démoli à coups de bouteille. Chez lui, dans sa maison de campagne.

— Non, je ne me rappelle pas. Je ne m'intéresse pas beaucoup à la chronique judiciaire. Vous savez, chez nous les hommes d'affaires se font souvent assassiner.

— C'est juste, et puis trois mois déjà ont passé... (Volkov fouilla à nouveau dans sa serviette.) Tenez, regardez ce qu'on a retrouvé dans la corbeille à papier de son bureau, quand on a fouillé chez lui. Il a dû recevoir ça par la poste, il a pensé que c'était des foutaises et il l'a jeté. Regardez donc un peu !

Il s'agissait d'une photographie d'une feuille de papier froissée. Texte tapé à la machine :

> **VERDICT**
>
> *LEONID SERGUEÏEVITCH ZALTSMAN,*
> *directeur général de la société anonyme Intermed-*
> *consulting, est reconnu être une canaille et un escroc, en*
> *vertu de quoi il est condamné à la plus haute mesure de*
> *justice : la mort.*

Nicholas voulut déglutir pour faire passer la boule coincée dans gorge, mais il n'y parvint pas.

— Bon, mais la manière dont a été liquidé Ziatkov, de la Honesty Bank, tu ne peux pas y avoir échappé. Ça a fait du foin dans tous les médias.

Oui, cette histoire-là, Nicholas s'en souvenait. D'abord parce que la faillite de la banque au nom si sympathique avait entraîné la perte de toutes les économies de plusieurs amis proches. Ensuite, parce que l'attentat avait été atrocement sanglant. A bord de la voiture déchiquetée par l'explosion se trouvaient aussi la fille du banqueroutier, âgée de sept ans, et l'une de ses camarades de classe : Ziatkov emmenait les deux copines au zoo.

— Tiens, encore de la lecture.

Sur la table était déjà posée une nouvelle photo : celle d'une feuille de papier exactement semblable aux deux précédentes.

> **VERDICT**
>
> *VLADIMIR FIODOROVITCH ZIATKOV, pré-*
> *sident du conseil d'administration de la Honesty Bank,*
> *est reconnu être une canaille et un escroc, en vertu de*
> *quoi il est condamné à la plus haute mesure de justice :*
> *la mort.*

— Qu'est-ce que... Qu'est-ce que tout cela signifie ?

Nicholas déboutonna son col de chemise. Il dut s'y reprendre à deux fois, car ses doigts ne lui obéissaient plus guère.

— Pour parler franchement, on n'en sait foutre rien, répondit l'officier enquêteur avec un grand sourire bonhomme. Mais notre principale hypothèse est la suivante. Quelqu'un a décidé de purger la société des sangsues et des tyrans capitalistes. D'anciens cocos convaincus qui ont déraillé, des vétérans de la dette internationale. Tu sais comme moi de quoi est fait notre pays : une moitié d'hystériques, l'autre moitié de cinglés, et la moitié de chaque moitié entraînée à buter son prochain.

Fandorine voulut protester contre une exagération aussi monstrueuse, au lieu de quoi, après un nouveau coup d'œil à la photo, il s'exclama :

— Mais c'est du terrorisme ! Du terrorisme pur et simple ! On ne sait qui, se fondant sur on ne sait quelles informations, formule contre des gens innocents des verdicts de mort et les met à exécution ! Une telle chose ne s'est pas produite en Russie depuis l'époque tsariste ! Toute la presse devrait en parler, le crier sur les toits ! La Douma devrait avoir nommé une commission spéciale ! Et personne ne bronche, pas un mot, pas un geste !

— C'est exprès pour éviter un mouvement de panique, une « entrée en résonance » comme on dit dans notre jargon. Le 16e bureau s'occupe précisément de ce genre d'affaires, susceptibles de semer la pagaille dans toute la population. Les victimes, comme vous voyez, sont tous des mecs importants, des bourges de chez gros bourges, ou, pour s'exprimer de manière plus classe, tous membres de la *business elite*. Il a été décidé de mener une enquête en se passant, comme on dit, du concours de l'opinion publique. Autrement, c'est la merde assurée : la menace brun-rouge et patati et patata. La politique, quoi. Bon, ça ne me regarde pas. Moi, je suis un flic, un limier. Je renifle, la truffe au ras du sol, pour voir s'il y a une piste ou pas. Bref, on a réuni un groupe opérationnel chargé d'enquêter sur tous ces crimes. Ça s'appelle l'affaire des Vengeurs insaisissables. C'est moi qui ai trouvé ce nom, ajouta le policier d'une voix fière, mais Nicholas ne goûta pas la note d'humour, car, ayant grandi sous un autre méridien, il n'était pas familier des classiques du cinéma d'aventures soviétique[1].

— Insaisissables ? répéta-t-il d'une voix défaite. Quoi, vous croyez qu'il est impossible de les capturer ? Mais pourquoi voudrait-on se venger de moi ? Je n'ai jamais rien fait de mal à personne, que je sache. Un vrai théâtre de l'absurde...

— Du théâtre, c'est sûr, acquiesça Volkov. Ou plutôt du cirque. Nous nous trouvons face à une sorte de cercle vicieux. Ces vengeurs ont l'air de s'exposer eux-mêmes à être pris : avant de zigouiller le prochain bourgeois de leur liste, ils lui envoient un acte de condamnation. Il suffirait de leur tendre une embuscade pour les capturer à mains nues, n'est-ce pas ?

— Ben, oui, répondit Fandorine, reprenant un peu courage.

— Et pourtant, peau de balle ! Du fait que personne ne prévient la presse, nous ne sommes informés des nouvelles aventures des insaisissables que lorsque nous sommes en présence d'un macchabée commodément débité et empaqueté. Les victimes sont des gens sérieux, solides, pas du genre à se laisser impressionner par des mots creux. Ils sont habitués à être la cible de gars posés et réfléchis qui vous tombent dessus sans prévenir, or là, tout ce qu'ils reçoivent, c'est un tissu de couillonnades comme : « canaille et escroc », « en vertu de quoi il est condamné ». Zaltsman a balancé le papier à la corbeille, je vous l'ai dit. Encore heureux que le vendredi soir la femme de ménage n'ait pas eu le temps de la vider. Ce papier a traîné chez

---

1. *Les Vengeurs insaisissables* est le titre d'un film d'Edmond Keosayan, tourné en 1968, mettant en scène une bande d'adolescents en lutte contre les bandits qui terrorisent le sud de l'Ukraine, pendant la guerre civile. Ce grand succès populaire a connu deux suites : *Les Nouvelles Aventures des insaisissables* et *La Couronne de Russie*.

Ziatkov pendant une semaine, sinon plus. Il l'a montré à sa femme : « Regarde, qu'il lui a dit, le nombre de frappés qu'il peut y avoir sur terre. » Il a voulu le jeter, mais son épouse l'en a empêché. Elle l'a gardé, pour faire rigoler ses copines. Et pour ce qui est de rigoler, elle a été servie... Plus de mari, plus de gosse, plus de Mercedes à cent mille dollars, et plus de chauffeur non plus par la même occasion, chauffeur avec lequel, comme l'enquête l'a établi, Mme Ziatkova entretenait des rapports intimes et même sexuels. (Volkov eut un rire bref.) Dans les deux cas, c'est par hasard que les actes de condamnation sont tombés entre les mains des enquêteurs. Nous avons sur les bras d'autres affaires de rupins qui ont fini de chialer, il se peut très bien que certaines soient reliées à ça. (Et le joyeux capitaine de chantonner tout à coup :) « Les morts avec leurs faux s'alignent au bord de la route. C'est l'œuvre des diables rouges[1]. »

— Mais... qu'est-ce que je viens faire là-dedans, moi ? Comme vous le voyez, je ne suis pas milliardaire, je n'exploite personne. Je n'ai dans ma société qu'un seul collaborateur !

— C'est quel genre de société ? demanda l'officier de police en plissant les paupières. Avec quel business vous faites votre blé ?

Un peu gêné, Nicholas expliqua en quoi consistait sa très singulière activité. Il arrive bien souvent que des gens tombent dans des situations sinon difficiles, du moins peu courantes, ils seraient heureux alors de recevoir un conseil autorisé, mais souvent ils n'ont personne à qui s'adresser. Or il n'est rien de plus précieux qu'un bon conseil donné au bon moment... Il parlait, se recroquevillant sous le regard insistant du détective, et sentait lui-même combien tout cela sonnait de manière ridicule.

— Je vois, déclara le capitaine quand Nicholas se fut tu. Vous ne voulez pas dire la vérité. Ça n'est pas bien, Nikolaï Alexandrovitch. Je croyais qu'on avait passé un accord.

— Ecoutez !

---

1. Extrait d'une chanson du film *Les Vengeurs insaisissables*. (*N.d.T.*)

Nicholas venait de sursauter. Son cerveau commençait à se remettre du choc initial, et une première hypothèse venait d'y germer, peu importait qu'elle fût absurde.

— S'il s'agit de nostalgiques du régime communiste, peut-être ont-ils été choqués par le nom de ma société ? Ils y auront vu une moquerie de... je ne sais pas... des idéaux d'Octobre. On doit sûrement pouvoir établir l'identité de cet homme qui s'est jeté... je veux dire : qu'on a précipité du haut d'un toit ?

— Si seulement ! soupira Volkov. Notre parachutiste ne présente aucun signe particulier, il n'avait ni papiers, ni téléphone portable. Nous avons pris ses empreintes, elles seront confiées au labo. Il va falloir se taper de remplir une montagne de rapports et de formulaires, et tout ça pour des queues. Pas de tatouage, ça veut dire qu'il n'a pas fait de taule. D'ailleurs ça se devine au premier coup d'œil, que ce n'est pas un repris de justice.

— En effet, il avait plutôt le type du nomenklaturiste soviétique de rang peu élevé. Mais qui a pu bien le tuer, et pourquoi ?

Le policier se leva, rangea la dernière photo dans sa serviette et tira la fermeture éclair.

— Probablement ses potes. Quant au mobile, c'est le mystère des deux océans[1], posez-moi une question plus facile. Peut-être avait-il trahi les intérêts du prolétariat. Allez savoir avec ces tarés, ces tordus. Cela dit, tarés ou pas, ils connaissent leur affaire. Et là se dessine une énigme beaucoup plus intéressante peut-être. (Le capitaine s'approcha tout près de Nicholas et le regarda droit dans les yeux, quitte à devoir se dresser sur la pointe des pieds.) Comment se fait-il qu'ils aient merdé avec vous, citoyen Fandorine ? L'exécuteur est mort, et vous, vous êtes en vie. Vous avez tort de jouer les idiots avec moi. Sacrément tort, croyez-moi. J'ai bien peur que vous ne soyez vous-même le

---

1. Allusion à un autre classique du cinéma d'aventures soviétique : *Le Mystère des deux océans*, film de science-fiction tourné en 1956 par le réalisateur géorgien Konstantin Pipinachvili. (*N.d.T.*)

prochain colis expédié. Enfin, moi, ce que j'en dis, j'y sur-
vivrai. C'est votre problème.

Et il se dirigea vers la porte, en fredonnant cette fois-ci
la chanson du chat Leopold : « Nous survivrons à ce désagrément. »

Nika s'alarma :

— Attendez ! Vous ne pouvez pas me laisser tomber
comme ça ! Je ne suis pas un oligarque, vous le savez, je
n'ai pas de gardes du corps !

— Chez nous non plus on n'en prête pas, lança l'officier
de police par-dessus son épaule. Au SELCO[1], c'est vrai, il
existe un service de protection des témoins, mais vous ne
voulez pas témoigner, n'est-ce pas ? Non, vous seriez prêt
à raconter toute l'entière vérité ? Le moindre indice nous
serait utile.

Il tourna la tête pour regarder Nicholas, patienta un instant.

— Vous ne direz rien. Tant pis, chacun est maître chez
soi. Mais si jamais vous changiez d'avis, voici mon
numéro.

Il lui glissa une carte de visite entre les doigts, agita la
main en guise d'au revoir, puis tourna les talons. Une
seconde après, la porte d'entrée claquait. Fandorine était
seul.

S'efforçant de maîtriser le tremblement qui agitait tout
son corps, il arpenta un moment le salon. Il voulut boire
du whisky, et s'en servit même un verre, mais à cet instant
il se rappela que son fils et sa fille l'attendaient.

Stop. Nous tremblerons de peur plus tard, quand les
enfants dormiront.

Se forçant à sourire, il se dirigea vers leur chambre.
Quelle histoire, déjà, était-il en train de leur raconter ?
Ah oui, celle du Loup gris. Et où en était-il resté ? Zut, pas
moyen de s'en souvenir ! Eh bien, il allait en prendre pour
son grade...

---

1. Direction des services de lutte contre le crime organisé. (*N.d.T.*)

122

Il n'eut pas à achever le conte : au moins en cela Nicholas se vit-il amnistié. Les jumeaux, fatigués d'attendre le retour du conteur, s'étaient assoupis, avant quoi Guélia avait quitté son lit pour celui de son frère et posé sa tête blonde sur son épaule.

Son attitude avait quelque chose de si adulte que Fandorine tressaillit. Altyn avait raison, spécialiste qu'elle était des questions de sexe. Il fallait les installer dans des chambres séparées. Cinq ans, c'était juste la période de l'érotisme primaire. Et en tout cas, qu'on n'aille plus lui débiter des fadaises sur l'amour entre frère et sœur !

Mais l'instant d'après il vit la main d'Eraste qui pendait hors du lit, étreignant solidement une épée en plastique, et il eut honte de sa perversité de grande personne. Il avait laissé ses enfants dans l'obscurité du bois, seuls face à la gueule béante du terrible loup, tandis que lui-même s'éloignait pour ne pas revenir avant un long moment. Guélia avait tout naturellement couru chercher protection auprès de son frère.

Nicholas desserra avec précaution les doigts de son fils et lui ôta l'épée. Il sortit sur la pointe des pieds, la main crispée sur l'arme jouet.

Absurde, complètement absurde ! « Une canaille et un escroc » ! « Est condamné à mort » !

Les jours se suivent et se ressemblent, et cela vous donne l'impression que la vie possède une logique et un sens. C'est aussi sans doute ce que doit supposer l'escargot en train de se chauffer au soleil sur un rail de voie ferrée. Et puis, surgissant on ne sait d'où, arrive brutalement une masse énorme, noire, qui ne lui laisse pas une chance de salut... Pourquoi, dans quel but ? Y a-t-il rien de plus banal et de plus stupide que ces questions ? Mais pour rien, et dans aucun but ! La nature l'a voulu ainsi. Pourquoi ? Cela ne nous regarde pas.

Dieu merci, sa femme n'était pas à la maison, et personne n'assistait à ses déambulations à travers les pièces ni n'entendait ses pitoyables et incohérentes lamentations.

Pour mettre fin à sa crise de nerfs, il avala trois whiskies secs, et le sage fatalisme qu'inspire l'alcool vint à son secours : à quoi bon, il était des choses qu'on ne pouvait éviter, mais dans n'importe quel cas ça valait la peine de se débattre. Ayant conclu que la nuit portait conseil, Fandorine s'allongea dans son lit, avala pour plus de sûreté deux comprimés de tranquillisant, et sur-le-champ le sommeil lui vint et l'apaisa. Il était comme mort, mais en même temps pas tout à fait. Il reposait là telle la belle du conte dans son cercueil de cristal et regardait autour de lui. Là, au-dehors, l'orage se déchaînait, les éclairs flamboyaient, la pluie martelait le couvercle transparent, mais le tombeau merveilleux restait confortable et rassurant. Il ne fallait s'inquiéter de rien, ni aller nulle part, ni rien faire, en somme, car le moindre mouvement risquait de briser l'harmonie. Le cerveau ensommeillé de Nicholas trouva que c'était là une découverte géniale, d'une grandiose simplicité. Alors qu'il était déjà à demi éveillé, il continuait de peaufiner l'idée, de la tourner et retourner en tous sens.

Nous avons seulement l'impression de vivre des événements et de nous déplacer dans le temps et l'espace. Non, nous sommes, ou pour mieux dire, JE suis l'unique point fixe de l'univers entier. Il peut se passer n'importe quoi autour de moi, mon immutabilité demeure certaine, pensait Fandorine, les yeux encore clos, le sourire aux lèvres. Le cercueil de cristal... c'est une parfaite métaphore, se dit-il encore en s'étirant. Mais juste à cet instant, le tonnerre retentit dehors pour de bon, faisant trembler les vitres inondées de pluie, et sous la pression du vent, le vasistas s'ouvrit tout grand. Sous le coup de la frayeur, Nicholas se releva d'un bond, et la première pensée qui lui vint à l'esprit fut de savoir s'il n'avait pas surestimé la transparence et la solidité de son singulier sépulcre.

Chapitre sixième

LE PARADIS PERDU

Maintenant, oui, maintenant la main ouverte aux doigts tendus allait effleurer son col ou sa manche, et l'étroit réduit se transformer pour Mitia en chambre funéraire. Il était absolument impossible d'imaginer que deux scélérats ourdissant un crime contre la grande impératrice en personne laisseraient en vie un témoin de leur malfaisance. Il serait vain de jouer l'enfant trop jeune pour comprendre : l'Italien avait vu Mitia faire le paon devant Sa Très Haute Excellence et briller par ses prodiges de mémoire.

Zéphyrette grogna d'un ton courroucé, agrippa quelques-uns de ses trésors et les serra contre sa poitrine, mais ce n'était pas assez pour elle, sans doute, car il fallut qu'elle mordît aussi l'un des doigts obstinés qui étaient près de la toucher.

L'officier de la garde jura, mais ne retira pas sa main pour autant. Pour un brave, c'était un brave.

— Un rat ! murmura-t-il. Attends un peu, tu vas voir...

Il empoigna Zéphyrette par une patte et la tira vers la lumière. L'animal émit un couinement plaintif. Le flacon de cristal qu'il étreignait toujours scintilla dans l'obscurité.

— Sacré nom d'une pipe ! Regardez ça, Eremeï Umbertovitch ! s'exclama Pikine dans un éclat de rire. Ça n'est point le Corbeau qui avait volé le flacon, mais un tout autre oiseau, une pie voleuse ! Nous nous sommes effrayés pour rien. Allons, qu'est-ce que cette guenon a amassé d'autre ici comme butin ?...

125

Mitia n'eut pas le temps de reprendre son souffle : la main avançait de nouveau vers lui, ratissant tout sur son passage.

Saisi d'effroi, il poussa vers elle tout ce qui se trouvait dans la cachette ; les réserves de vivres aussi bien que sa boucle de soulier et l'étoile égarée par le vieil homme.

C'est l'étoile qui le sauva.

— Oho ! (Pikine sauta lourdement à terre.) Partageons la prise, Votre Excellence. La boucle pour vous, le biscuit à la pomme aussi, allez, et la Saint-Alexandre-Nevski pour moi. Je dessertirai les diamants et les porterai au mont-de-piété, ce sera tout à votre avantage : je paierai ainsi une partie de ce que je dois.

Mitia eut de la peine pour le vieillard, mais que faire ?

— Elle est bien petite, on dirait un article pour poupée ou pour enfant, marmonna Metastasio d'une voix distraite (il parlait de la boucle, forcément). Bon, tout est bien qui finit bien ! Au travail, Pikine. Ce n'est pas avec ces cailloux que vous vous acquitterez de vos dettes. En revanche, si aujourd'hui vous exécutez votre mission sans faillir, nous serons quittes, vous et moi. Dès que la vieille, cette nuit, sera prise de migraine et de vomissements, vous récupérerez toutes vos lettres de change et autres quittances. Et quand le testament sera entré en vigueur, je vous ouvrirai un nouveau crédit, à hauteur de dix mille roubles.

— Cinquante mille, dit l'audacieux officier du régiment Preobrajenski. Et encore, cela risque d'être trop peu, sacré nom de nom. Si le camard reste le bec dans l'eau (ah ! ah ! joli calembour, non ?), Platon et vous mettrez toute la Russie dans votre poche...

Le bruit de leurs pas s'éloignait déjà vers l'entrée. Dieu merci, ils étaient partis. Mitia pouvait descendre enfin de sa cachette.

Le soir, on dîna chez l'impératrice, dans le Salon de diamant, en toute intimité. Etaient présents la souveraine elle-même, le très auguste petit-fils sans son épouse, le

favori, deux vieilles dames fort laides et l'amiral Kozopoulo.

Il y avait également le chef du Département secret, Maslov, et le terrible secrétaire du prince Zourov, mais ceux-là
n'étaient pas assis à table : ils étaient installés sur des
tabourets, le premier derrière l'impératrice, le second, du
côté opposé, derrière le prince. Chacun tenait sur ses
genoux un buvard, une liasse de feuilles de papier, un
encrier et une plume, de manière à pouvoir prendre des
notes sur-le-champ s'il venait à l'esprit de Sa Majesté ou
de Sa Très Haute Excellence quelque idée importante,
concernant ou non l'Etat.

Certes, rien de tel ne se produisit de toute la soirée. Sans
doute à cause de l'amiral, qui jacassait sans relâche, se
répandant en anecdotes et plaisanteries bouffonnes, toutes
également dénuées d'intérêt, chacune s'achevant toujours de
même manière : l'un avait fait dans sa culotte, l'autre avait
vomi devant toute une assemblée de hauts personnages, ou
encore, pris en flagrant délit d'adultère, avait dû sauter tout
nu par la fenêtre. En un mot, les sempiternelles blagues des
adultes. Comment n'en étaient-ils pas fatigués ?

Mais la souveraine en était contente. Les histoires de
l'amiral la faisaient rire aux larmes, surtout si elle y surprenait quelques gros mots, qu'elle s'empressait même de répéter plusieurs fois. Et tous les autres de s'esclaffer à leur tour.

Catherine n'était pas du tout comme tantôt, au Petit
Ermitage. Elle était vêtue simplement, d'une ample robe et
d'une coiffe de tulle blanc. Son visage sans apprêt paraissait détendu.

— C'est bien, disait-elle. Il n'y a qu'ici qu'on se repose
l'âme.

Aux yeux de Mitia, le lieu semblait bien peu propice au
délassement de l'esprit. Dans les armoires vitrées, les insi-
gnes du pouvoir scintillaient d'un éclat solennel : la grande
et la petite couronne, le sceptre, la pomme d'or et autres
joyaux impériaux. Les murs étaient couverts d'étendards
de soie et de brocart. C'était un endroit où se tenir au
garde-à-vous, en grand uniforme de parade. Or elle, voyez-

vous, trouvait là à se délasser. Sans doute l'âme des souverains avait-elle une autre manière de se reposer que celle des simples mortels.

— C'est un plaisir, vraiment. (L'impératrice s'étira voluptueusement.) J'ai l'impression d'avoir vingt ans de moins. Oh ! pardonne-moi, mon ami (elle s'adressait au petit-fils) de n'avoir pas invité ici ta Liza : elle est beaucoup trop fraîche et jolie. Alors qu'ainsi, en compagnie de mes vieilles, je puis avoir le sentiment d'être une jeune beauté.

Et, se penchant cette fois-ci sur sa levrette qui venait de pousser un glapissement, elle ajouta :

— Ah ! pardon, ma chère Adélaïda Ivanovna, je t'oubliais ! Avec toi, cela fait deux jeunes beautés.

La chienne, heureuse d'avoir attiré l'attention, remua la queue, tandis que l'impératrice se tournait vers le favori pour lui dire, en oubliant le vouvoiement, d'un ton simple et familier :

— Désolée pour toi, mon très cher Platon. Aujourd'hui, le plus bel homme, ce n'est pas toi, mais ce très charmant cavalier que voici. (Elle désigna Mitia.) Joue, mon ange, amuse-toi. Ensuite, tu verras, moi aussi je jouerai avec toi.

La situation de Mithridate Karpov était la suivante : on lui avait alloué un coin de parquet où il était censé se traîner à quatre pattes au milieu de cubes de couleur et de soldats de bois disposés là spécialement pour lui. L'intention était louable, bien sûr, mais tout de même, les adultes avaient tendance à se montrer d'une stupidité insupportable. Pourquoi des cubes et des petits soldats, alors qu'ils avaient bien vu la veille que Mitia ne leur cédait en rien en intelligence et en raison ?

Cependant, même si, au lieu de ces jouets puérils, on avait prévu pour lui une occupation plus captivante – ne fût-ce qu'une table de logarithmes, par exemple – il n'avait de toute manière guère le cœur ce jour-là à se divertir. C'est à peine s'il avait regardé les figurines, incapable qu'il était de détacher les yeux de certain flacon de cristal posé à côté de la souveraine. Etait-ce celui-là on non ? Pikine avait-il réussi à procéder à l'échange ?

Comme c'était jour maigre, il n'y avait sur la table que du poisson et des fruits, et encore le poisson avait-il été entièrement englouti par le seul Kozopoulo, personne n'ayant touché, ou presque, aux autres nourritures. Sans doute savait-on que ce n'était pas le lieu pour satisfaire sa faim et chacun avait-il déjà dîné avant de venir, pensa Mitia. On buvait en revanche volontiers, chacun ayant été servi de son breuvage préféré : devant la tsarine, outre le flacon, trônait encore une carafe de jus de groseilles ; le favori buvait du vin, l'amiral, du punch anglais *half and half*, le grand-duc se contentait de thé, tandis que les deux vieilles sirotaient une liqueur ; Maslov et l'Italien, eux, ne prenaient rien.

Par deux fois, la main de Catherine se tendit vers le flacon fatal, sous le regard glacé d'effroi de Mitia, mais au dernier moment l'impératrice accorda sa préférence au jus de groseilles.

Comment, mais comment la prévenir du danger mortel qu'elle courait ?

Toute la journée durant, Mitia avait été retenu dans les appartements du favori. Il y était resté absolument inactif, mais toute tentative d'évasion était de toute manière impossible : la porte était solidement gardée, et jamais on ne l'eût laissé la franchir sans autorisation. Il avait imaginé tout raconter le soir, une fois conduit au Salon de diamant, mais il y avait été justement accompagné par le principal intrigant, Eremeï Metastasio. Mitia avait tellement peur de lui qu'il en clignait les yeux. L'Italien lui avait posé deux ou trois questions anodines auxquelles il n'avait même pas su répondre de manière cohérente.

Et depuis la fin du dîner, le secrétaire ne cessait de lui jeter des coups d'œil, d'un air qui se voulait distrait, mais ces yeux noirs vous glaçaient les sangs. Ce qu'on disait de la noirceur des yeux n'était donc pas une invention, finalement. Qui a l'âme noire a le regard de même.

— Je boirais bien un petit verre de ratafia après tout, déclara la souveraine d'un ton décidé. Même si l'on est vendredi, ce n'est pas un bien grand péché. Et d'ailleurs l'Eglise ne l'interdit pas, si c'est dans l'intérêt de sa santé. Or votre préparation est un excellent remède, n'est-ce pas, Konstantin Khristoforovitch ? Je l'aime beaucoup, elle me réchauffe tout l'intérieur.

— Excellent rémède, excellent, oui, votré mazesté ! lui assura aussitôt le Grec. Et béni par le métropolite. Montré-moi ta langue, vénérée souveraine. Si elle est rose, bois sans crainte !

La Sémiramis tira la langue, et tous l'observèrent avec intérêt, même Mitia se haussa sur la pointe des pieds. Malheureusement, si l'organe montrait un aspect rugueux et granuleux, il était bien d'un rose parfait. Le malheur, apparemment, était inévitable.

— Vous pouvez. Un grand verre, et même deux, déclara Kozopoulo en même temps qu'il servait la boisson.

Une force inconnue poussa Mitia à agir. Il se rua vers la table en poussant un cri et heurta le coude de Sa Majesté. Le verre vola par terre, éclaboussant la robe en gros de Tours de la tsarine.

— Ah ! s'écria Catherine tandis que le chef du Département secret bondissait de son tabouret avec une agilité inattendue et empoignait Mitia par le col.

L'impératrice entra dans une colère terrible.

— Espèce de petit sauvage ! J'en ai le cœur tout retourné. Chassez-le d'ici, Prokhor Ivanovitch !

Maslov tira le perturbateur par l'oreille et l'entraîna en direction de la porte. C'était tout aussi vexant que douloureux. Mitia voulut crier qu'il n'avait fait que renverser du poison, mais à cet instant son regard croisa celui du sieur Metastasio. Oh ! combien sinistre était ce regard furieux, destructeur ! Puis le secrétaire baissa les yeux et tira d'un geste convulsif sur son foulard, comme s'il peinait soudain à respirer. Il a vu, se dit Mitia. Il a vu mon soulier sans boucle. Il a deviné...

Trottinant malgré lui, toujours dirigé par la main de Maslov qui semblait décidé à lui arracher l'oreille, il allait franchir la porte quand soudain la souveraine poussa un hurlement de désespoir. Les doigts d'acier de son tourmenteur relâchèrent leur étreinte, et le gardien du trône se précipita vers sa maîtresse.

— Qu'a-t-elle ? Regardez ! Elle se sent mal ! criait Catherine en pointant le doigt vers le sol.

Là, dans une mare de liquide couleur rubis, gisait la chienne Adélaïda Ivanovna, tressaillant des quatre pattes, la gueule grande ouverte, sans émettre le moindre son.

— Du poison ! tonna Maslov. Le ratafia était empoisonné ! On a voulu attenter à la vie de la souveraine !

L'impératrice s'évanouit. On se rua vers elle, en renversant les fauteuils.

— C'est dou bon ratafia ! protestait Kozopoulo en se frappant la poitrine. Z'en ai bou, Sa Mazesté en a bou aussi ! Il ne s'est zamais rien passé !

Tout à coup le conseiller privé revint à Mitia et l'empoigna par les épaules.

— Pourquoi as-tu cassé la bouteille ? lui murmura-t-il d'un ton patelin. Par sottise de gosse, ou bien savais-tu pour le poison ?

Et d'ajouter encore plus bas :

— Dis-moi la vérité, il ne faut pas me mentir.

Les yeux du vieillard lippu étaient mats, sans le moindre éclat. Mitia aurait dû tout lui raconter dans l'instant, mais il commit l'erreur de tourner la tête vers Metastasio, et se sentit paralysé par le regard de basilic que le conspirateur continuait de faire peser sur lui.

— Tu sais quelque chose, je le vois, chuchota Maslov. Tu vas te décider à parler, ou bien je t'emmène au Département ? Je ne me soucierai pas de ton jeune âge...

Une voix affaiblie leur parvint alors :

— Où est-il ? Où est mon ange gardien ? Qu'avez-vous, Prokhor Ivanovitch, à lui serrer les épaules de la sorte ? Viens ici, mon sauveur. C'est le Seigneur qui t'envoie à nous, à moi et à la Russie.

Et la poigne du vieillard vêtu de noir se relâcha enfin, libérant Mitia.

Après cette soirée mémorable au Salon de diamant, la fortune propulsa Mithridate Karpov au plus haut sommet. De page de Sa Très Haute Excellence, le prince Zourov, qui entretenait à cette charge deux bonnes douzaines de garçons de tous âges, Mitia devint pupille de Sa Majesté, le seul de tout l'empire, telle était la distinction qui lui était conférée. Il reçut également d'autres gratifications plus ordinaires, certes, mais non moins enviables. Premièrement, Mitia fut promu en grade : alors qu'il figurait auparavant dans les registres du régiment des chevaliers-gardes comme caporal surnuméraire, il était passé maréchal des logis-chef en titre, l'équivalent de capitaine d'infanterie. Deuxièmement, son papa, en récompense des efforts déployés pour élever l'enfant prodige, se vit décerner l'ordre de Saint-Vladimir et cinq mille roubles argent. Toutefois, Mitia n'obtint pas que son père et sa mère eussent permission de venir à la capitale (il n'avait rien demandé concernant Endimion, le souvenir des gifles et des grenouilles écrasées étant bien trop présent encore dans sa mémoire). « Je serai pour toi comme une mère, et Platon Alexeïevitch comme un père, avait répondu Catherine. Quant à tes parents, je leur offrirai à titre de consolation quelque village de nos nouvelles possessions polonaises. Il y a là-bas de la terre et des paysans en suffisance pour contenter tout le monde. » Mitia à ce moment était déjà instruit : il savait qu'elle préférait ne pas irriter son favori, celui-ci ne supportant pas que l'impératrice fût entourée d'hommes plus beaux que lui. Certaines familles trouvaient même là le moyen d'assurer une carrière à ceux de leurs rejetons les mieux faits. On expédiait à la cour le jeune Apollon, qui y restait à baguenauder un ou deux jours, le temps de fatiguer la vue de Sa Très Haute Excellence qui pouvait décider d'expédier le jeune homme comme porteur de dépêches diplomatiques, ou bien dans l'armée avec une promotion, et si le garçon était particulièrement bien tourné, il arrivait même qu'on le nommât ambassadeur auprès de quelque souverain étranger, peu importait lequel pourvu que l'indésirable partît le plus loin et le plus longtemps possible.

Bref, Mitia se retrouva tout seul, tel un orphelin, ou plutôt, comme disait le spirituel Lev Alexandrovitch Koukouchkine, tel un *nain fait d'or*, car beaucoup eussent goûté une solitude de cette sorte.

On avait attribué au pupille, au voisinage des appartements de Sa Majesté, une suite personnelle dont les fenêtres donnaient sur la place du palais. Une escouade de laquais était affectée à son service, ainsi que plusieurs précepteurs en charge de son éducation, tandis que le médecin de Sa Majesté, le docteur Crewis en personne, surveillait la santé du précieux enfant.

Mitia s'accommodait très bien du luxe, mais la vie était infiniment plus contraignante qu'à Outechitelnoïé.

Il n'était pas question de se lever quand on voulait : le réveil avait lieu à six heures, avant l'aube, sitôt que le sonneur du palais avait actionné la cloche. Personne n'eût osé dormir plus longtemps, dès lors que Sa Majesté avait daigné s'éveiller. La toilette du matin se déroulait de la manière suivante : pour que Mithridate pût facilement ouvrir ses yeux encore collés par le sommeil, un domestique lui passait sur les paupières une éponge imbibée d'eau de rose ; puis l'on portait le précieux enfant dans la salle de bain où l'eau, aspirée par une pompe, coulait toute seule d'un tuyau de bronze – une eau non point gelée, mais tiédie. Il n'avait à se laver que les dents, le soin des autres parties de son corps étant confié à deux laquais : l'un, le plus âgé, s'occupait de tout ce qui était situé au-dessus de la poitrine, le second se chargeait du reste.

Les vêtements et les chaussures du petit protégé de l'impératrice avaient été confectionnés en moins de deux jours par toute une équipe de tailleurs et de cordonniers de la cour. Les costumes, et particulièrement les tenues d'apparat, étaient d'une beauté indescriptible, certains brodés d'or et de pierres fines. Toutes ces richesses occupaient une pièce entière baptisée « garde-robe ». Dommage seulement que Mitia n'eût pas le droit de choisir lui-même ses habits. Cette tâche importante était du ressort de son valet de chambre. Celui-ci connaissait avec exactitude la température du dehors et l'emploi du temps de Mithridate pour la journée, et, sans jamais lui demander son avis, lui imposait les costumes appropriés au lieu et à l'occasion. Il était besoin de se changer au moins sept ou huit fois par jour selon les diverses circonstances.

Une fois habillé, il était livré aux mains du coiffeur, qui lui peignait, pommadait et poudrait les cheveux.

Venait ensuite le déjeuner. La cuisine au palais d'Hiver était franchement mauvaise, car la souveraine n'était guère exigeante en matière de nourriture, son plat préféré étant le bœuf bouilli accompagné de concombre en saumure. Mais il y avait aussi que Sa Majesté ne formulait jamais de reproche à ses cuisiniers, tant elle redoutait que l'un d'eux, plus téméraire que les autres, ne cherchât à l'empoisonner pour se venger de l'offense. Aussi les marmitons s'abandonnaient-ils à la paresse. La kacha était régulièrement brûlée, l'omelette trop salée, le café servi froid. A Outechitelnoïé, Mitia ne mangeait certes pas dans de la vaisselle en argent, mais au moins les mets étaient-ils abondants et savoureux.

L'heure des leçons sonnait. Une salle de classe particulière leur était réservée. Outre les matières intéressantes – mathématiques, géographie, histoire, chimie –, on lui dispensait bon nombre d'enseignements pour lesquels il était bien fâché de perdre son temps.

Bon, l'équitation (on lui faisait monter un poney britannique) ou l'escrime, passe encore, c'était là matières obligées pour un aristocrate, mais la danse ! Le menuet, la russe, l'anglaise, l'écossaise, le grossvater… Quelle atroce absurdité que de sautiller en musique, s'accroupir, écarter les bras, taper du talon. Comme si l'humanité n'avait pas de tâche plus importante à accomplir, comme si tous les mystères de la nature avaient déjà été élucidés, les gouffres marins explorés, les maladies éradiquées, le *perpetuum mobile* inventé !

Et les cours de littérature ?! Qui avait besoin de ces contes à dormir debout, sans rapport aucun avec la réalité ?

134

Jusqu'à l'âge de quatre ans, Mitia avait lu, lui aussi, des romans, parce qu'il n'avait pas l'esprit encore mûr, et pensait que tout cela était de vraies histoires. Puis il avait laissé tomber quand il avait découvert que la littérature ne fournissait point d'informations utiles, et n'était donc qu'une pure perte de temps. Or il se voyait à présent contraint de lire à haute voix des pièces de théâtre, rôle par rôle : *La Coquette punie, Hamlet prince du Danemark, Le Cocu imaginaire*, et autres billevesées de même tonneau.

Après le dîner, venaient les divertissements obligatoires : jeu de billard et bilboquet. Mais pas avant, cependant, que fussent terminées les leçons supplémentaires dans les disciplines où Mithridate rencontrait des difficultés. Celles-ci étaient au nombre de deux : le chant et la calligraphie. Quand un ours vous a marché sur l'oreille à la naissance, que voulez-vous, il n'y a rien à faire ; en revanche Mitia bataillait sérieusement contre sa mauvaise écriture, bataillait de toutes ses forces. Sa manière de former les lettres était en vérité exécrable. Celles-ci collaient l'une à l'autre, les mots s'enchaînaient en une sorte d'incantation magique, les lignes se baladaient sur la feuille à leur gré. Il faut dire qu'il avait appris à écrire tout seul, pas comme les autres enfants qui passent de longues heures à copier des modèles. Encore une fois, sa main ne parvenait pas à suivre sa pensée.

Un jour où Mithridate, tirant la langue, était occupé à massacrer à coups de plume une belle feuille de papier vélin, l'impératrice entra dans la classe. Elle regarda le travail de l'enfant, embrassa celui-ci dans le cou, et en haut de la feuille montra comment il convenait d'écrire en traçant ces mots : « *Eternellement reconnaissante. Catherine.* » Le maître ordonna de découper le galimatias étalé en bas de page, et de conserver la partie supérieure, où figurait la signature impériale, telle une relique sacrée. Mitia s'exécuta, et envoya la feuille à Outechitelnoïé par la première poste.

On n'avait pas encore découvert l'identité des malfaiteurs qui avaient versé du poison dans le flacon de ratafia préparé par l'amiral. Mitia sentait bien qu'il aurait dû raconter à la grande tsarine tout ce qu'il avait entendu du

135

haut de son perchoir, mais l'angoisse l'en empêchait. Et si Metastasio s'obstinait à nier (or à l'évidence il ne se gênerait pas pour le faire !), s'il exigeait d'être mis en présence de son dénonciateur (or, forcément, il l'exigerait !) ? N'importe quoi, plutôt que de devoir affronter son regard noir et pénétrant ! Au seul souvenir de ces yeux terribles, Mitia se sentait la gorge sèche et le ventre noué. Il entendait régulièrement Prokhor Ivanovitch rendre compte à Sa Majesté des progrès de l'enquête : d'après lui, ses gens remuaient ciel et terre et semblaient avoir mis le doigt sur quelque chose, mais le poisson était énorme et l'on craignait qu'il ne parvînt à se dérober. Pour être énorme, il l'était ! Peut-être le pointilleux vieillard finirait-il par découvrir tout seul le pot aux roses, se disait Mitia avec quelque lâcheté.

La grande monarque appelait son jeune sauveur « mon petit talisman » et aimait qu'il fût à côté d'elle, surtout lorsqu'elle était occupée à résoudre d'importantes affaires d'Etat. Elle aimait à répéter que c'était la providence elle-même qui lui avait envoyé ce garçon, que c'était le Seigneur qui avait poussé l'enfant à briser le flacon mortel. Il arrivait que l'impératrice, hésitant sur quelque décision difficile à prendre, jetât soudain sur son pupille un regard étrange, mi-inquisiteur, mi-effrayé. Parfois même, elle s'enquérait de son avis. Mitia, au début, était fier d'être l'objet d'une telle attention, mais il avait vite compris que ce n'étaient point du tout ses facultés mentales qui lui valaient cette faveur. Loin de prêter l'oreille aux simples mots qu'il prononçait, la souveraine s'ingéniait à deviner dans leur sonorité quelque signification cachée, comme si elle recueillait non pas les paroles d'un petit courtisan en redingote de velours, mais une prophétie de la pythie de Delphes.

C'était ce qui s'était passé encore, par exemple, lors du compte rendu de l'après-midi. La souveraine était assise, l'air accablé, les yeux clos. Impossible de savoir si elle écoutait vraiment. Derrière elle, la première dame d'honneur fouillait de ses doigts dans la chevelure de Sa Majesté.

Sitôt qu'elle y découvrait un insecte, elle l'écrasait de l'ongle au fond d'une petite boîte en or de forme plate, le pédiculoire. Mitia était à sa place habituelle, sur un tabouret bas, occupé à lire la *Philosophia botanica* de Linné.

Le secrétaire de la chambre, un jeune homme très dégourdi bien que fort laid (mais qui eût laissé un Apollon accéder à une telle charge ?), achevait de lire les dépêches.

« Au cours de l'année 1794, il est né à Saint-Pétersbourg 6 750 âmes, il en est mort 4 015. »

L'impératrice ouvrit les yeux :

« Quel accroissement de population cela représente-t-il ? »

Le secrétaire commençait à peine à remuer les lèvres quand Mitia répondit, sans se détacher de sa lecture :

« Deux mille sept cent trente-cinq.

— On se multiplie, par conséquent. On mange à sa faim, on se sent en sécurité et on est satisfait de la vie », déclara Catherine avec un hochement de tête avant de refermer les paupières.

Le secrétaire reprit sa lecture :

« Des nouvelles d'Amérique. Un corps de volontaires a été envoyé contre les Indiens qui semaient le trouble dans la région du Kentucky, lesquels Indiens ont été totalement défaits. »

Mitia se rappela le sauvage rencontré le premier jour au palais, et sa stature de plus d'une toise. Il l'imagina se glissant en pleine nuit dans la ferme d'un pauvre colon, sa hache de guerre à la main, un carquois rempli de flèches sur le dos. Les volontaires étaient des braves.

« Du même endroit. Fâcheuse nouvelle en provenance de la Guadeloupe. Début octobre, les Français auraient forcé les Anglais à capituler et à regagner leur patrie, avec la promesse de ne plus prendre les armes contre la république. »

La tsarine fronça les sourcils : elle n'aimait pas les Français.

Le secrétaire de la chambre glissa alors timidement une remarque :

« Il y a là encore une nouvelle, pire peut-être...

— Eh bien ! rétorqua la souveraine en secouant la tête. Je te connais, âme de jésuite. Tu gardes toujours le plus ignoble pour la fin. Tu préfères t'assurer que je ne suis pas d'humeur coléreuse. Mais je ne suis pas en colère, ne crains rien. »

Alors le jeune homme lut d'une voix étouffée :

« Les Français ont pris la ville d'Amsterdam...

— Mais qu'est-ce que ça veut dire, mon Dieu ! s'exclama Catherine. Quand donc se trouvera-t-il quelqu'un pour les mettre au pas, ces maudits ?! »

Elle se tourna soudain vers Mitia et lui demanda :

« Que faire, mon cœur ? Nous allier avec l'Europe contre les jacobins, ou bien les laisser continuer à s'entr'égorger, de manière qu'ils s'affaiblissent l'un l'autre ? Dis-moi, mon ami, d'où vient que ces va-nu-pieds l'emportent sur tout le monde ? Ils manquent de fusils pourtant, et de canons, ils n'ont même pas d'uniformes ! Quelle est la raison d'une telle fortune ? »

Et de le regarder avec espoir, comme si une grande vérité allait lui être révélée.

Mitia, quant à lui, se sentit heureux de pouvoir apporter sa pierre au bonheur de l'humanité. Il posa son Linné et s'efforça de parler le plus simplement possible, sans bousculer ses mots, pour que son message parvienne correctement à la souveraine :

« Si les Français réussissent à vaincre les armées régulières, c'est parce que l'égalité règne chez eux, et que leurs soldats ne sont pas du bétail qu'un caporal pousse devant lui à coups de bâton. Un soldat libre comprend la manœuvre et sait pourquoi il combat. Les hommes libres travailleront et se battront toujours mieux que ceux qui ne le sont pas. »

Il souhaitait amener la souveraine à au moins entrevoir l'idée qu'il était impossible à l'issue du XVIIIe siècle de continuer à maintenir la plus grande partie de ses sujets dans une honteuse servitude.

Mais elle de s'exclamer aussitôt :

« Comme c'est vrai ! On a bien raison de dire que la vérité sort de la bouche des enfants ! » Et, se tournant vers son secrétaire : « Note cet édit : le prochain contingent sera levé non point parmi les serfs paysans, mais parmi les cultivateurs affranchis, car les gens nés libres sont plus aptes au métier militaire. »

Elle colla un baiser sur la joue de Mitia, pétrifié, et lui offrit un traîneau en bois laqué choisi dans la remise impériale. Voilà ce que c'était que de donner des conseils aux puissants : il avait voulu faire le bien, et c'était le mal qui en était sorti.

Il y avait eu un autre cas de même espèce.

La souveraine avait entamé une patience, en proie à une humeur rêveuse.

« Ah ! dit-elle, mon poussin, pourquoi n'y a-t-il point de honte qu'un vieillard, quand même aurait-il soixante ans passés, prenne pour femme une jeunette, quand dans le même temps on juge impossible qu'une dame de même âge épouse un homme de vingt-six ou vingt-sept ans ? »

Et de nouveau elle posait sur Mitia un regard plein d'espoir, le souffle suspendu.

Mitia réfléchit un instant puis lui fit cette réponse :

« C'est, je crois, Votre Majesté, qu'un vieillard de soixante ans peut encore produire des enfants, alors qu'une femme âgée n'est plus féconde. Or si l'on se marie, c'est bien dans le but de multiplier la population, n'est-ce pas, autrement à quoi bon ? »

Un fait lui revint à propos en mémoire, qui se rapportait parfaitement à la conversation.

« Cependant, la science connaît des exceptions. J'ai lu qu'en 1718, dans le vice-royaume du Mexique, une certaine Manuela Sanchez était tombée enceinte à l'âge de soixante-trois ans et avait mis au monde un enfant mort-né de sexe féminin, pesant sept livres, trois onces et deux gros, tandis qu'elle-même était décédée des suites d'un éclatement des organes génitaux. »

L'impératrice jeta ses cartes et lui ordonna de sortir, les larmes aux yeux. Or qu'avait-il dit pour mériter cela ?

Certes, elle l'avait rejoint ensuite dans le couloir et l'avait abondamment câliné, le traitant d'« âme simple » et de « cher petit enfant ». Beaucoup avaient été témoins de la scène, et la renommée de Mitia n'en avait acquis que plus d'éclat.

A la cour, on parlait déjà énormément de l'enfant prodige, et de la faveur particulière dont il jouissait auprès de la souveraine. Bien entendu, il s'était présenté des solliciteurs. Un gentilhomme de la chambre l'avait supplié de le faire inviter aux réunions du Petit Ermitage. Il s'était annoncé en lui apportant une livre de chocolat du Brésil. Le directeur adjoint des théâtres impériaux, venu décrocher la permission de monter une pièce un peu légère, n'imaginait sans doute pas que le célèbre Mithridate fût si jeune. Ce n'est pas sans confusion qu'il lui remit les présents dont il s'était muni : une demi-livre de tabac de Virginie et une toute nouvelle invention destinée à se garantir des mauvaises maladies : une sorte de petit capuchon transparent fait d'une vessie de poisson africain. Mitia avait donné le tabac à son valet de chambre, mais quant au chocolat, il l'avait dévoré tout seul, tandis que le capuchon extensible s'était révélé un objet irremplaçable pour les expériences sur l'échauffement des gaz.

Peu à peu, Mithridate trouvait sa place dans l'immense palais qui, ligne à ligne, page à page, ouvrait devant lui le livre de ses innombrables secrets. Pas le livre entier, bien sûr, juste une petite part, car il n'était sans doute pas du pouvoir d'un mortel, fût-il le commandant du palais lui-même, de déchiffrer in extenso ce gigantesque in-folio de pierre. Eût-on vécu cent ans sous ses fières voûtes de marbre qu'on n'en fût pas venu à bout. Depuis le déclin de Versailles, il n'était pas sur terre de palais plus vaste ni plus somptueux que celui-ci.

Pour étudier les lieux, Mitia se risquait à des expéditions : d'abord dans les limites les plus proches, les salles voisines, les jardins suspendus, les galeries, puis de plus en plus loin. Avec le temps, il découvrit que le palais d'Hiver regorgeait non seulement de tableaux et de sculptures magnifiques, et autres richesses inestimables, mais aussi de dangers des plus funestes. Le palais avait à l'évidence sa propre vie cachée, était doué véritablement d'une âme, et d'une âme mauvaise qui ne souhaitait aux nouveaux venus que malheurs et périls.

La septième nuit qui suivit l'installation de Mitia se produisit un incident inexplicable qui eût bien pu se révéler tragique. Il était étendu sur son lit immense, si haut sur pieds qu'il n'y pouvait grimper qu'au moyen d'un escabeau, et observait le lustre de bronze. Ou plutôt non, pourquoi l'eût-il encore observé, alors qu'il l'avait déjà examiné sous tous ses angles ? Disons qu'il regardait en l'air, et que là-haut justement se trouvait le lustre. Il n'avait pas sommeil. La souveraine exigeait que l'enfant fût couché à neuf heures et ne lui permettait pas de lire la nuit, au prétexte que c'était nocif pour sa santé. Il avait bien tenté d'expliquer qu'il lui suffisait de trois heures pour retrouver toute son énergie, mais la tsarine, comme à son habitude, ne l'avait pas écouté. Ainsi, qu'il le voulût ou non, force lui était de demeurer étendu là, à méditer.

Le pesant luminaire représentait le triomphe de la Piété : la Piété elle-même, sous les traits d'un vieillard barbu, était située au milieu de l'ouvrage, tandis qu'à la périphérie des chanteurs menaient une ronde avec harpes et cymbales.

Mitia reposait, réfléchissant à la manière de réformer l'organisation de la justice pour que les juges fussent en mesure d'exercer leur métier honnêtement, sans avoir à craindre les autorités, ni à toucher des épices de la part des plaideurs. Le problème n'était pas des plus simples, en tout cas pas de ceux qui se prêtent à une méditation nocturne, et Mitia, sans s'en rendre compte, avait fini par s'assoupir un bref instant, le temps sans doute de fermer les yeux. Il fut réveillé par le sentiment d'avoir entendu la porte grincer. Puis il perçut un léger bruit, comme un déchirement d'étoffe. Il battit des paupières, s'efforçant de comprendre ce que ce pouvait être. La lueur d'une lanterne allumée au-dehors accrochait un pâle scintillement au cercle de bronze du lustre. Tout à coup le reflet trembla : il oscilla tout d'abord, pour ensuite se mouvoir vers le bas, grandissant et accélérant sans cesse. Mitia sentit plus qu'il ne comprit que le lustre tombait et, quittant l'abri de la couverture, se laissa rouler par terre. Il s'y heurta le coude, mais s'il avait tardé encore, ne fût-ce qu'un infime instant, l'engin n'eût laissé de lui qu'un tas de chair à pâtée et d'os broyés. Sous le choc, les pieds du lit, si gros qu'ils fussent, se rompirent, et le sommier se fendit en deux.

Après cela, quand on chercha à comprendre ce qui s'était passé, on découvrit que les brins de la corde qui servait à descendre le monstre de bronze pour allumer les bougies avaient cédé. La souveraine, sous le coup de la colère, ordonna que le laquais en charge de l'éclairage fût marqué au fer rouge et exilé en Sibérie, mais ensuite elle eut pitié du malheureux, et demanda qu'il fût seulement fouetté un peu, et versé dans l'armée comme soldat.

Mitia ne fut pas autrement effrayé alors : il porta l'incident au compte du mauvais caractère du palais, dont on pouvait attendre n'importe quelle perfidie. Mais une semaine s'écoula encore, et l'affaire lui apparut sous un tout autre jour.

A cette époque, ses expéditions visant à l'étude du géant de pierre avaient atteint les sous-sols où se trouvaient magasins et cuisines. Mithridate n'éprouvait aucun intérêt pour les vivres, non plus que pour la manière dont on les préparait, mais au-delà de la cave à vin, il avait repéré un curieux endroit : un ancien puits aux parois maçonnées, vestige très probable d'une précédente construction. Autrefois, avant qu'on installât un réseau de tuyauterie, c'est là sans doute qu'on venait puiser l'eau pour les besoins des cuisines, mais à présent il était abandonné. Le puits n'était guère profond, l'eau n'était pas à plus d'une demi-toise (Saint-Pétersbourg étant bâtie sur des terres marécageuses, l'eau était toujours proche). Des marches de pierre permettaient d'y accéder des quatre côtés, pour que les marmitons eussent moins de peine à se pencher et puiser l'eau dans un seau au bout d'un bâton

Puisque le puits était désaffecté, Mitia décida de l'utiliser pour une expérience de chimie, à savoir la production de cristaux de sulfate de cuivre. L'endroit était froid, dénué de vapeurs indésirables. Il descendit au bout d'une ficelle deux bocaux de verre remplis d'une solution saturée de couperose, l'un contenant un bout de fil ordinaire, l'autre un fil de soie. Dès lors, trois fois par jour, il courait vérifier si les cristaux étaient apparus.

Le vendredi 23 février, au matin, le processus s'était amorcé dans le premier bocal. Sur le fil brut scintillaient nettement de petits granules bleus. Hourra !

Mitia redescendit le bocal. Il se pencha pour remonter le second, mais à ce moment une main puissante l'empoigna par une basque tandis qu'une autre l'agrippait au collet et le précipitait dans le puits la tête la première. Du coin de l'œil, il eut le temps d'apercevoir une manche verte à parement rouge, mais l'instant d'après il sombrait dans l'eau noire et glacée.

Il refit surface dans une obscurité totale, crachant et suffoquant. Il commença à se débattre et tenta d'appeler à l'aide. Son cri résonna dans le carré de pierre, mais jamais on ne l'eût entendu des cuisines, trop éloignées et trop bruyantes. Sans les ficelles auxquelles étaient pendus les bocaux, il eût coulé au fond en moins de deux, car bien que Mitia excellât en science mathématique, n'ignorât rien de la structure de la matière et fût passablement instruit en philosophie, il ne savait pas nager, n'ayant pas eu le loisir d'apprendre.

Au reste, au bout d'une minute ou deux, ses doigts, paralysés de froid, commencèrent à se desserrer tout seuls, en sorte que les ficelles auxquelles il se cramponnait de toutes ses forces ne lui eussent pas été d'un grand secours, si par bonheur le second coq, venu chercher du vin, n'eût entendu des couinements sortir du puits. Il est certain qu'autrement Mithridate Karpov eût plongé dans l'affliction et ses parents et la souveraine impératrice.

Le cuisinier tira le gamin hors de l'eau, et en premier lieu lui colla une taloche sur la nuque pour lui apprendre à ne pas aller se fourrer où il n'était point permis, puis il lui fit boire une gorgée de vin, le déshabilla, le frictionna avec un gant de laine et l'emmitoufla dans deux grands tabliers.

Mitia ne s'offensa point des jurons ni de la tape imméritée. Il baisa la main de son rude sauveur, et s'abstint de fournir aucune explication.

Après quoi, une fois bien au chaud dans son lit, toujours emmitouflé – non plus d'un tablier cependant, mais d'une couverture en peau d'ours –, il procéda mentalement à l'analyse de ce qui s'était passé.

Cette fois-ci, il n'y avait pas lieu de mettre en cause la mauvaiseté du palais : l'incident répondait bien à une intention humaine. Quelqu'un avait voulu éliminer le protégé de la souveraine et n'avait que par miracle échoué dans son projet.

Mais il n'était même pas besoin d'une savante enquête. Qui portait un uniforme vert à parements rouges ? Les soldats du régiment Preobrajenski.

Mitia tira la sonnette et demanda au premier laquais quels hommes étaient affectés ce jour-là à la garde au palais. Il se trouva qu'il s'agissait en effet du régiment Preobrajenski, placé sous le commandement du capitaine Pikine. Sitôt que Mitia entendit ce nom, il se prit à nouveau à trembler de la tête aux pieds, mais non plus de froid à présent. Puis il continua de réfléchir, et se souvint de l'épisode du lustre.

Il se rhabilla en hâte, tout seul, sans l'aide de son valet de chambre, puis se faufila jusqu'au corps de garde, où était conservé le journal des présences. Il attendit un moment à la porte, et dès que le sergent fut parti effectuer sa ronde d'inspection, d'un bond il se glissa à l'intérieur de la pièce. Qui donc était de service une semaine plus tôt, le 16 février, un vendredi également ? Oui, c'était bien ça : le capitaine Andreï Pikine. On avait eu tort, par conséquent, de condamner le laquais à devenir soldat. Le grincement entendu la nuit s'expliquait également. Le malfaiteur s'était introduit dans la chambre et avait scié, au moyen d'un couteau ou de quelque autre instrument tranchant, une partie des brins de la corde. Il n'avait pas eu besoin de s'attarder davantage : le poids du lustre avait fait le reste.

Eh bien ça ! Le sieur Metastasio ne s'était nullement calmé, l'homme était pour le moins entreprenant. Et il n'aurait de cesse qu'il n'ait expédié le dangereux témoin dans l'autre monde.

Mitia était si troublé, sans doute, qu'il n'entendit pas les pas qui se rapprochaient, et quand la porte s'ouvrit, il était trop tard pour fuir.

Entrèrent Pikine et le sergent, un tout jeune homme encore.

— Regardez ça, Bibikov ! s'exclama le capitaine d'un ton joyeux, quel visiteur avons-nous là ? Mithridatus le Sage en personne. Que fabriques-tu ici ? Tu as déjà entendu ce qui était arrivé à Varvara la trop curieuse ? Hein ? (Il dévisagea Mitia, paralysé de terreur, de ses gros yeux espiègles.) On m'a dit que tu avais plongé dans un puits ? Pour attraper la reine grenouille, peut-être ? Eh bien, sacré nom, on peut dire que tu es né coiffé. Les gars dans ton genre ont de la chance aux cartes. Il faudra t'apprendre. A nous deux, on les plumera tous, tu ne crois pas ?

Et le scélérat de partir d'un rire énorme. Sur sa face, pas une ombre, pas un nuage – et c'était bien le plus effrayant.

Mitia poussa un cri perçant, plongea sous le bras du sergent et se sauva à toutes jambes, droit devant lui.

Droit devant lui, c'est une manière de parler, bien sûr, car en réalité n'importe quel individu, même terriblement effrayé, sait bien tout de suite en quel endroit se réfugier. Mithridate n'échappait point à la règle, il n'eut pas même un instant d'hésitation.

Il existait un homme dont la fonction était justement de protéger la souveraine et de mettre un terme aux complots ourdis contre sa très auguste personne. Cet homme était réputé : c'était le conseiller Maslov, chef du Département secret. Mitia aurait dû depuis longtemps surmonter la terreur que lui inspirait Eremeï Metastasio, et tout avouer à Prokhor Ivanovitch. La terreur ne faisait que vous paralyser et vous priver de volonté, mais n'avait jamais sauvé personne du trépas. A quoi servait au lapin de trembler face à la gueule béante du boa ? L'inaction du rongeur n'allait pas détourner le reptile de son projet carnassier.

145

Le conseiller privé logeait tout près du palais, dans la rue du Million. Personne ne rendait jamais visite à Prokhor Ivanovitch de son plein gré, mais le lieu de résidence du personnage était parfaitement connu de tous à Saint-Pétersbourg. Il fallait sortir par une porte latérale, passer en courant devant une guérite et plonger dans la cour d'en face. Là, dans un bâtiment jaune d'une rigueur toute militaire, le Département secret veillait sur la sécurité de l'Etat, nuit et jour eût-on pu dire, puisque son chef avait ses appartements sur place.

Maslov écouta l'enfant qui sanglotait devant lui avec la plus extrême attention, pas une fois il ne l'interrompit, se contentant de hocher la tête et de répéter : « Ah, tiens tiens… », de plus en plus souvent à mesure que le récit avançait. Prokhor Ivanovitch ne manifesta aucune défiance, au grand soulagement de Mitia, qui, plus que tout, redoutait qu'on ne le soupçonnât d'inventer des fables comme n'importe quel gamin. A en juger par l'expression de son visage, Maslov ne fut guère surpris de ce qui lui était rapporté. Il paraissait même s'en réjouir.

Il se prit à arpenter son bureau aux murs garnis d'armoires closes. Il marmonna un moment dans sa barbe, en se frottant les mains – des mains sèches et blanches –, acquiesçant de la tête à ce que lui-même murmurait.

— Ecoute-moi, excellent enfant, prononça-t-il enfin, tu vas m'aider à sauver la souveraine et à démasquer ces malfaisants, d'accord ? Alors je pourrai te protéger toi aussi de leurs crimes.

— Comment pourrais-je vous aider ? protesta Mitia. Je suis tout petit.

Le conseiller privé le prit par l'épaule, le força à s'asseoir à côté de lui sur un petit divan, et lui dit à voix basse, d'un ton plein de chaleur.

— Tu n'es peut-être pas grand, mais tu es bien plus sensé que nombre d'adultes. Juge par toi-même : nous connaissons tous les deux la vérité, seulement cela ne suffit pas. Sa Majesté ne voudra jamais nous croire, car cette affaire compromet la personne la plus chère à son cœur.

— Moi, bien sûr, elle ne me croira pas, répliqua Mitia avec véhémence. Que suis-je pour elle ? Une ingénieuse marionnette, une poupée chinoise. Mais vous, son propre garde du corps ?

Prokhor Ivanovitch appuya sa joue flasque sur sa main, la mine soudain attristée.

— Hélas. Moi non plus, qui suis son chien fidèle, elle ne me croira pas. S'il s'agissait de n'importe qui d'autre, oui, mais pas des plus proches collaborateurs de son très cher ami Platon. Je suis vraiment pareil à un chien pour elle : je peux bien aboyer contre les étrangers, mais n'ai pas le droit de m'en prendre aux gens de la maison. Même si je parvenais à instiller le doute chez l'impératrice, que se passerait-il ensuite ?

— Oui, que se passerait-il ?

— Eh bien ceci : une certaine personne, bien mieux tournée que le vieux Prokhor Maslov, se présenterait devant Sa Majesté, s'enfermerait avec elle dans sa chambre à coucher et trouverait pour sa défense des arguments bien susceptibles de nous faire jeter, toi et moi, à la porte du palais d'Hiver comme des chiots malappris. Et personne alors ne serait plus en mesure d'empêcher notre ami Eremeï Umbertovitch de mener à bien son funeste projet.

— Mais peut-être sera-t-il impossible à Sa Très Haute Excellence de formuler des arguments convaincants ! J'ai cru noter qu'il ne brillait guère par l'esprit.

— Tu es encore très jeune, soupira le conseiller privé. Même si la souveraine est une grand tsarine, elle est aussi une femme. Et sur ce terrain le prince Platon n'aura nul besoin d'intelligence.

— Que faire alors ? demanda Mitia, découragé. Disparaître ?

— Disparaître n'arrangerait rien ! (La voix de Maslov était devenue sévère.) Tu vas faire exactement ce que je te dirai, et tout ira bien.

— Si j'en suis capable… répondit Mitia d'un ton tremblant.

Ainsi, il ne pourrait donc éviter une confrontation avec le terrible Italien ? Pourvu que sous le feu paralysant de ses yeux noirs, il ne reste pas muet de terreur.

— Ne t'inquiète pas, tu te débrouilleras très bien. Si tu tiens à la vie, en tout cas.

Prokhor Ivanovitch cligna les yeux, qui de petits qu'ils étaient se firent minuscules, et comme il mâchonnait des lèvres, sa ressemblance avec un vieux carlin pelé devint encore plus criante.

— Il faut réduire Sa Très Haute Excellence, en le privant de ses appuis un à un, déclara-t-il, très calme, comme s'il réfléchissait à haute voix. Le premier membre à amputer, c'est le capitaine Pikine. Grâce à lui, nous atteindrons jusqu'au secrétaire. Et ensuite nous ferons mine de ne pas nous intéresser au prince. Nous dirons qu'il a été abusé, le pauvre, par d'audacieux parasites, mais que lui, bien évidemment, est innocent comme l'agneau... Si je dispose de preuves solides, Platon Alexandrovitch désavouera l'Italien, et nous le livrera avec armes et bagages. Pour ça, je le connais bien, le cher homme.

Le conseiller privé réfléchit encore un moment, mais en silence cette fois-ci. Puis il hocha de nouveau la tête :

— Il faut obtenir des aveux de Pikine. C'est par lui que nous allons commencer, car de tous ces personnages, il est le moins important.

— Jamais il ne se dénoncera ! s'écria Mitia. Pourquoi le ferait-il ?

— Pas « pourquoi », mais « pour quelle raison », rectifia Maslov. Or la raison pour laquelle Andreï Pikine me dira toute la vérité, je vais te la montrer. Suis-moi.

Du bureau, il conduisit son jeune complice dans une autre pièce, guère plus vaste, mais meublée cependant avec une certaine prétention au confort : une causeuse avait trouvé place contre un mur, garnie même de coussins brodés ; dans un angle était accroché un miroir un peu terne, et à côté d'une table aux pieds joliment galbés étaient installés deux fauteuils, l'un en bois, à première vue très malcommode, l'autre douillet et moelleux, pareil à un grand coquillage.

— C'est là mon salon réservé aux entretiens privés avec les personnes ayant besoin d'une petite remise au pas paternelle, dit Prokhor Ivanovitch avec un sourire rusé qu'il appuya encore d'un clin d'œil. Je reçois mon précieux visiteur, et parfois même ma visiteuse, avec tous les honneurs. (Il montra le fauteuil le plus confortable.) Pour ma part, je me contente d'une modeste chaise, que pour rien au monde je n'échangerais pour ce beau siège moelleux.

— Pourquoi ? demanda Mitia, étonné, en se laissant rebondir sur l'assise garnie de ressorts. Celui-ci est beaucoup mieux.

— Tout dépend du point de vue.

Le conseiller privé pressa un levier dissimulé dans le bras du fauteuil de bois, et des accoudoirs du siège réservé aux visiteurs jaillirent brutalement deux arceaux métalliques qui se refermèrent sur la poitrine de Mitia. Poussant un cri de surprise, celui-ci se dégagea par-dessous, glissa à terre et rampa le plus loin possible du fauteuil endiablé.

— Qu'est-ce que ça veut dire ?

— Tout simplement, mon cher ami, qu'une grande personne, à la différence d'un petit enfant, ne saurait en aucune façon se libérer de cette étreinte d'acier. J'y ajoute du reste des sangles, en haut et au niveau des pieds, pour éviter toute gesticulation.

— Et ensuite ?

— Ensuite ? Tiens, regarde.

Maslov actionna le levier encore une fois, et le fauteuil s'enfonça dans le sol en même temps qu'un carré de parquet. Il ne disparut pas entièrement dans le trou cependant : la partie supérieure du dossier dépassait encore.

— Ça alors ! s'exclama Mitia, abasourdi. Mais à quoi sert cet ingénieux dispositif ?

— Je vais te montrer.

Riant tout seul, Prokhor Ivanovitch prit son hôte par le bras et, l'entraînant hors de la pièce, le conduisit par un étroit couloir jusqu'à un escalier à vis qui permettait d'accéder au sous-sol. Là, derrière une porte métallique, se trouvait un local sans fenêtre aux parois de pierre nue. Au milieu de la pièce s'élevait une estrade de bois sur laquelle Mitia découvrit la partie inférieure du fauteuil descendu de l'étage du dessus.

Une ombre se détacha du mur, celle d'un homme aux bras immenses, aux épaules voûtées, vêtu d'un pourpoint crasseux, et dont les cheveux jaunes étaient noués en une tresse.

— Je vous souhaite le bonjour, Votre Excellence ! lança-t-il d'une voix de tonnerre. Mais le fauteuil est vide ! Il n'y a personne ! Qu'est-ce que ça veut dire ?

Mitia distingua alors dans la main du braillard un fouet à sept lanières, et il rentra la tête dans les épaules. C'était donc ça...

— Je te présente l'exécuteur, expliqua Maslov. Son nom est Martyn Kozlov, mais je l'appelle Martyn le Confesseur. Il hurle parce qu'il est sourd comme un pot. C'est une qualité des plus utiles pour les affaires secrètes.

Il se tourna vers l'exécuteur et dit tout bas, en remuant lentement les lèvres :

— C'est une vérification, mon cher Martyn, une vérification. Il y aura du travail en début de soirée.

— A-a-ah ! fit l'homme aux longs bras, puis désignant Mitia d'un hochement de tête : Qui est-ce ? Un de vos parents ?

— Mon petit-fils, mentit le conseiller sans ciller, en tapotant la tête de l'enfant. Allons, tu peux te retirer pour l'instant, va te reposer.

Il conduisit Mitia jusqu'à l'estrade et entreprit de lui montrer.

— Regarde, le dossier du fauteuil se démonte. Comme ceci. Ensuite on tire la culotte de la personne tombée dans ce piège, ou bien l'on retrousse sa robe, selon le sexe auquel elle appartient. Et le travail alors commence. Je m'emploie à convaincre mon interlocuteur, dans la pièce du haut, avec des mots, et en montrant toute la courtoisie requise, car lesdits individus sont tous des gens de qualité.

Et Martyn de son côté s'emploie à les persuader par en bas. Il arrive (Prokhor Ivanovitch esquissa un clin d'œil) qu'on se laisse aller à un petit péché, si la femme n'est pas trop vieille et qu'elle est tombée en pâmoison. On descend la regarder par en bas. Rien de plus, non, non, non, le Seigneur nous en préserve. Bon, peut-être juste une caresse, quelquefois.

— On les frappe avec ce fouet, c'est bien ça ? demanda Mitia en montrant d'une main craintive l'arme aux sept terribles lanières.

— Quand la conversation est facile, par exemple avec une dame soupçonnée de colporter des ragots, on se contente d'une badine. Si en revanche on a besoin d'obtenir d'un homme une réponse à une question d'importance, il arrive, oui, qu'on se serve de ce fouet. Ton capitaine déballera tout ce qui lui pèse sur la conscience, comme à confesse.

Mitia se rappela Zéphyrette mordant le doigt de l'officier. Celui-ci avait pensé qu'il s'agissait d'un rat et ne s'était pas effrayé pour autant, il n'avait pas même retiré sa main.

— Et s'il ne parle pas ? Pikine, vous savez comment il est...

Il posait la question plutôt pour la forme. Lui-même, bien sûr, comprenait bien que Pikine parlerait, il n'aurait pas d'autre solution. Une fois, il y avait de cela un peu plus de trois ans, Mitia avait été fouetté lui aussi. Son frère Endimion avait tout manigancé : il avait cassé l'horloge de la cheminée et tout mis sur le dos de son petit frère, profitant que celui-ci ne savait pas encore parler. Mitia avait voulu endurer son supplice stoïquement, à la manière de Mucius Scaevola, mais peine perdue : il avait hurlé de douleur sans pouvoir se contenir. Or il s'agissait de simples verges, et on ne l'avait pas frappé durement, compte tenu de son jeune âge, alors que là, il fallait voir l'instrument ! Il vous ferait révéler tous les secrets du monde.

— Eh bien, si ce fouet trempé d'eau salée ne suffit pas, répondit Maslov avec douceur, Martyn a encore en réserve pour les taiseux de cette espèce une fameuse paire de tenailles, spécialement destinée aux parties les plus sensibles

151

du corps. A un lapin comme Pikine, elles conviendront parfaitement. Il chantera comme un rossignol.

Que venaient faire des tenailles ici, et pourquoi Prokhor Ivanovitch traitait-il l'officier de lapin ? Mitia ne comprenait pas. Quand on proférait des insultes, on disait d'ordinaire d'un mauvais homme qu'il était un chien, ou une chienne. Si l'on était très en colère, on allait jusqu'à « bâtard ».

— D'abord, Martyn et moi nous emploierons à l'assouplir, continuait d'expliquer le conseiller privé. Pendant ce temps, tu resteras dissimulé dans une cachette. Tu as vu le miroir du salon ? C'est une glace sans tain, de l'autre côté on voit parfaitement tout. Dès que Pikine sera mûr, qu'il commencera à se tortiller et gigoter, je t'appellerai. Tu lui rafraîchiras la mémoire. Courage, allez ! (Le chef du département secret lui décocha une pichenette sur le nez.) Il aura autre chose à penser, le cher homme, qu'à régler ses comptes avec toi. Prends garde seulement à ne pas céder à la frousse.

« Ne pas céder à la frousse », facile à dire ! Debout dans le réduit situé derrière le miroir, Mitia ne se sentait pas comme d'habitude – petit adulte au milieu de grands enfants –, mais minuscule fétu de paille qu'un sinistre tourbillon entraînait dans sa ronde. Il avait beau se débattre, le malheureux, jamais il ne pourrait se tirer tout seul du gouffre où il était aspiré, ni connaître ses lois mystérieuses.

Quand le conseiller privé introduisit enfin dans le salon le capitaine, qu'il avait convoqué, Mitia était déjà à bout de nerfs. Prokhor Ivanovitch se vantait de ce que personne n'osait se présenter en retard devant lui, et qu'on préférait même arriver en avance, mais Pikine, lui, avait osé, s'accordant près d'une demi-heure de sursis.

— Voilà qui est bien aimable à vous, mon très cher Andreï Egoritch, d'être venu rendre visite à un vieillard, de ne m'avoir pas dédaigné, disait Maslov d'une voix faussement enjouée tout en conduisant son hôte vers les deux fauteuils.

— Votre Excellence, que l'on tente de se dérober à vos invitations, et l'on s'y voit bientôt traîné au bout d'une chaîne, répondit le coquin.

A travers la glace, on voyait parfaitement ses dents blanches briller dans un sourire insouciant.

— Au bout d'une chaîne, allons donc ! Je suis la victime des mauvaises langues, protesta le chef du Département secret en éclatant de rire. Ce sont les criminels d'Etat que l'on m'amène enchaînés. Seriez-vous de ce nombre ?

Pikine toisa le conseiller de la tête aux pieds, avec insolence.

— Criminel d'Etat, c'est une notion bien vague. Un jour vous êtes accusé de crime, et l'on vous donne la chasse, mais il arrive que le lendemain tout se trouve changé : les chasseurs qui criaient taïaut après vous se voient eux-mêmes jetés aux fers.

— Vous formulez là une allégorie très intéressante, à propos des chasseurs, monsieur le capitaine. (Maslov tira l'officier par la manche pour l'amener devant le bon fauteuil.) Prenez donc place, nous aurons, je crois, de quoi causer.

L'autre s'inclina :

— Je vous remercie. Mais jamais je n'aurai le front de m'asseoir en présence d'un si haut personnage.

— Alors moi aussi je vais prendre un siège. Pas de formalités entre nous, je vous en prie humblement, laissons de côté l'étiquette. Vous le voyez vous-même, je vous reçois dans mon salon, pas dans mon bureau. Par conséquent, vous êtes mon hôte. Pour le moment en tout cas.

Ces derniers mots avaient été prononcés sur un tout autre ton, tandis que Prokhor Ivanovitch fronçait les sourcils d'un air menaçant. Cependant, Pikine n'en fut pas plus effrayé.

— Malgré tout, avec votre permission, je resterai debout, dit-il avec un sourire malicieux. Je suis bouclé aujourd'hui au corps de garde. J'en ai le cul en compote.

— Mais non, voyons, prenez place, vous m'obligerez !

Maslov empoigna l'officier par les deux bras et entreprit de le forcer à s'asseoir, tel un hôte trop attentionné.

Dans un instant, on va te le défroisser, ton derrière, pensa Mitia avec une joie mauvaise. Tu sauras ce qu'il en coûte de faire tomber les lustres et de précipiter des enfants dans des puits.

L'obstiné capitaine, cependant, refusait toujours d'obtempérer, et il s'ensuivit entre Prokhor Ivanovitch et lui comme une manière de danse, tous deux piétinant ensemble et tournant sur place.

Soudain Pikine souleva le vieillard par les aisselles et le jeta dans le fauteuil capitonné.

— Assieds-toi toi-même, vieux démon ! J'ai assez entendu parler de ta façon de recevoir ! Mitka Droubetskoï m'a raconté comment tu lui avais appris à ne plus médire de la tsarine !

Maslov voulut se relever, mais le téméraire capitaine lui flanqua un coup de poing sur le front, et Son Excellence s'effondra au fond du siège.

Qu'était-il en train de se passer ?! Mitia les voyait tous les deux de profil : Pikine qui montrait les dents, et le conseiller privé battant des paupières d'un air hébété. Ah ! l'impudent !

— Tu vas te souvenir de moi, dit l'officier.

Promenant les mains sur le fauteuil, il venait de découvrir les sangles dissimulées derrière.

— Et voilà, Votre Excellence ! Et maintenant, donnez-moi vos jambes... Où se trouve ce foutu mécanisme, sacré nom ?! Il doit être... ici.

Il s'approcha du fauteuil de bois, tapota ici et là, et finit par tomber sur le levier.

Chlic ! Les bandes d'acier se refermèrent sur la poitrine de Prokhor Ivanovitch.

Crac ! Le fauteuil s'enfonça lentement dans le sol.

A ce moment Mitia comprit enfin ce qui risquait de se produire à présent. Martyn, le bourreau, ne saurait pas à qui appartenait le postérieur descendu à hauteur de ses yeux. Et il n'hésiterait pas à le soigner !

— Sur ce, je demeure le très obéissant serviteur de Son Excellence, déclara Pikine en saluant comiquement le vieillard abasourdi. Je n'ose vous encombrer davantage de ma présence. Le service !

Il tourna les talons et sortit rapidement en riant aux éclats. Le gaillard n'avait décidément pas froid aux yeux.

On entendit en bas comme un sifflement, suivi d'un claquement sec, et Prokhor Ivanovitch recouvra soudain ses esprits.

— Aaaah ! hurla-t-il d'une voix affolée. Martyyyn, salopard, je te chasse !

Il y eut un nouveau sifflement.

Cette fois-ci le chef du Département secret ne hurla pas : son cri lui resta coincé dans la gorge.

Ah ! malheur ! Ce Martyn était sourd, c'est vrai. On pouvait bien crier ou se taire, cela ne faisait pour lui aucune différence.

Mitia vola hors de la petite pièce dérobée et dégringola l'escalier à vis. Les hurlements devenaient de plus en plus assourdissants.

Il fit irruption dans la cave plongée dans la pénombre, et eut le temps de voir Martyn le Confesseur, prenant son temps, allonger d'un geste appliqué un terrible coup de fouet sur la peau blanche zébrée de rouge d'un maigre postérieur. La partie suppliciée du corps saillait par l'ouverture du siège et se trouvait tout entière bien en vue.

— Monsieur Martyn ! (Mitia s'agrippa au bras noueux du bourreau.) Il ne faut pas ! C'est Prokhor Ivanovitch !

L'exécuteur tourna la tête :

— Ah ! Le petit-fils ! Jette-lui donc un coup d'œil, à ce débauché. (Martyn partit d'un rire étrange, pareil à un hoquet.) Regarde-moi ce jouisseur, ce sybarite !

Le manieur de fouet désignait du doigt une des fesses de Son Excellence. Un peu au-dessus de l'endroit meurtri, au niveau du coccyx, apparaissait une petite image : une fleur rouge en forme de marguerite.

— C'est la mode aujourd'hui chez ces porcs, expliqua Martyn en s'essuyant le front. Un *tataouage*, ça s'appelle, ça nous vient des prisonniers turcs. Il y a des coureurs de

155

jupons qui pour séduire les personnes du sexe se peignent ainsi des motifs sur le membre honteux au moyen d'encre de Chine et d'aiguilles. Mais celui-ci n'est rien d'autre qu'un sodomite. Ceux-là, c'est toujours leur cul qu'ils décorent. Pouah ! On peut dire que je l'ai joliment arrangé, en plein sur la portion qu'il préfère !

Il s'esclaffa bruyamment, très satisfait de sa plaisanterie.

— Patiente un peu, mon petit, je dois travailler. Tant que Prokhor Ivanovitch n'a pas tiré sur le cordon, je suis tenu de continuer.

Et de lever le bras bien haut, et de frapper de toutes ses forces ! En haut, plus un cri, mais une sorte de râle.

Un cordon pendait en effet du plafond, mais il n'y avait personne à l'étage pour tirer dessus.

Mitia se suspendit au bras armé du fouet.

— Que veux-tu ? demanda l'exécuteur, surpris.

— Ce n'est pas le bon, c'est Prokhor Ivanovitch en personne, dit Mitia en remuant soigneusement les lèvres. Il s'est produit un malentendu.

— Sainte mère de Dieu ! s'écria Martyn effaré. Et moi qui cogne comme une brute ! Je me disais même : quel obstiné, j'étais prêt à employer les tenailles ! Aïe aïe aïe ! Je suis perdu, c'en est fini de moi !

Il se mit à courir en tous sens, tournant en rond dans la pièce.

— Votre Excellence, j'arrive. Je vais vous passer du vinaigre médicinal ! Et ensuite de l'huile de lampe, pleurnichait le tortionnaire en trimballant une petite cuvette de cuivre.

Mitia se garda d'assister à la suite. Il quitta les lieux et regagna ses pénates, bien conscient que le conseiller privé aurait honte de regarder dans les yeux le gamin qu'il était, après ce qui s'était passé.

Mais ce Pikine... Ah ! ce Pikine !

Le même soir un bal masqué était organisé à l'occasion de l'anniversaire de Son Altesse impériale, la grande-duchesse Maria Pavlovna, petite-fille de la souveraine, qui venait d'avoir neuf ans. La fête promettait d'être somptueuse, et il y avait à cela de bons motifs. Au début de l'hiver, la fille du Dauphin avait été gravement atteinte des oreillons, tout le monde pensait qu'elle n'y survivrait pas, mais le Très-Haut l'avait épargnée. Quelques jours plus tôt elle était encore faible, raison pour laquelle la fête avait été retardée, mais à présent elle gambadait et sortait même se promener à cheval. La souveraine, qui aimait de tout son cœur la jeune espiègle, avait imaginé des réjouissances toutes spéciales : un bal sylvestre. Alors que Maria Pavlovna semblait à l'agonie, sa très auguste grand-mère lui avait demandé, dans le vœu de la réconforter, ce qu'elle pourrait lui offrir pour son anniversaire (elle qui pourtant ne croyait plus que sa petite-fille pût guérir). « Une bête de la forêt : un hérisson », avait répondu Son Altesse d'une voix à peine audible. On racontait cette histoire à la cour en s'épongeant les yeux.

Or voici que le palais de Tauride s'était bel et bien changé en royaume des bois. Les murs du salon d'apparat disparaissaient derrière les branches de pin et de sapin, les fauteuils avait été drapés de manière à ressembler à des souches, des ours, des loups et des renards empaillés pointaient le museau entre les colonnes entièrement tapissées de véritable écorce d'arbre, et pour accueillir les invités, on avait aménagé une entrée latérale, convertie pour l'occasion en hérisson géant. Celui-ci était couvert d'aiguilles de bois longues d'une toise, ses yeux de verre scintillaient de mille feux, et une porte s'ouvrait dans le flanc de l'habitant de la forêt.

Quand on amena la grande-duchesse et qu'elle découvrit le prodigieux animal, elle battit des mains et poussa des cris de joie. Son Altesse, dont on avait rasé la tête lors de sa maladie, était costumée en fraise des bois : robe rouge et couronne d'émeraude. Les invités avaient ordre d'arborer des déguisements inspirés par la faune ou bien la flore sylvestres : champignons, bêtes sauvages, esprit des bois, sirènes et autres personnages semblables. Personne n'était autorisé à déroger à cette règle, pas même les ambassadeurs étrangers, qui avaient du reste interprété l'événement organisé par la tsarine dans un sens non point sentimental mais politique, et étaient venus : l'ambassadeur de Prusse en lactaire poivré, celui de Grande-Bretagne en zibeline, celui de Suède en bûcheron, celui de Naples en lièvre, la palme revenant cependant au représentant de la Bavière travesti pour sa part en un chêne orgueilleux. Tous ces personnages devaient écrire par la suite dans leur rapport à leurs gouvernements respectifs que cette allégorie entendait très certainement marquer le triomphe de la Forêt (l'empire de Russie) sur sa rivale de toujours, la Plaine, autrement dit la Pologne.

Mitia se vit accoutré par son valet de chambre en lutin des bois. Il lui lava les cheveux pour les dépoudrer et lui colla une fausse barbe. Pour le reste, l'habit était tout simple, un habit de paysan : laptis[1], culotte de velours, chemise blanche et ceinturon. Il était en outre censé tenir à la main une branche de mélèze et en menacer toutes les personnes qu'il croiserait, et même les en fouetter : les aiguilles étaient molles, elles ne grifferaient personne.

Il s'abstint bien sûr de frapper qui que ce fût, et ne tarda pas à laisser tomber la branche par terre comme par inadvertance. Il se promena alors au milieu des invités, écarquillant les yeux sur les costumes, une fois encore stupéfié par l'immaturité des adultes. Son humeur était à la mélancolie.

Elle tourna à la nausée quand il entendit murmurer derrière lui :

— Mais je vous avais bien dit, Votre Très Haute Excellence, qu'il ne s'agissait nullement d'un enfant, mais d'un nain, un savant babylonien, âgé d'au moins une cinquantaine d'années. Regardez, là, cette mèche blanche sur le sommet de son crâne, il a oublié de la teindre.

O, ignorants, langues futiles, pauvres d'esprit !

Ensuite... ce fut pire.

Le favori se précipita sur lui, se pencha et lui dit à voix basse, en roulant des yeux de fou :

— Elle est ici, ma Psyché ! On vient de m'en informer : son carrosse est arrivé. Trois semaines qu'elle n'avait pas montré son nez à la cour, mais là elle n'a pas osé contrarier la souveraine ! Tu n'as pas oublié la lettre ?

---

1. Chaussures de teille tressée. (*N.d.T.*)

— Non, je m'en souviens, bougonna Mitia.

— Bravo ! Alors tu ajouteras ceci à la fin. (Le prince colla sa bouche tout contre son oreille.) « Attends-moi cette nuit. Dès que l'insupportable sera endormie, je viendrai. Ni les murs ni les serrures ne sauraient m'arrêter. » Va, et récite-lui tout bas. Et prends garde : s'il arrive quoi que ce soit, je t'étripe.

— Mais à qui dois-je dire ceci ? soupira le malheureux Mithridate avec désespoir. Je ne sais même pas quelle personne a eu le bonheur de susciter l'intérêt passionné de Votre Très Haute Excellence.

— La comtesse Khavronskaïa. Pavlina Anikitichna, Pavlinka.

Zourov avait prononcé ce nom avec une telle tendresse qu'on aurait cru qu'il chantonnait.

— Tu vois le clavecin et la harpe ? Il va y avoir un concert. D'abord le Dauphin chantera une romance en l'honneur de sa fille, puis ce sera son tour à elle, ma sirène à la voix enchanteresse.

Mitia se dirigea d'un pas de condamné vers l'estrade où étaient déjà disposés un fauteuil décoré de muguet de serre pour la souveraine, et une petite chaise en forme d'amas de mousse verte pour celle dont on fêtait l'anniversaire.

Le Dauphin était déguisé en roi de la forêt : couronne de cônes de sapin, manteau en queues de castor. Il chantait atrocement mal, mais avec beaucoup de sentiment en revanche, et d'une voix de stentor. Pris par la musique, il ouvrait une large bouche passablement édentée, de sorte que des postillons volaient en tous sens. Personne ne l'écoutait, le pauvre. Les courtisans bavardaient, chuchotaient, tandis que la tsarine était en pleine conversation avec une sirène aux joues fort colorées : chevelure défaite, mêlée de nénuphars, simple robe blanche ornée de paillettes figurant des écailles de poisson.

A peine les derniers accords eurent-ils retenti, alors que le chanteur descendait de l'estrade sans que personne applaudît, Catherine lança à haute voix :

— Eh bien, ma modeste, fais-nous plaisir, chante mon air préféré.

La sirène se leva, fit une révérence à Sa Majesté et s'avança vers le clavecin.

C'était là par conséquent l'objet de la passion de Platon Alexandrovitch, il convenait donc de l'observer plus attentivement.

Mitia ne s'estimait pas en droit de juger de la beauté féminine, car il n'avait pas encore atteint l'âge requis, cependant force lui était de reconnaître que la comtesse Khavronskaïa était bien agréable à regarder. Un visage ovale en forme de cœur, des lèvres tel un bouton de fleur, des yeux gris clair aux cils interminables, une peau d'un rose pâle parfait, tout en elle était merveilleux. Mais son abondante et onduleuse chevelure eût suffi à elle seule à rendre séduisante une personne au visage cent fois moins beau.

Pavlina Anikitichna entonna une romance où il était question d'une colombe bleue qui gémissait nuit et jour, affligée que son doux ami se fût envolé loin d'elle pour longtemps, et dès ce moment l'enchantement que produisait la douce harmonie de ses traits et de sa voix devint presque intolérable : la respiration en devenait embarrassée, car tel était votre enthousiasme que l'air se figeait dans votre gorge et refusait de vous emplir la poitrine.

On applaudit longuement la comtesse, et on lui cria même : « Bravo ! » Quand elle eut regagné sa place, Mitia se rapprocha discrètement et alla se camper derrière le fauteuil de la souveraine.

Pavlina Anikitichna avait chanté avec tant de passion et de grâce que ses joues s'étaient colorées d'un rose encore plus franc, et ses yeux rayonnaient, quand même ses longs cils contenaient cette flamme, et l'ombraient modestement. La belle créature, les yeux perdus dans le vague, semblait attentive aux paroles que lui adressait Catherine.

— Ton doux ami s'est envolé, c'est vrai, lui disait l'impératrice d'un ton plein d'amitié. Mais pas pour longtemps, pour toujours, entends-tu, il ne reviendra pas. Tu t'es assez désolée, tu as pleuré ton soûl, c'est fini à présent.

160

Pourquoi s'ensevelir vivante ? Assez fait la sotte, ma très chère. Plus tard, quand tu seras vieille, tu t'en mordrais les doigts. N'importe qui est prêt à épouser ma cousine, tu n'as qu'à choisir ton fiancé. Et si tu ne veux pas te remarier... (Catherine se pencha vers la jeune femme et lui murmura avec un sourire malicieux :) eh bien ! prends-toi un ami de cœur. Personne ne te jugera mal, après cinq années de veuvage.

Mitia, à ce moment, eut terriblement pitié de la grande monarque. Elle ignorait, la pauvre, quel aspic elle avait réchauffé en son sein. Et il fallait encore que dans sa sainte naïveté elle contribuât à l'ignoble projet du prince. La belle entendrait le conseil, se verrait tentée de prendre un amant, or justement se trouvait à côté d'elle le messager envoyé par Amour à Psyché.

— Je vous remercie de l'intérêt que vous me portez, Votre Majesté, répondit tout bas la comtesse. Mais je n'ai besoin de personne. Si seulement vous consentiez à la requête que je vous ai adressée il y a longtemps et me permettiez de me retirer à la campagne, je serais parfaitement...

— Eh bien, non ! (Catherine, dans un mouvement de colère, frappa de son éventail la main de la belle dame.) Je ne suis pas disposée à encourager la sottise ! Plus tard, madame, vous me remercierez !

Mitia vit deux perles de cristal s'échapper de sous les longs cils de Pavlina Anikitichna, et lui-même ne put retenir des larmes.

Non, il n'avait pas le cœur de contribuer aux infâmes desseins du favori.

Il gagna en courant le vestibule, où les invités en retard ôtaient leur pelisse, puis emprunta l'escalier montant à la galerie. L'endroit était sombre et désert. Mithridate était fatigué de la lumière et du monde – dans tous les sens du terme. Pourquoi son papa aspirait-il tellement à cet éden ? Qu'avait-il de bon ? Même un enfant de sept ans, on ne pouvait le laisser en paix.

Il grimpa sur un large rebord de fenêtre et colla son front brûlant à la vitre glacée. En bas brillaient des flambeaux et des lampions multicolores ; des voitures arrivaient et repartaient ; les piquants du fantastique hérisson scintillaient dans leur gangue de givre.

Mitia sauta à terre et, triste et pensif, s'en fut arpenter la galerie.

Or celle-ci, il le découvrit aussitôt, n'était nullement déserte.

De la niche suivante s'échappaient un froissement d'étoffes, des murmures, un souffle précipité.

Un cavalier et sa dame avaient dû grimper eux aussi sur le rebord de fenêtre et s'affairaient à se conter fleurette.

— Ah ! fit une voix aiguë de femme. Quelqu'un vient !

Il y eut un bruissement de soie. Une demoiselle sauta à terre, affublée d'un costume de renarde, mais un costume passablement froissé et malmené. Elle lâcha une exclamation, se couvrit le visage de ses mains, et s'éloigna à toutes jambes. Mais Mitia l'avait de toute façon reconnue : il s'agissait d'une dame d'honneur de la souveraine, ah ! comment s'appelait-elle déjà ? elle portait un nom prussien.

Puis le galant se laissa glisser au sol à son tour, il frappa le parquet de ses bottes, resserra son ceinturon, et se retourna.

Pikine ! En uniforme, épée au côté : à l'évidence, il venait juste d'être relevé de son poste.

C'en était trop. Quelle journée fatidique !

Mitia se prit à trembler de tous ses membres, il recula, mais trop tard.

— Sacré foutre Dieu ! ronronna le capitaine en tendant son long bras. La balle vient au bon joueur.

Sans ajouter un mot, il empoigna le lutin des bois par la ceinture, le hissa d'un coup sur le rebord de fenêtre, puis tira brutalement sur la croisée. Un vent glacé souffla du dehors, chargé de neige poudreuse.

— Monsieur Pikine, lâchez-moi ! glapit Mitia de la plus honteuse manière, tel un chiot. Que vous ai-je donc fait ?

— Rien pour l'instant, morpion, mais bientôt beaucoup de bien ! répondit l'officier d'un ton joyeux tout en grimpant à son tour sur le rebord. Grâce à toi, je vais effacer la moitié de ma dette.

Il ouvrit la fenêtre toute grande, assura sa prise sur sa victime et commença à la balancer.

— Il y aura une enquête ! objecta Mitia dans l'espoir de raisonner le malfaisant. Prokhor Ivanovitch comprendra tout !

Pikine s'interrompit dans son geste et réfléchit un instant.

— Il ne pourra rien prouver. Tout ce qu'on verra, c'est qu'un petit polisson aura escaladé la fenêtre et sera tombé. Allez, envole-toi, moineau !

Et sur ces paroles d'adieu, il projeta le pupille impérial dans le vide, droit sur les piquants acérés du hérisson géant.

L'officier, cependant, avait quelque peu sous-estimé sa force : son projectile était fort léger et vola un peu plus loin qu'il ne l'escomptait.

Mithridate vit passer les pointes mortelles au ras de son nez, il poussa un hurlement, mais ne s'y embrocha point. Malgré tout, il se fût sûrement tué en heurtant les marches de granit, si un miracle ne s'était produit, le second de cette journée de cauchemar, si l'on se rappelle son sauvetage hors du puits.

Une dame aux proportions gargantuesques était en train de gravir le perron : elle était coiffé d'un entrelacs de brindilles couronné d'un rossignol de carton, tandis que sa large robe à paniers représentait une clairière fleurie. C'est sur cette clairière que Mitia atterrit. Il s'égratigna aux branches d'églantier du nid et à l'osier des paniers, sa chemise fut déchirée, mais au lieu de se rompre les os, il rebondit sur l'armature élastique de la robe et roula au bas des marches. Sa sauveuse demeura d'abord immobile, plus morte que vive. La dame avait perdu toute la partie droite de sa robe. Elle arborait une culotte couleur « pudeur offensée » et ressemblait à une naïade dénudée émergeant de derrière un buisson. Le cri qui s'échappa de sa gorge une seconde plus tard fut déchirant et, étourdi par sa chute, incapable du moindre raisonnement, le garçon détala à toutes jambes loin de ce hurlement, loin du hérisson de bois et de toute la masse immense du palais scintillant de mille feux.

Lui-même ne sut jamais comment il traversa le jardin et franchit les portes. Il ne commença à reprendre ses esprits que sous la morsure du froid. Il continua un moment à vaguer sur la place enneigée, puis enfin tressaillit et prit conscience de sa situation : il n'avait nulle part où aller, il lui fallait retourner au palais et là se jeter aux pieds de la souveraine et tout, tout lui raconter. Peu importait qu'elle le crût et le défendît, ou bien se fâchât et le renvoyât chez son père et sa mère. Au reste, cette dernière éventualité était peut-être la meilleure.

Les bras serrés frileusement contre lui, il s'en revint en trottinant aux portes du palais.

— Où vas-tu ? aboya la sentinelle. Allons, ouste !

— Je suis Mithridate, le pupille de Sa Majesté, tenta d'expliquer Mitia.

Mais le soldat se borna à l'accabler d'une bordée de jurons.

— Regardez-moi ça, il s'est collé de la filasse, ce petit saligaud !

Il tira d'un coup sec sur la fausse barbe de Mitia et lui allongea une telle taloche que l'enfant prodige roula cul par-dessus tête dans une congère.

Il secoua la tête pour chasser le son de cloche qui lui tintait dans les oreilles. Il mit du temps encore à comprendre qu'il ne pouvait pas revenir en arrière.

Il courut à une autre porte où le soldat de garde se montra plus aimable : l'homme se contenta de rire de cette histoire de pupille et, s'il leva la main sur lui, il s'abstint de le frapper.

Et en vérité, comment ce gueux chaussé de laptis pouvait-il prétendre être Mithridate, le petit protégé de l'impératrice ? C'était grotesque.

Sautillant sur place pour ne pas geler tout à fait, Mitia tenta de recourir à la meilleure de toutes les armes : la raison. Cependant, plus il réfléchissait à l'absurde aventure qu'il était en train de vivre, plus sa situation lui paraissait désespérée.

164

Courir au palais d'Hiver, regagner ses appartements ? Mais il serait refoulé plus brutalement encore. Aux postes de garde éloignés du palais, qu'il était impossible d'éviter, les sentinelles étaient encore plus mauvaises que des chiens. Combien de fois avait-il vu des badauds chassés à coups de crosse ou de baïonnette.

Attendre que la mascarade soit finie, et se précipiter vers quelque personne de connaissance ? Mais cela signifiait rester encore à grelotter dans le froid un temps infini. C'était un coup à rendre l'âme.

L'inaccessible château était baigné de lumières merveilleuses, le vent apportait les accents d'une musique céleste : le bal, visiblement, avait commencé. Là-bas, au-delà des grilles et des arbres noirs du jardin, s'étendait le véritable éden. Quand il s'était trouvé à l'abri de ce verger paradisiaque, Mithridate, dans son ingratitude, n'avait pas su apprécier son bonheur, et à présent que les portes du divin séjour s'étaient refermées, le proscrit se voyait contraint d'affronter seul la nuit, le vent du nord cruel, et la neige glacée. Il n'avait nulle part où aller, mais il ne pouvait non plus demeurer sur place sans risque de périr.

L'ex-habitant des cieux, chassé par le temps mauvais, grelottait et sanglotait en s'éloignant à pas lents de l'éden, le cœur serré de tristesse.

Chapitre septième

LES GRANDES ESPÉRANCES

C'est une simple tempête, se dit Nicholas en se frottant les yeux. Juste de la pluie alternant avec la neige, juste le vent du nord et la fin d'un automne trop longtemps clément.

A présent qu'il avait la tête claire, la révélation qui lui était venue en rêve à propos du cercueil de cristal lui parut une parfaite idiotie, mais la nuit lui avait en effet été de bon conseil après sa crise de panique. Dans l'esprit de Nicholas avait germé une idée aussi simple que productive, qui n'avait pas effacé sa peur et son désarroi, mais au moins les avait circonscrits.

Tu es bien spécialiste en conseil, non ? s'était dit Fandorine. Imagine que quelqu'un vienne te trouver avec un problème du même genre de difficulté. Que lui conseillerais-tu ?

Son cerveau avait aussitôt rejeté le poids des émotions et s'était mis à travailler avec promptitude et efficacité.

Primo : nous ne devrons rien espérer de la police, qui se révèle incapable de protéger un contribuable menacé de mort. L'officier rigolard au téléphone portable d'un luxe suspect n'inspirait aucune confiance. « Le salut des noyés est entre les mains des noyés eux-mêmes. » Tel est le principe fondateur de la vie en Russie, principe qu'il conviendrait d'inscrire dans la Constitution pour éviter que la population n'entretienne des illusions inutiles.

Secundo : l'indice après lequel soupirait le capitaine Volkov existait malgré tout.

D'où le prétendu Kouznetsov avait-il tiré l'adresse de la société ? L'annonce parue dans la revue ne fournissait qu'un numéro de téléphone à contacter, et non pas celui du Pays des Soviets, mais celui de la rédactrice en chef d'*Eros*. Altyn avait promis d'éliminer elle-même tous les indésirables, et même si quelques « érossiens » avaient réussi par la ruse ou par hasard à franchir ce cordon, la majorité des déséquilibrés et des pervers avaient tout de même été filtrés au niveau de la rédaction. Kouznetsov, lui, était passé à travers les mailles. De quelle façon ?

Nicholas composa le numéro de portable de sa femme.

— Ouais, fit dans le combiné la voix un peu rauque qui lui était si familière.

Combien de fois Fandorine avait-il répété à son épouse que sa manière de parler au téléphone était totalement inacceptable ? Au lieu de « allô », ou à la rigueur de « j'écoute », cet horrible « ouais » d'une grossièreté absolue, et en réponse à un courtois « bonjour », un « hum ! » presque indistinct, digne d'un parfait goujat – non, vraiment, qu'est-ce que ça voulait dire ?

— Eh bien, comment ça se passe pour toi là-bas ? Quel temps fait-il à Saint-Pétersbourg ? dit Nicholas, préférant aborder le sujet de loin. Nous, nous avons de l'orage ce matin.

Altyn avait un flair d'épagneul, aussi valait-il mieux poser la question comme incidemment, pour ne pas attirer l'attention.

— Sois bref, Fandorine, coupa sa femme, je suis en réunion. Il s'agit des enfants ?

— Non.

— De toi ?

Il tressaillit. Comment avait-elle deviné ?

— Non, non, tout va très bien, se hâta-t-il de répondre pour la rassurer

— Alors quoi ?

O fort peu sentimentale descendante de Mamaï-khan, adversaire des creuses cajoleries et des aimables roucoulements ! Pas une fois Nika ne l'avait entendue prononcer le

mot « amour », même si elle l'aimait, il ne savait trop pourquoi, c'est vrai, mais elle l'aimait, c'était hors de doute. Eût-
elle cessé de l'aimer, elle serait partie sans se retourner.

— Bon, allez, accouche, fit-elle d'un ton pressé.

De peur que, fidèle à son habitude, elle ne coupât la
communication, Nicholas lui débita d'un trait :

— Ecoute, tu m'as envoyé hier un client. Un certain
Kouznetsov, tu te rappelles ? Je voulais te remercier.

— Eh quoi, Fandorine ! Tu es tombé du nid ? répondit
Altyn. Tu crois que j'ai du temps à perdre à blablater avec
tes cinglés ? C'est Tsytsa qui les filtre.

« Tsytsa » était le nom qu'elle donnait à son assistante,
Cécilia Abramovna. Il était donc inutile d'appeler à Saint-
Pétersbourg. Il aurait pu imaginer tout seul qu'Altyn n'irait
pas répondre aux appels de tout un chacun, c'eût été trop
d'abnégation de sa part.

Les hommes ne savent pas changer aussi souvent et aussi
radicalement que les femmes, pensa Fandorine en regardant le combiné d'où s'échappaient les couinements du
signal intermittent. Depuis six ans qu'il la connaissait,
Altyn avait mué au moins quatre fois pour se métamorphoser totalement. Au début de leur relation amoureuse, de
petit hérisson hargneux, elle s'était transformée en houri
tendre et passionnée (ah ! ça c'était une époque, bien révo-
lue, hélas). Puis, après avoir accouché (de jumeaux, bien
entendu, elle n'avait jamais accepté les compromis ni les
demi-mesures), elle avait un peu grossi, s'était enveloppée
– au point qu'il était difficile de reconnaître la fine et
remuante Altyn de naguère –, s'était changée pour tout
dire en une forte et belle femelle féconde. Elle disait alors
que la fonction première d'une femme était de faire des
enfants et de les élever, qu'il n'était rien de plus important
au monde. Elle avait quitté son précédent journal, de
manière irrévocable, sans le moindre regret. Quand l'associé de Nika, qui alors n'était pas encore tombé dans la religion, avait entrepris de créer un pool médiatique (c'était à
cette époque le hobby des oligarques russes) et proposé à
Altyn de prendre la tête d'un hebdomadaire érotique, Nika

était persuadé que sa femme refuserait avec indignation. Or, contre toute attente, elle avait accepté, et il avait craint qu'elle ne parvînt pas à s'acquitter de cette tâche énorme autant que déplaisante.

Elle s'en était acquittée cependant, merveilleusement acquittée même. Non seulement elle avait sauvé la famille de la misère, mais elle avait encore enrichi l'investisseur. *Eros* s'était révélé l'unique maillon viable d'un empire médiatique qui s'était effondré à peu près aussi vite qu'il s'était mis en place. Mais Altyn s'était à nouveau métamorphosée, et encore une fois à en devenir méconnaissable. Quand elle était sujette à pareille transformation, tout en elle se trouvait modifié : son apparence, sa morphologie, sa manière de parler et de s'habiller, ses habitudes – et tout cela sans qu'elle eût à se forcer, le plus naturellement du monde.

Mais bon, puisqu'il était question de Tsytsa, va pour Tsytsa.

Boire un café, conduire les gosses au jardin d'enfants, puis filer à la rédaction.

Le défunt holding du bienfaiteur de Nika se composait au temps de sa splendeur de la chaîne de télévision Super-TV, du très généraliste *Journal conservateur* (développé sur la base d'un quotidien de province à gros tirage : *Le Ziouzinien méridional*), du magazine *Glamour & People* (ancien mensuel *La Gloire du peuple*), et de l'hebdomadaire de loisirs *Eros*. Ce dernier avait hérité des locaux et de la plus grande partie du personnel du journal professionnel *Industrie nucléaire socialiste*, racheté une bouchée de pain dans le même lot que *La Gloire du peuple* et *Le Ziouzinien*. A cette période, le cofondateur du Pays des Soviets, se trouvant possesseur d'une foule d'autres sociétés et entreprises de natures les plus improbables, s'était enflammé à l'idée de former l'opinion publique, et était prêt à dépenser plusieurs dizaines de millions pour constituer l'instrument médiatique nécessaire. Mais, avec le temps, il avait perdu son ambition sociopolitique, en outre l'époque des expérimentations incontrôlées sur l'opinion

169

publique était passée, de sorte que les différents composants du holding s'étaient retrouvés abandonnés à eux-mêmes : surnage si tu peux, sinon bois la tasse.

Comme il a déjà été dit, seul *Eros* avait surnagé. Peut-être cette publication frivole devait-elle sa vivacité au fait que l'éros et la vie sont proches parents, et même et surtout inimaginables l'un sans l'autre, mais plus sûrement avait-elle été sauvée par l'énergie inépuisable et la poigne de fer de sa rédactrice en chef Altyn Mamaïeva. C'était elle qui avait trouvé le nom et le concept de la revue. Celui-ci voulait qu'il existât un pays appelé Eros peuplé d'individus singuliers, les Erossiens, qui se distinguaient des Russes par leur liberté d'esprit, leur absence de complexes et leur amour de la vie. Altyn était sincèrement convaincue qu'en publiant sa revue licencieuse, elle ne faisait pas que gagner de l'argent, mais accomplissait aussi une œuvre philanthropique : elle contribuait à développer chez ses compatriotes sens de la tolérance et élan créateur. Le périodique comptait seize pages tout en couleurs : dix pages de texte et six pages de publicité. Ces dernières étaient affectueusement qualifiées à la rédaction de « nourrices », mais chacune des autres était consacrée à une rubrique thématique particulière. Outre « La Baguette magique » déjà citée, consacrée à l'intimité masculine, figurait son antipode féminin, « Le Bouton de rose ». Dans la section « Je vous écris » besognaient à plein temps deux folliculaires, rescapés du naufrage du *Journal conservateur*, qui sans vergogne rédigeaient les confidences secrètes des lecteurs. La rubrique « Rêves d'amour » publiait les fantasmes incendiaires des Erossiens (authentiques quant à eux, à la différence du courrier du cœur). La revue offrait également à lire les pages « Reportage spécial », « Batifolons un peu », « Que faire ? » (sous-entendu : en cas de problème sexuel), deux galeries de photos – « Mister Eros » et « Miss Eros » – et enfin le très populaire scandalodrome « L'avez-vous entendu dire ? », où étaient publiées diverses anecdotes sulfureuses tirées de la vie des stars du show-biz, stars avec lesquelles l'hebdomadaire, croulant sous les plaintes pour diffamation, était constamment en procès (même l'issue de chaque affaire, ainsi que les documents incriminés faisaient l'objet d'une entente préalable entre les parties).

Nicholas arriva au mauvais moment : toute l'équipe rédactionnelle était en réunion de travail. S'y trouvait donc aussi l'assistante de la rédactrice en chef, qui sténographiait le cours des débats. Dresser un procès-verbal de ces derniers ne répondait pas à une nécessité particulière, mais la zélée Cécilia Abramovna avait spécialement appris la sténographie pour mieux correspondre à son poste, et à présent prenait en note tout ce qui se disait autour d'elle. Qui plus est, en l'absence de sa patronne, elle se trouvait désœuvrée, or elle n'avait guère l'habitude de rester assise à se tourner les pouces.

Le rédacteur en chef adjoint adressa un sourire accueillant à Nicholas, qui venait de passer la tête par l'entrebâillement de la porte, et demanda :

— Vous vouliez me voir ?

— Non, j'ai besoin de parler à Cécilia Abramovna. Mais ce n'est pas grave, j'attendrai à la porte que vous ayez terminé, répondit Fandorine, confus, avant de se voir, bien entendu, sur-le-champ installé de force à la grande table.

Dieu merci, la séance de travail touchait à sa fin.

Tous, à la rédaction, connaissaient Nika et lui souriaient amicalement, seule la star et la fierté d'*Eros*, la brillante Amanda Lav, lui jeta un regard méprisant avant de détourner la tête. Louve solitaire, elle ne faisait pas partie du staff et collaborait avec la rédaction par seul amour des sensations fortes, préparant des reportages spéciaux sur toutes sortes de sujets marqués d'un certain exotisme sexuel. Amanda était célèbre non seulement pour sa plume inspirée, mais aussi pour son incroyable esprit d'abnégation journalistique : tantôt elle s'enrôlait comme maîtresse dans un salon masochiste, tantôt elle parcourait les vastes étendues du pays avec des routiers, tantôt encore elle se faisait membre d'un club zoophile. Fandorine savait que le regard méprisant de la femme fatale était adressé au mari de la rédactrice en chef, avec laquelle Amanda avait eu récemment une petite altercation. Agissant à ses risques et périls, l'héroïne du journalisme extrême avait rassemblé des documents sensationnels sur une forme rare de perversion, la coprophilie, dans le but de quoi elle s'était infiltrée dans certain cercle privé et avait même trouvé le moyen d'y prendre des photos au moyen d'un appareil caché. Mais Altyn avait refusé de laisser passer l'article, pour des raisons esthétiques. La pauvre Amanda, qui pour l'amour de l'art s'était soumise à des expériences extrêmement pénibles, avait fait une scène terrible, parlant de « couperet de la censure » et de « joug tatar », allant jusqu'à menacer de rallier un concurrent comme *Ivresse* ou bien *Boudoir*, extrémité à laquelle, bien sûr, elle ne s'était pas résolue : ces publications n'étaient pas de même classe, et offraient des honoraires encore plus maigres.

Cependant Amanda était plutôt une exception. A la rédaction prédominaient des gens pacifiques et cultivés, généralement plus de première jeunesse. La plupart d'entre eux étaient échus à Altyn en héritage de *L'Industrie nucléaire socialiste* et s'étaient formés à leur nouvelle spécialité sur le tas. Le chef de la rubrique légère « Batifolons un peu », par exemple, Sexualius Bouchine (un pseudonyme, bien sûr), s'occupait dans les temps anciens des novateurs et des rationalisateurs de la production, tandis que la vieille demoiselle Lialia Drouyan, ancienne responsable du « Coin des enfants », s'était reclassée en experte des pratiques vaginales. C'était justement son prochain article qui était au centre des débats.

— Igor Ivanovitch, disait Lialia d'une voix larmoyante en s'adressant au rédacteur en chef adjoint. Il n'y a rien à faire, je n'y arrive pas avec le sexe anal. J'ai eu beau essayer de toutes les manières, ça ne rentre pas, un point c'est tout.

Nicholas rougit et observa ses voisins à la dérobée, mais ceux-ci, habitués à la terminologie de leur métier, ne bronchaient pas, affichaient même une mine ennuyée. Igor Ivanovitch, quant à lui, répondit d'un ton bonhomme :

— Si ça ne rentre pas dans ce numéro, nous le caserons dans le suivant. Il y aura plus de place.

Cécilia Abramovna interpréta fautivement la gêne de Fandorine, et lui indiqua sa montre d'un geste apaisant, comme pour lui dire : patientez encore un peu, c'est bientôt fini.

C'était une dame bien pomponnée, de l'âge de la retraite ou, comme elle disait elle-même, « dans sa seconde demi-période de désintégration ». Après des études à la faculté de philologie, elle avait travaillé toute sa vie à *L'Industrie nucléaire socialiste* comme correctrice, et était accoutumée à regarder les textes de journaux comme des assemblages de mots incompréhensibles, le seul point important étant qu'ils fussent correctement écrits. Naguère elle ne tombait que sur des mots savants, à présent c'étaient d'autres mots et voilà tout. Mais Tsytsa n'avait plus autant l'œil qu'autrefois, et Altyn, qui derrière une allure sévère dissimulait un cœur compatissant, avait pris la vieille dame auprès d'elle comme assistante. Mais peut-être la rédactrice en chef avait-elle ici moins fait la preuve de sa générosité que de son flair infaillible, car Cécilia Abramovna s'était révélée une assistante véritablement en or. Vivant seule, elle n'était jamais pressée de quitter le bureau pour rentrer chez elle ; elle se distinguait en outre par une rigueur et une exactitude parfaites, et répondait aux appels téléphoniques comme une authentique lady, ce qui conférait à *Eros* un côté chic et respectable. Tsytsa était tout bonnement folle de sa patronne, et Altyn le lui rendait bien. L'assistante traitait les problèmes de la famille Fandorine comme s'il se fût agi des siens, d'où l'on pouvait conclure qu'Altyn lui faisait beaucoup trop de confidences, et qu'on pouvait encore s'estimer heureux s'il n'était question que des enfants. Cela dit, Tsytsa se montrait très bienveillante à l'endroit de Nicholas, qu'elle appelait « Nikotchka ».

— Mais oui, Nikotchka, comment donc ! lui dit-elle quand, la réunion terminée, ils se retrouvèrent à l'accueil pour prendre un thé. Hier, huit personnes se sont déclarées intéressées par le Pays des Soviets. Un instant, j'ai tout sténographié. (Elle chaussa des lunettes et tira un bloc-notes couvert de pattes de mouche.) Bon, l'un était manifestement un fou : il aboyait au téléphone, et répétait qu'il était un homme-chien. Puis une dame a appelé. Une personne sans intérêt. Elle s'ennuyait simplement, avait envie de bavarder, elle-même était à la retraite, par conséquent elle aurait été incapable de vous payer convenablement. Altyn Farkhatovna m'a demandé d'éliminer les clients de cette sorte. Bien... A un homme qui refusait de se présenter, j'ai conseillé de s'adresser à un sexologue. L'homme vivait un drame existentiel. Soixante-douze ans, travailleur émérite dans le domaine de la culture, il s'était marié à une fille de vingt-cinq ans, or sa santé n'était plus ça... Je lui ai dit...

— Cécilia Abramovna, coupa Fandorine avec douceur, parlez-moi plutôt de ceux à qui vous avez donné notre adresse. Combien y en a-t-il eu ?

— Deux. Un jeune homme qui était au désespoir, ne sachant s'il devait ouvrir un compte en euros ou bien le laisser en dollars. Je lui ai communiqué votre adresse et votre numéro de téléphone. Il ne vous a pas appelé ?

— Non. Mais je ne crois pas que j'aurais pu lui être d'un grand secours, je ne suis pas spécialiste en marché des devises, vous savez. Et le second, qui était-ce ?

— Un homme très comme il faut, plus tout jeune. Il a déclaré avoir un problème très compliqué, quasi insoluble, et que seul un mage, un sorcier, pourrait l'aider. Je lui ai répondu : Nikolaï Alexandrovitch est justement un mage et un sorcier, certes il est cher, mais on ne regrette pas son argent. (Tsytsa regarda fièrement Nicholas, attendant des compliments pour son sens commercial.) J'ai encore dit que vous ne travailliez qu'avec des gens solides, ayant du répondant, et que vous ne traitiez pas les petites affaires. Que votre business était florissant, que vous étiez accablé de travail et enfin que vous étiez l'un de nos principaux annonceurs. Ai-je bien fait ?

Fandorine tressaillit.

— Vous lui avez donné l'adresse du bureau ?

— Bien sûr, je la lui ai donnée, ne vous inquiétez pas. Il a dit qu'il ne regarderait pas à la dépense si on lui apportait une aide. Un homme cultivé, sérieux. Il s'est présenté très poliment.

— Kouznetsov ? Nikolaï Ivanovitch ? demanda Nicholas sans grand espoir, encore qu'il se rappelât le nom et le patronyme du « parachutiste ».

Cécilia Abramovna éclata de rire, comme si Nika venait de prononcer un mot d'esprit.

— Non, rien d'aussi romantique.

— Mais qu'y a-t-il de romantique dans ce nom : Nikolaï Ivanovitch Kouznetsov ? s'étonna Nika.

— Votre génération n'a aucun souvenir des héros de la guerre ! répondit Tsytsa en secouant sa tête grise avec un air de reproche. Allons, voyons ! Le légendaire Nikolaï Kouznetsov, le tueur de généraux nazis ?! Vous vous rappelez *Les Exploits d'un agent secret* ? Il y a eu aussi un très bon film avec Gunar Tsiliski, *La Force du courage*. Vous ne l'avez jamais vu ?

Non, Nicholas n'avait pas vu ces films, mais il sentit une main de glace lui étreindre le cœur. Ah ! comme sir Alexander avait eu tort d'empêcher son fils de côtoyer les œuvres de la culture de masse soviétique. Il avait le sentiment que c'était justement de là, du passé récent de la Russie, passé mystérieux et difficilement intelligible pour Nika, que sortait le funeste serpent prêt à le happer de ses crochets meurtriers.

— Tenez, dit Cécilia Abramovna. C'est inscrit là dans mon carnet. 10 h 45. Ilia Lazarevitch Chapiro.

Nicholas sursauta. Chapiro était un nom répandu, mais tout de même pas autant que Kouznetsov ! Cependant il se rembrunit tout aussitôt. L'homme ne s'appelait pas Chapiro. Il avait simplement perçu les intonations chantantes de Cécilia Abramovna et avait décidé de se présenter sous un nom juif, pour mieux la disposer à son égard.

— Mais pourquoi êtes-vous si chagrin ? Lui non plus n'est pas venu, c'est ça ? Ne vous en faites pas, il finira par venir, c'est certain. Un homme sérieux avec un problème sérieux, je vous dis, cela s'entendait à sa voix...

Nicholas la remercia et se dirigea vers la sortie, passablement abattu. Hélas, il n'avait recueilli aucun indice.

Le téléphone alors sonna.

— Rédaction de la revue *Eros*. Bonjour, je vous écoute, dit Tsytsa avec un style parfait.

Fandorine se retourna pour lui adresser un signe de tête en guise d'adieu, et tout à coup remarqua que sur le minuscule écran de son appareil s'inscrivait peu à peu un numéro à sept chiffres. Un identificateur d'appel !

Nicholas n'entendait pas ce dont parlait l'assistante avec son interlocuteur au bout du fil, tant le sang s'était mis à battre bruyamment dans ses oreilles.

Quand Tsytsa, concluant sa conversation par un « Merci de votre appel », eut enfin raccroché, il demanda en montrant l'appareil :

— Il marche bien ?

— A merveille, parfois même il indique les numéros longue distance. Vous comprenez, Nikotchka, une bande de voyous avait pris l'habitude de téléphoner. « Allô, disaient-ils, c'est pour une annonce dans la revue, vous pouvez noter ? » Et suivait un flot ininterrompu d'obscénités, voire d'injures parfaitement ordurières. J'ai écrit une lettre au département de gestion administrative, demandant qu'on m'équipe d'un appareil doté d'un identificateur, et j'ai réussi en moins de deux à déterminer qui étaient les auteurs des appels. Des lycéens, figurez-vous, des garnements de seconde.

— Et vous pourriez jeter un coup d'œil aux appels d'hier ?

— Vous voulez téléphoner vous-même à Ilia Lazarevitch ? Vous avez tort, à mon avis, ça ne ferait pas professionnel. Mais je vais regarder, un petit instant.

Du bout du doigt, elle appuya sur divers boutons.

— Voilà. Le 10 45. Vous voyez ?

Et elle tourna l'appareil pour que Nika pût noter plus commodément le numéro. L'indicatif était le 235, le quartier, par conséquent, de la perspective Lénine.

— Vous devez avoir accès sur votre ordinateur à la base de données des abonnés du réseau téléphonique de Moscou, dit Fandorine d'une voix hachée par l'émotion. Vous ne voulez pas vérifier à qui appartient ce numéro ?

— Allons-y.

Cécilia Abramovna avait appris à se servir d'un ordinateur en même temps qu'elle étudiait la sténographie, et elle était heureuse de pouvoir faire une démonstration de ses compétences. Elle ouvrit hardiment le logiciel, composa le numéro inconnu, et quelques secondes plus tard le résultat s'affichait sur l'écran : « Chibiakine, Ivan Ilitch. 5, rue de l'Académicien-Lyssenko, appt. 36. »

— Ça alors ! fit Tsytsa désemparée. Ça ne correspond pas. L'identificateur a dû se tromper d'un chiffre, ça lui arrive quelquefois.

— On dirait bien. Mais je vais tout de même noter.

Peut-être en effet l'appareil s'était-il trompé. Mais si ce n'était pas le cas ? S'il s'agissait là bel et bien de l'extrémité du fil qui permettrait de démêler tout l'écheveau ?

Au sortir de la rédaction, Fandorine réfléchit intensément : devait-il informer le capitaine Volkov de sa découverte ou non ?

Il résolut que c'était encore trop tôt. Mieux valait d'abord faire un saut à l'adresse en question et tenter d'éclaircir ce qu'était cet appartement et qui était ce Chibiakine. De quoi avait-il l'air ? Et s'il se trouvait que logeait bien là un homme maigre, entre deux âges, aux tempes dégarnies, aux yeux à fleur de tête, au costume trop large ? Ou bien peut-être y avait-on vu le susdit individu, peut-être l'y connaissait-on et pourrait-on être en mesure de l'identifier ? La police, bien sûr, était elle aussi capable de mener à bien une tâche aussi facile, mais elle ne déploierait sûrement pas autant de zèle et d'empressement qu'un homme condamné à mort.

Même si l'adresse se révélait une fausse piste, un résultat négatif reste un résultat. Supposons que l'identificateur d'appel ait mal déterminé l'un des chiffres, les collègues du capitaine Volkov non seulement vérifieraient les communications d'Ivan Ilitch Chibiakine, mais enquêteraient aussi sur tous les abonnés dont le numéro ressemblait à celui indiqué. Un travail fastidieux, certes, mais pas si compliqué. Si effectivement ils tenaient à capturer ces « Insaisissables » – non pour les beaux yeux de Nicholas Fandorine, bien sûr, mais pour obéir aux injonctions de leurs directeurs généraux et autres chefs de service –, ils n'avaient qu'à se secouer un peu. Et si malgré tout on découvrait que le défunt visiteur vivait dans l'appartement n° 36...

Nicholas se sentit envahi par un sentiment que tout chercheur en histoire doublé d'un créateur de logiciels de jeu connaît bien : la frénésie du chasseur, l'un des plus puissants stimulants connus de l'humanité éclairée. Aussi se refréna-t-il aussitôt : ne te laisse pas emporter, ne cours pas trop en avant.

La rue de l'Académicien-Lyssenko était située à l'emplacement qu'occupait avant la Révolution le village de Jivodernaïa, lequel s'était transformé dans les années 60 du siècle passé en un quartier résidentiel d'un fashionable tout soviétique.

En descendant de voiture devant le numéro 5, Fandorine jeta un coup d'œil autour de lui, rentrant la tête dans les épaules pour se protéger du vent froid qui avait dépouillé les arbres de leurs derniers restes de décence, en sorte qu'ils s'exposaient à présent entièrement nus, comme autant de cadavres sur une table de dissection. Cette métaphore malvenue (ou peut-être, au contraire, venue fort à propos) ajouta encore à l'excitation de Nicholas. Ce n'est pas un *quest game*, se dit-il. Si tu perds, pas de *restart*.

L'immeuble était du nombre de ceux qu'à l'époque socialiste on tenait pour prestigieux : quatorze étages, brique claire, marquise au-dessus de l'entrée. Mais aujourd'hui avait poussé à côté un palais nouveau-russe avec tourelles et balustrades ventrues dans le goût marchand, une vraie pièce montée, et l'ancienne résidence de la nomenklatura avait aussitôt pâli, s'était changée en parent pauvre, ou plutôt non, pas en parent, mais en Gavroche affamé regardant la vitrine d'une boulangerie.

Ne t'en fais pas, dit Nika au nouveau riche pseudo-Empire. Viendra l'heure où toi aussi tu te fissureras et baisseras le front, parce que la nouvelle élite aura émigré hors de la ville, où l'air est plus pur et où l'on peut s'isoler de ses concitoyens défavorisés derrière des clôtures et des palissades.

L'entrée du n° 5 était fermée. Dans l'espoir que quelque vieille frappée d'un Alzheimer eût noté le code dans un coin, Fandorine s'accroupit et entreprit d'examiner la porte couverte d'éraflures. C'est dans cette posture qu'il fut surpris par une matrone porteuse de deux cabas, qui venait de s'arrêter devant le perron.

— Vous venez voir qui ? demanda-t-elle, d'un ton nullement belliqueux cependant, plutôt intrigué : Nicholas avait malgré tout une allure très convenable et ne ressemblait guère à un voleur.

— Appartement 36, répondit-il. Mais voilà, rien à faire, je n'arrive pas à entrer.

La matrone ne semblait pas autrement pressée d'ouvrir.

— Chibiakine ?

— Oui, Ivan Ilitch, opina-t-il.

C'était la bonne réponse. Il n'y eut pas de couinement triomphal, comme c'est l'usage dans les jeux de quête quand on accède au niveau suivant, mais le sésame avait fonctionné.

— Mais quoi, il ne vous a pas donné le code ? demanda l'aborigène en secouant la tête, tandis qu'elle pendait un de ses cabas à un crochet pour composer le numéro. Depuis que sa femme est morte, il ne va plus du tout bien, ce n'est plus le même homme, tenez. Il a fondu, il s'habille comme un clochard, et ses yeux sont comme éteints. Merci, je m'en charge toute seule. (Elle répondait là au geste esquissé par Nika pour l'aider à porter ses sacs.) J'habite juste au-dessous de lui. L'autre jour il y a eu une fuite d'eau dans son appartement, je suis montée le voir : une horreur, vous ne pouvez pas imaginer. De la poussière, de la saleté, des cafards qui couraient partout. La pauvre Lioubotchka, si elle voyait ça !

Elle qui entretenait si bien son intérieur, une vraie femme d'ordre. Vous êtes un ami à lui ?

En entendant parler d'une épouse défunte, Nicholas déglutit. Aurait-il tapé dans le mille ? Non, ce serait trop simple !

— Oui, Ivan Ilitch et moi avons travaillé ensemble, marmonna-t-il.

— A la *Pravda* ? Vous êtes journaliste, vous aussi ?

— En quelque sorte.

Chibiakine travaillait à la *Pravda* ? Tout concordait point par point !

Dans l'ascenseur, la voisine ne cessa pas un instant de parler, sans pour autant fournir d'autre information précieuse : elle se lamenta essentiellement sur les temps qui couraient, regrettant les ficus qui autrefois ornaient l'entrée, le journal mural et les portiers de service, fustigeant le scandaleux n'importe quoi qui régnait à présent. On voyait des gens respectables se trimballer avec des filets à provision, user depuis dix ans le même bonnet en ondatra, tandis que la moitié des appartements étaient accaparés par toutes sortes d'immigrés du Caucase, et la cour encombrée de voitures de marque étrangère.

— Mais la cour, encore, ce n'est rien ! acheva la camarade Iaroslavna en sortant de la cabine au septième étage. Il faut voir ce qu'ils ont fait du pays ! Il n'y a qu'à prendre votre journal, tenez. Est-ce qu'il était comme ça avant ?

— Ne m'en parlez pas, soupira hypocritement Fandorine dont le cœur battait plus fort à chaque seconde qui passait.

Arrivé au huitième, il resta un long moment campé devant la porte peinte en marron où étaient collés les deux chiffres de bronze 3 et 6. Un jour, sans doute, ils avaient dû en imposer, mais le métal avait terni et s'était couvert de taches d'oxydation.

— C'était Nick Borzov qui vient de jurer à nos auditeurs un amour éternel, disait derrière la porte une voix délurée de jeune femme. Et maintenant une page de publicité...

Sous les accents inspirés d'un duo chantant les mérites de « Master Dent, le réseau des stomatologues », Nicholas pressa plusieurs fois le bouton de sonnette.

Comme il fallait s'y attendre, personne ne réagit, à part la radio, qui abandonna la publicité pour les pronostics météo. Pluie, vent du nord, gel durant la nuit.

Bien, visiblement, tout s'arrêtait là. La moitié du travail du 16e bureau était fait. Ne restait plus à présent qu'à appeler Volkov, il viendrait là avec un juge d'instruction, des témoins, ou autres personnes désignées par la procédure établie.

Nicholas secoua la poignée de porte, d'un geste plutôt machinal, perdu qu'il était dans ses pensées.

Il y eut comme un déclic dans la serrure et le vantail céda sous sa poussée, s'ouvrant vers l'intérieur comme il est de mise dans les bâtiments construits à l'époque soviétique. Nika avait lu quelque part qu'une instruction spéciale avait été autrefois publiée sur le sujet par le NKVD, qui stipulait de ne concevoir que des portes d'entrée s'ouvrant vers l'intérieur, de manière qu'elles soient plus faciles à enfoncer en cas d'arrestation.

Fandorine ressentit une nette impression de déjà-vu, comme s'il s'était déjà trouvé face à une porte qui s'entrouvrait devant lui avec un léger grincement, l'invitant à pénétrer dans l'appartement vide. A dire vrai, c'était bel et bien du déjà-vu. Combien de fois avait-il vu cette scène au cinéma ? Un homme pousse une porte supposée fermée à clef, et celle-ci s'écarte soudain, pivotant sur ses gonds avec un cri sinistre. Et un autre sentiment inexplicable l'envahit alors, comme si le fait n'avait rien d'étonnant, comme si la porte *devait* s'ouvrir. Ce qui le surprit vraiment, ce fut un tout autre détail : de la lumière électrique filtrait par l'interstice sur le palier plongé dans la pénombre. De la lumière électrique, en plein jour ?

Nicholas demeura figé, la main serrée sur la poignée glacée. Il hésitait à entrer, préférant essayer de jeter un coup d'œil par la fente. D'après les lois d'Hollywood, à l'intérieur gisait le cadavre de l'occupant des lieux, n'attendant que d'être découvert. Mais il n'y avait pas de cadavre, il le savait pertinemment. Ou plutôt si, il y en avait un, mais pas dans l'appartement n° 36, à la morgue.

Appétit d'aventure ou pas, il convient de ne pas enfreindre les lois. Fandorine poussa encore un peu la porte. Il y avait là un couloir qui n'avait rien que de très banal, sinon qu'une paire de bottines y traînait bizarrement par terre. Bon, il était temps d'appeler Volkov.

A ce moment, une porte voisine émit une sorte de cliquetis, et Nicholas, affolé, s'engouffra dans l'appartement désert, claquant la porte derrière lui. Allez donc expliquer qui vous êtes et pourquoi vous restez immobile devant une porte entrouverte dans un immeuble où vous ne résidez pas !

Tout de suite, avant même d'avoir considéré les lieux, son regard s'étant porté sur un interrupteur, il éteignit la lumière. Puis il colla l'oreille au panneau capitonné de cuir.

Des pas traînants s'entendirent dans l'escalier, pour s'arrêter tout près, à moins d'un mètre, certainement. La sonnette d'entrée retentit, stridente, et Fandorine comprit alors seulement quelle sottise irréparable il venait de commettre.

— Ivan Ilitch ! clama une voix irritée. Ouvrez donc ! Je vous ai entendu claquer la porte. Ivan Ilitch !

Nouveau coup de sonnette, prolongé, suivi d'une série d'autres plus brefs.

— C'est complètement scandaleux ! La radio a hurlé chez vous toute la nuit ! De la musique de sauvages, de néandertaliens ! Je peux tout comprendre, je compatis et cetera, mais ça, ce n'est pas non plus possible ! Ivan Ilitch !

Et plus bas, d'une voix courroucée :

— Il a complètement perdu la boule. Il est bon pour la camisole...

Des pas à nouveau, s'éloignant cette fois-ci. Ronronnement de l'ascenseur qui s'arrête.

Dieu soit loué, il était parti. Ouf !

Mieux valait déguerpir de là au plus vite. Simplement sortir, refermer la porte et téléphoner à Volkov. Il n'y avait pas lieu en revanche de dire qu'on avait eu la bêtise de s'introduire dans l'appartement. Cela ne ferait qu'attirer d'inutiles soupçons.

Stop ! Et les empreintes de doigts sur la poignée intérieure de la porte ? Y avait-il posé la main ou non ? Impossible de se rappeler. Si oui, il fallait absolument l'essuyer avec un mouchoir. Mais s'il effaçait du même coup d'autres empreintes, primordiales celles-là ? Non, finalement, mieux valait sans doute ne rien toucher.

Le front soudain trempé de sueur tant ses nerfs étaient tendus, Nicholas s'en fut explorer les lieux, pour découvrir bien vite qu'on ne l'avait pas attendu pour toucher à tout dans l'appartement, et de quelle manière encore !

Quelqu'un avait renversé le contenu du coffre à chaussures, jeté par terre les vêtements pendus au portemanteau et entièrement vidé le placard d'entrée.

Dans le reste de l'appartement, c'était pire : tout y était sens dessus dessous, le divan, les fauteuils et les chaises avaient été éventrés, les dessous de fenêtre arrachés, les bouquins balancés en tas ; çà et là des lames de parquet avaient été soulevées, et même le papier peint par endroits était arraché. Et au milieu de cet Hiroshima inondé de lumière électrique, une voix sonore, à l'accent traînant, braillait :

— Salut à toute l'humanité progressiste sur les ondes de Cool Radio ! On écoute, on kiffe, on prend son pied !

Nika trouva l'appareil sous un coussin éventré, voulut baisser le son, mais se souvint à nouveau des empreintes et préféra débrancher la prise.

Tout de suite, il se sentit mieux, sa tête se remit à fonctionner.

La fouille avait eu lieu le soir ou bien pendant la nuit, en tout cas à une heure sombre de la journée, autrement pourquoi avoir allumé la lumière ? Par ailleurs, une personne seule n'aurait pu passer ainsi au peigne fin un appartement de cette taille. Dans la cuisine, par exemple, il n'était pas un carreau de lino encore en place. Conclusion numéro deux : on avait agi en groupe. Les inconnus ne s'étaient pas embarrassés de précautions : à l'évidence ils savaient que le propriétaire ne rentrerait pas. Conclusion numéro trois : c'étaient eux aussi, très probablement, qui l'avaient tué.

Et eux encore qui avaient choisi la station de radio. On pouvait douter que le sieur Chibiakine eût « kiffé » en entendant pareille musique. Ils avaient allumé le poste pour mettre de l'ambiance pendant qu'ils cherchaient. Conclusion numéro quatre : il s'agissait de personnes jeunes, n'appartenant certainement pas à la génération communiste. Que chantait déjà le capitaine Volkov ? « C'est l'œuvre des diables rouges » ?

Ce n'était pas tout. On avait mis la radio à plein volume, sans se soucier que les voisins puissent venir râler ou appellent la police. En repartant, ils n'avaient ni éteint la lumière, ni refermé la porte. Il n'y avait bien sûr pas grand sens à effacer ses traces, le propriétaire des lieux était mort, son cadavre serait tôt ou tard identifié, mais tout de même une telle impudence avait de quoi impressionner. Ces gens n'avaient peur de rien ! Qu'étaient-ils venus chercher ici ? Et avaient-ils trouvé ce qu'ils cherchaient ?

Nicholas parcourut les pièces dévastées. Il ramassa une photographie encadrée dont le verre était brisé. Y figurait son visiteur de la veille, mais les joues pleines, l'air bien nourri, un sourire satisfait sur son visage rond. A côté de lui se tenait une femme : bouclettes permanentées, double menton, boucles d'oreilles massives en métal doré. En un mot, un couple typique d'*Homo sovieticus*. On les repérait naguère de loin dans la foule occidentale : à leurs vêtements, à l'expression à la fois inquiète et avide de leurs visages. Ils avaient disparu, tels les dinosaures. Avaient sombré dans l'oubli. On pensait pouvoir se dire : eh ! le diable les emporte, salut et bon vent ! mais ils formaient eux aussi un fragment de l'histoire nationale, ils étaient autant de vivants destins.

Sur le poste de télé fracassé traînait une assiette où subsistaient des restes de kacha de sarrasin. Nika imagina l'homme solitaire dans l'appartement vide qui avait connu de bien meilleurs jours : il le voyait penché sur le réchaud, occupé à préparer son pauvre déjeuner, sans savoir que c'était là le dernier repas de sa vie.

Les tiroirs du bureau s'ouvraient, béants ; le sol alentour disparaissait sous les vieilles quittances, les appels de charges, et autres factures de toutes sortes. Une montagne d'anciennes coupures de la *Pravda* voisinait avec un dossier à sangle qui, de toute évidence, avait servi à les ranger. Nicholas s'accroupit et fouilla dans le papier journal. Il n'y trouva rien qui pût éveiller la curiosité : des articles et des entrefilets au contenu tout à fait habituel à la presse soviétique. De La Havane, de Hanoi, de Damas, et autres lieux exotiques. Et partout la signature : « I. Chibiakine, j. cor. » ou bien « I. Chibiakine, cor. sp. ». Mêlée aux coupures de presse se trouvait une lettre de licenciement, vieille de dix ans, pour cause de compression de personnel.

Bien, cela suffisait.

Une enveloppe avec inscrit « Liouba ». Elle contenait des photographies de la même femme à des âges différents : avec des couettes, avec une natte, avec les cheveux lâchés, avec une barrette, avec une coupe courte, avec des bouclettes dues aux miracles de la chimie. Certificat de mariage. Certificat de décès – hum... Chibiakine, d'après ce document, était veuf depuis dix-huit mois. Un extrait de dossier médical et une copie des conclusions du médecin s'étalant sur plusieurs pages. Et puis des analyses, des attestations, des ordonnances.

Fandorine soupira et posa l'enveloppe sur le bureau avec respect. Quelle tristesse de découvrir ces fragments d'existence, de vie brisée, inaboutie.

Il se redressa et remarqua alors dans l'angle, au-dessus du téléviseur, une petite étagère. Quoi, une icône, vraiment ?

Il s'approcha : il ne s'était pas trompé. Il s'agissait d'une lithographie de fabrication récente : le visage sévère de Notre-Seigneur avec au-dessous cette légende calligraphiée en lettres slavonnes : « Voici : votre Dieu fera venir la vengeance de la rétribution. (Is. xxxv, 4.) »

Il s'étonna de la piété de l'ancien correspondant de la *Pravda*, mais seulement dans un premier temps. Il se

185

rappela ensuite que les communistes russes d'aujourd'hui n'avaient rien de commun avec les anciens bolcheviques : ni athéisme chez eux, ni internationalisme. Le comte Ouvarov et le haut procureur du Saint-Synode Pobedonostsev les eussent trouvés tout à fait à leur goût.

Il était également touchant que les hardis voyous qui avaient dévasté l'appartement n'eussent pas jeté l'icône par terre. Ils avaient bien sûr farfouillé sur l'étagère (Fandorine, du haut de ses deux mètres, voyait les traces laissées dans la poussière), mais ils s'étaient gardés de commettre ce sacrilège. Mais quoi, aujourd'hui, en Russie, même les bandits étaient bigots : ils portaient des croix au cou et offraient des cloches aux églises. Exactement comme en Sicile.

Il était temps cependant de regagner le cadre de l'obéissance à la loi.

Nicholas composa le numéro inscrit sur la carte de visite de l'officier de police, et dès la première sonnerie, la voix du capitaine résonna dans l'appareil.

— Ouaip !

Fandorine expliqua brièvement le fond de l'affaire, sans entrer dans le détail de ses conclusions. Il déclara simplement avoir établi l'identité de la victime et se trouver à l'heure présente dans son appartement où quelqu'un avait déjà eu le temps de tout fouiller. Il se montra beaucoup plus loquace pour s'excuser de s'être introduit illégalement dans le logement du citoyen Chibiakine. Nicholas eut même la franchise de raconter comment il avait effrayé un voisin, mais Volkov ne parut pas s'intéresser à ces faits, à moins simplement qu'il n'y crût pas. Toujours est-il qu'il ne formula aucun reproche à ce sujet.

— Au diable les détails, Nikolaï Alexandrovitch. J'ai déjà compris hier que vous étiez un type sérieux. Très efficace, il n'y a rien à dire. Comme on dit, je vous tire mon chapeau. Dictez-moi l'adresse et le numéro de téléphone, j'arrive tout de suite. Je file.

En attendant le capitaine, Nicholas demeura d'abord un moment debout à la fenêtre, puis il redressa une chaise renversée et s'assit. Il avait décidé de ne plus rien toucher et de ne plus déambuler à travers les pièces, jugeant avoir pris déjà bien trop de libertés.

Chibiakine, même s'il était un assassin, lui inspirait de la pitié. L'homme avait perdu sa femme, et il était devenu fou de chagrin. Un tel amour forçait le respect. Il avait parlé d'une maladie grave, incurable. Laquelle ?

De nouveau il attrapa l'enveloppe marquée « Liouba ». On y avait fouillé également, mais sans trop de zèle : apparemment, on avait feuilleté les papiers à la hâte avant de les refourrer en vrac où ils étaient. L'histoire de la maladie et de la mort de Mme Chibiakina n'avait guère intéressé les amateurs de Cool Radio, mais pour Nika, après sa conversation de la veille avec le veuf, et les photos qu'il venait d'examiner, cette fameuse Liouba était devenue une personne réelle, presque une connaissance.

Une pub d'une clinique privée, le Serment d'Hippocrate, avec le slogan surligné au marqueur fluo : « Pour nous, il n'y a pas de maladie incurable ! » ; des annonces de rebouteux et de guérisseuses, découpées dans des journaux et des revues... la muette chronique d'une lente descente aux enfers. Mais quelle saloperie avait-elle donc chopée ?

Nicholas saisit une liasse de feuillets couverts d'une fine écriture, portant en en-tête : « Expertise post mortem de L. P. Chibiakina, née en 1949 ». Avec ce sous-titre explicatif : « Effectuée sur la demande écrite de l'époux de la défunte, I. I. Chibiakine, en complément du dossier médical. » Ah ! l'écriture des toubibs ! Leur apprenait-on exprès à user de ces caractères cunéiformes pour que les non-initiés ne puissent les lire ?

Nombre de mots étaient indéchiffrables, et de ce qu'il parvint à lire, il ne comprit pas la moitié, tant le texte était farci de jargon spécialisé. La maladie de L. P. Chibiakina n'avait rien d'exotique cependant : il s'agissait d'une leucémie. La cause directe de la mort, ainsi qu'il était dit à la troisième page, était une grave insuffisance cardio-pulmonaire sur fond de pneumonie bilatérale, conséquence d'un affaiblissement extrême de l'organisme.

Toutefois, les notes ne s'arrêtaient pas là.

Au stylo à bille de même couleur, juste à la suite de la conclusion finale *(« La mort est survenue à 4 h 30 du matin »),* venait s'ajouter : *« Neuf jours. Liouba, où es-tu ? Quarante jours. Liouba, pourquoi ne viens-tu pas me visiter en rêve ? »*

Fandorine tressaillit et se rapprocha de la fenêtre pour avoir plus de lumière.

L'écriture était différente, même si elle était tout aussi fine et biscornue. Il fallait se pencher sur les lignes pour s'apercevoir qu'il ne s'agissait pas de la suite du rapport médical. Au reste, c'était bien là toujours l'histoire d'une maladie, mais mentale celle-là.

Avec un soupir de compassion, Nicholas lut le flot désespéré de confidences qui suivait. Selon toute apparence, le veuf avait rédigé ses notes en plusieurs fois, à des jours différents, mais sans indiquer de date au début ; il n'en apparaissait que tout à la fin.

« Les salauds s'engraissent, et toi tu n'es plus. Liouba, viens-moi en rêve !! Liouba, j'en peux plus. Liouba, je suis fou, j'ai démoli la télé, il y avait une ordure qui débitait encore ses mensonges. Liouba, Liouba, Liouba, Liouba, Liouba, Liouba, Liouba, Liouba (et ainsi quatre lignes de suite*). Un an aujourd'hui. Toute la journée j'ai marché, j'ai regardé, je t'ai vue trois fois : dans le tram, puis dans une voiture et dans une vitrine. Pourquoi es-tu partie, pourquoi t'es-tu évanouie ? Viens-moi en rêve, je t'en supplie ! 9 juin* (date soulignée deux fois). *Merci, Liouba ! J'ai tout bien compris, je ferai tout. A moi la vengeance, à moi la rétribution ! 13 août* (souligné trois fois). *Je ne suis pas seul !!! »*

Les notes s'arrêtaient là.

Dans l'ensemble, tout était clair. Un an exactement après la mort de sa femme, le pauvre Ivan Ilitch avait enfin vu en rêve sa Liouba infiniment adorée, qui, telle l'ombre du père de Hamlet, avait réclamé vengeance – vengeance pour elle et pour les autres victimes des escroqueries des « salauds » qui « s'engraissaient ». Rien là d'étonnant, c'était justement à une vision de cette sorte que le fou, inconsciemment, se préparait. La principale énigme résidait dans la dernière phrase. Que signifiait ce *« Je ne suis pas seul !!! »* ?

A l'évidence, que le vengeur s'était trouvé un complice partageant les mêmes idées. Ou *des* complices. Qui ? C'était cette fois aux hommes de la police criminelle de tirer la question au clair : ils avaient à présent toutes les cartes en main.

Un espace vide subsistait à la fin de la page de papier gris administratif, réglé à la main, cependant une feuille semblait avoir été ajoutée au rapport médical agrafé d'un simple trombone.

Nicholas y jeta un coup d'œil et découvrit une colonne de mots et de chiffres.

Comme il en entamait la lecture, ses mains se mirent à trembler.

O, vandales ignorants, indifférents aux maux et aux malheurs des autres, cette liste ne serait-elle pas la raison de cette fouille barbare et, semblait-il, infructueuse ?

SOUKHOTSKI

Président de la SA le Serment d'Hippocrate
Verdict rendu le 9 juin
Confié le 11 juin
Exécuté le –

LEVANIAN

Directeur général de la SARL Jouons et Gagnons
Verdict rendu le 25 juin
Confié le 28 juin
Exécuté le –

KOUTSENKO

Directeur de la SA la Fée Mélusine
Verdict rendu le 6 juillet
Confié le 6 juillet
Exécuté le –

ZALTSMAN

Directeur général de la SARL Intermedconsulting
Verdict (ins.) rendu le 14 août
Confié le 15 août
Exécuté le 16 août

CHOUKHOV

Président du directoire de l'agence Klondyke
Verdict (cor.) rendu le 22 août
Confié le 23 août
Exécuté le –

ZIATKOV

*Ex-président du conseil d'administration de la
Honesty Bank*
Verdict (ins.) rendu le 10 septembre
Confié le 13 septembre
Exécuté le 19 septembre

YASTYKOV

Président du directoire de la SA BDA
Verdict (ins.) rendu le 11 octobre
Confié le 13 octobre
Exécuté le –

FANDORINE

Président de la société le Pays des Soviets
Verdict (cor.) rendu le 8 novembre
Confié le –
Exécuté le –

Nicholas, sous le choc, s'ébouriffa les cheveux. C'était là un sacré document !

Allons, allons, du calme. Le Serment d'Hippocrate, on savait ce que c'était. Il s'agissait de cette même société qui avait promis de guérir la malade et qui avait menti. Le verdict rendu contre son directeur, Soukhotski, datait du lendemain du jour où Chibiakine avait fait son rêve fatidique.

La société Jouons et Gagnons était universellement connue : elle zombifiait les téléspectateurs à coups de pubs pour ses machines à sous, faisant miroiter à chacun des gains fabuleux. Une escroquerie manifeste, il y avait même des articles dans la presse à ce sujet.

Nicholas avait également vu le nom de la Fée Mélusine dans nombre de revues sur papier glacé, au détour de reportages ou de publicités. Il s'agissait d'une chaîne de cliniques de chirurgie esthétique qui prétendaient accomplir de véritables miracles : on y rendait aux femmes leur jeunesse, on y transformait les laiderons en pin-up, et les pin-up en beautés éblouissantes, tout cela, il va sans dire, pour des sommes vertigineuses. Naturellement, du point de vue de Chibiakine, le directeur de cette entreprise largement médiatisée ne pouvait être qu'« une canaille et un escroc ».

Zaltsman... le capitaine Volkov en avait parlé : c'était ce businessman victime d'un attentat à la bombe dans sa maison de campagne. Intermedconsulting ? International Medical Consulting... Bon, tout était clair.

Klondike était une agence d'intérim spécialisée dans les emplois à l'étranger ; ses panneaux et ses bannières publicitaires tapissaient les bords de toutes les autoroutes du pays. Un nouveau Panamá ? C'était tout à fait possible. Dans cette sphère d'activité, les affairistes étaient légion.

Ziatkov de la Honesty Bank. Nombre d'épargnants trompés eussent sans doute applaudi les Vengeurs d'avoir éliminé ce personnage, sans les enfants morts dans l'explosion de sa voiture.

BDA, c'était le sigle du Bon Docteur Aïebobo, une chaîne de drugstores ouverts vingt-quatre heures sur vingt-quatre, qui s'était récemment développée, première expérience d'implantation en Russie de ce genre de commerces à l'américaine, à la fois pharmacies et cafétérias. Très pratique et très moderne. En quoi ces boutiques dérangeaient-elles Chibiakine ?

Bon, et bien sûr, il y avait enfin le dernier de la liste, individu dont Nicholas se souciait plus que tout. Il n'était pas difficile de deviner comment il était tombé dans cette cellule de condamnés à mort : il fallait en remercier la luxueuse page de publicité parue dans *Eros*. Quel sort attendait à présent le président du Pays des Soviets, c'était là toute la question.

Cela dit, à la seconde lecture de l'intrigant document, bien d'autres questions surgirent. Pourquoi, à partir du quatrième de la liste, le mot « verdict » était-il suivi de parenthèses contenant soit « ins. », soit « cor. » ? Que signifiaient ces abréviations ? Pourquoi les premiers verdicts – ceux rendus contre Soukhotski, Levanian et Koutsenko – n'avaient-ils toujours pas été appliqués, alors qu'on avait réglé leur sort à Zaltsman et Ziatkov quasi immédiatement ? Autre question capitale : les Vengeurs considéraient-ils que le verdict rendu contre Fandorine avait déjà été confié pour exécution ?

Nicholas colla son front contre la vitre glacée, jeta un coup d'œil distrait en bas et vit s'arrêter au coin de son sourcil une Jigouli dotée d'un gyrophare.

La police ! Enfin !

De la voiture descendit le capitaine Volkov. Il leva la tête en l'air et observa l'immeuble. Mais pourquoi était-il seul, sans experts, sans photographe ? Bizarre.

L'homme tira son téléphone de sa poche et composa un numéro.

C'est vrai ! Il ne connaissait pas le code ! Il allait sûrement appeler ici, à l'appartement.

Fandorine regarda autour de lui à la recherche de l'appareil et découvrit celui-ci traînant par terre, cassé en mille morceaux. Les petits futés étaient même allés inspecter ses entrailles, alors qu'ils avaient négligé de lire les papiers.

Force était de descendre. Au reste, même si le téléphone avait fonctionné, Nicholas ignorait toujours quel était le code d'entrée.

Sans lâcher son précieux feuillet, il sortit sur le palier.

Pendant qu'il attendait l'ascenseur, il réfléchit : la liste recelait certes encore bien des points obscurs, mais l'essentiel était que la police sût à présent qui était le gibier pourchassé. Il n'avait donc plus qu'à espérer qu'elle saurait protéger tous ces gens.

Volkov et lui arrivèrent presque en même temps à la porte d'entrée, à cette seule différence que Nicholas était à l'intérieur de l'immeuble et l'officier de police dehors.

Le bouton commandant la serrure devait se trouver quelque part par là. La lumière ne marchait pas, et Fandorine entreprit d'explorer le mur à tâtons.

Il voulut crier : « Je suis là, un petit instant ! »

Il ne cria pas.

A travers la vitre teintée (vestige, sans doute, du luxe passé), il venait de voir le capitaine consulter un petit carnet et enfoncer d'un doigt assuré les touches du clavier numérique.

Il connaissait le code ? Mais comment ?!

La porte s'ouvrit vers l'intérieur, dissimulant ainsi un Fandorine paralysé. Le capitaine passa devant lui sans remarquer sa présence et escalada d'un pas léger les quelques marches menant à l'ascenseur.

Nicholas se garda bien de se manifester.

Il attendit que l'ascenseur fût parti pour filer comme une flèche hors de l'immeuble.

Il démarra en trombe, si brutalement que le moteur faillit caler.

Ah ! c'était du propre ! Foutu flic, va ! S'il connaissait le code, c'était qu'il connaissait déjà aussi l'adresse. Pourquoi alors avoir joué la comédie ?

La conclusion s'imposait d'elle-même, et des plus déplaisantes. Le sieur Volkov ne serait-il pas en cheville avec les visiteurs nocturnes de l'appartement n° 36 ? N'aurait-il pas partie liée avec les meurtriers de ce fou d'Ivan Ilitch ?

Et s'il n'était pas du tout de la police ? Peut-être était-ce justement lui, l'assassin ? Voilà pourquoi il était venu seul.

Pour exécuter la sentence prononcée contre l'entrepreneur N. A. Fandorine !

Mais la Jigouli à gyrophare ? La carte de visite avec le numéro de téléphone de service ?

Conduire une automobile dans Moscou est une excellente psychothérapie. Aucun tranquillisant ne vous soulage autant du stress nerveux, lequel se voit évincé par une autre tension, moins aiguë, plus ordinaire. On oublie malgré soi toute préoccupation, même la plus anxiogène, quand on doit sans arrêt tourner la tête, et veiller moins au respect du code de la route qu'à la menace permanente représentée par les autres voitures, en concentrant automatiquement son attention sur les objets les plus dangereux, comme les jeeps et les Mercedes, habituées à déboîter brusquement sans prévenir.

Encore une fois, comme chaque jour se produisit un miracle ordinaire, petit triomphe de hasards heureux : Nicholas parvint à rallier le siège de sa société sans accident.

Il déclara à Valia (qui ce jour-là voyait la vie en rose) qu'il n'était là pour personne, s'enferma dans son bureau et étala devant soi la feuille dérobée chez Chibiakine.

Son périple à travers la jungle automobile lui avait été profitable. Il y avait retrouvé la faculté de réfléchir calmement.

Ainsi, pour l'instant, les faits, seulement les faits, sans échafauder d'hypothèses.

Primo. La haine des Vengeurs insaisissables (nom parfaitement idiot, certes, mais qui ferait l'affaire en attendant d'en avoir trouvé un autre) semblait suscitée par deux catégories de chefs d'entreprise : les businessmen de la médecine et les commanditaires de publicités particulièrement agressives et a priori mensongères.

Deuxio. Le 13 août, Chibiakine découvre qu'il n'est « pas seul », et aussitôt les meurtres commencent. A l'évidence, son ou ses complices sont des gens de métier, et qui plus est possèdent un savoir-faire de terroristes professionnels. Cela ne collait pas trop avec la motivation puérile des condamnations à mort. « Canaille et escroc » ? L'expression relevait du jardin d'enfants. Ou de l'hôpital psychiatrique. Quoique l'équivoque capitaine Volkov eût tout à fait raison : dans la Russie d'aujourd'hui, nombreux étaient ceux qui savaient se servir d'une arme ou de substances explosives, parmi lesquels figuraient quantité de cinglés plus ou moins manifestes, victimes des syndromes tchétchène ou afghan.

Enfin, dernier élément, le plus important. Six personnes avaient été tuées. Cinq, victimes de la terreur : Zaltsman, mort dans l'explosion de sa datcha, puis Ziatkov, son chauffeur, et deux enfants. La sixième était un des Vengeurs, balancé du haut d'un toit par on ne savait qui.

Formulons à présent les questions les plus essentielles que suscitent les faits susmentionnés, et essayons de trouver une réponse à chacune.

Des questions essentielles, il s'en révélait exactement trois.

La première était personnelle. Chibiakine avait-il eu le temps d'informer son complice (ou ses complices) du verdict rendu contre le directeur du Pays des Soviets ? Nous ne dissimulerons pas que, parmi les trois, cette question était bien celle qui nous préoccupait le plus.

Deuxième question, d'ordre policier. Qui avait tué Chibiakine, et quel rôle Volkov jouait-il dans cette histoire ?

Troisième question, d'ordre humanitaire. Comment avertir les autres condamnés du danger qui les menaçait, s'il n'était pas possible de s'en remettre à la police ?

Ah, quelle chose merveilleuse et revigorante que l'approche analytique ! Dès lors qu'on le décompose en ses divers éléments constitutifs, n'importe quel casse-tête se révèle beaucoup plus simple et tout à fait soluble, de sorte que la réclame du Pays des Soviets n'était pas mensongère. Vous avez eu tort, messieurs les Vengeurs, d'inclure Nicholas Fandorine dans la liste des « canailles et escrocs » !

Attendez, attendez ! Qu'avait dit, déjà, Chibiakine au moment de s'en aller ? « Le tribunal se retire pour délibérer » !

Cela ne signifiait-il pas que la confirmation de la sentence avait été repoussée ? Or la délibération ne pouvait avoir eu lieu, puisque juste après son départ du bureau n° 13, le « juge » avait éprouvé sur soi la loi de l'accélération des corps soumis à la gravitation terrestre.

Sous l'effet de l'immense soulagement qu'il ressentait, un soulagement comme seuls peuvent l'avoir connu, sans doute, les rares condamnés à mort s'étant vus graciés, Nicholas alla jusqu'à fredonner l'optimiste chanson incluse dans l'album des *Hits de la pop soviétique* : « J'aime la vie, ce qui va de soi, et n'est pas nouveau-eau-eau. » Et aussitôt il se rappela l'histoire de Dostoïevski : ce jour où l'écrivain avait vu sa condamnation à mort commuée en une peine de travaux forcés, et où, dans son cachot humide de la forteresse Pierre-et-Paul, il chantait de bonheur à pleins poumons.

Il lui était maintenant plus facile de réfléchir également aux difficiles questions que soulevait l'enquête. Inutile, bien sûr, d'espérer obtenir une réponse certaine, néanmoins il était possible de formuler des hypothèses plus ou moins vraisemblables. Celle-ci par exemple. Quelqu'un parmi les destinataires des lettres de condamnation (Ziatkov, Zaltsman et Nicholas étaient exclus, il s'agissait donc de l'un des cinq autres), au rebours de ce que pensait le capitaine Volkov, avait pris ce document au sérieux et adopté des mesures de précaution. Ce « quelqu'un » était non seulement « une canaille et un escroc », mais aussi un proche du milieu criminel, habitué à se défendre. Il avait mené sa propre enquête, était remonté jusqu'à Chibiakine et avait réglé ses comptes avec lui à sa manière. Il était très vraisemblable que le capitaine Volkov, membre du groupe opérationnel chargé du dossier des Vengeurs insaisissables, l'eût aidé dans ses recherches. Par les temps qui couraient, il n'y avait hélas rien d'exotique à voir un policier collaborer avec des bandits. Mais la peste soit d'eux tous. Ils n'avaient qu'à débrouiller leurs petites affaires tout seuls.

Restait la dernière question, d'ordre humanitaire celle-là. Il fallait avertir les cinq condamnés restants du danger qui les menaçait. Si son hypothèse déductive était juste, l'un d'eux était déjà au courant. Oui, mais les autres ?

Maintenant que les questions étaient formulées, et que chacune avait trouvé une réponse, on pouvait agir.

En premier lieu, Nicholas téléphona à l'officier de police Volkov. Il s'excusa sèchement de n'avoir pu l'attendre : il avait été appelé par une affaire urgente. Volkov se montra beaucoup plus respectueux que la veille. Apparemment, la rapidité avec laquelle le directeur du Pays des Soviets avait réussi à établir l'identité de la victime avait produit sur le capitaine une forte impression. Il ne s'aventura pas à le tutoyer, ne posa aucune question superflue et le remercia même de l'aide qu'il apportait à l'enquête – l'hypocrite ! Ce n'était pas un « killer », bien entendu, mais il n'avait pas les mains propres. C'était à cause d'individus comme lui qu'on traitait les policiers de « pourris », déjà au temps de la PoUR, la Police Urbaine de la Région de Moscou.

Ensuite Fandorine appela Valia et lui demanda de rechercher les adresses des sociétés le Serment d'Hippocrate, Jouons et Gagnons, la Fée Mélusine et le Bon Docteur Aïebobo. L'efficace Valentina n'eut besoin que de dix minutes pour s'acquitter de cette tâche, laps de temps durant lequel elle réussit également à obtenir les numéros de téléphone et de fax des différentes directions.

— Il y a juste un blème avec le Serment d'Hippocrate, apprit-elle à Nika tout en rehaussant le ruban de cuir qui lui ceignait le front (Valia ce jour-là était en costume de squaw : deux petites tresses, veste brodée de perles, culotte-guêtre en daim à franges, mocassins de fabrication artisanale). La boutique a fermé. Leur boss a fait le saut par-dessus la grande eau.

— Il a été tué ? ! s'exclama Fandorine, sachant qu'en argot « faire le saut » signifiait « mourir ».

— Mais non, il s'est barré pour de bon. Il a jeté tout le monde et appuyé sur *escape*. Pas plus tard que cet été. Il est maintenant soit en Amérique, soit aux Bahamas.

197

Aux quatre autres, Fandorine écrivit une lettre de la teneur suivante :

« Cher Monsieur,

Le (date du tant) vous avez reçu un étrange document dans lequel des inconnus vous annonçaient votre condamnation à mort. Très certainement, vous avez pris la chose pour une énième plaisanterie stupide. Cependant, j'ose vous l'assurer, ces gens ne plaisantent pas. Deux chefs d'entreprise auxquels une lettre analogue avait été envoyée ont déjà été assassinés. Pour en avoir la confirmation, il vous suffit de contacter le 16ᵉ bureau de la Police judiciaire de Moscou. Quoi qu'il en soit, je vous conseille vivement de prendre les plus sérieuses mesures de sécurité.

Je vous prie de m'excuser de ne pas signer ce message. »

Il n'eût servi rigoureusement à rien que ces messieurs se précipitent au Pays des Soviets pour réclamer des explications. Le défunt Chibiakine avait tout de même quelques bonnes raisons de les qualifier de « canailles et escrocs ». Il n'aurait plus manqué qu'ils se mettent en tête que Nicholas Fandorine pratiquait l'extorsion de fonds. Qui plus est, n'oublions pas que l'un d'eux semblait considérer avec la plus grande désinvolture le caractère intangible de la vie et de la demeure des autres.

Nicholas chargea Valia d'expédier les lettres par fax, en prenant bien soin auparavant de supprimer les données enregistrées dans l'appareil, à savoir le numéro de l'expéditeur ainsi que le logo du Pays des Soviets.

— Chef, dit l'assistante quand elle eut effectué la tâche – la seule de toute la journée –, pourquoi avez-vous les yeux aussi *dizzy* ? On dirait que vous êtes au nirvana. Moi aussi, ça me plairait bien d'y aller. Vous devriez inviter votre *office-lady* à se détendre quelque part. Non, *wirklich* ! Je connais un super resto-club, le Cholestérol. La *total fusion*, ça vous plairait. Et pour *l'after-party*, on pourrait essayer le Piège à Rats. Après tout, vous êtes un homme libre, votre MeuMeu est à Leninbourg.

— Je te défends d'appeler ma femme MeuMeu, riposta Fandorine pour la énième fois.

« MeuMeu » était une abréviation pour « Mme Mamaïeva ». Quant à ce que pouvait être une *total fusion*, il n'en avait pas la moindre idée.

Mais à présent qu'il savait sa condamnation levée, il se sentait d'humeur beaucoup plus légère, un peu teintée d'hystérie. Se détendre, après tout, pourquoi pas ? De toute manière il ne parviendrait jamais aujourd'hui à se concentrer sur la suite des aventures du premier secrétaire de l'impératrice.

Nicholas et Valia convinrent donc de se retrouver à onze heures, après que les mouflets, une fois avalé leur conte vespéral, seraient endormis, puis tous deux passèrent chacun un coup de téléphone : Valia au Cholestérol pour réserver une table, Nika à la baby-sitter, Lidia Petrovna, pour qu'elle vienne passer la nuit à la maison.

Sur quoi, Valia, aux anges, rentra chez elle pour se faire une beauté, tandis que Fandorine s'attardait un moment, arpentant son bureau de long en large en s'efforçant de se convaincre que tout était arrangé à présent, que le chaos n'avait fait qu'effleurer son visage de son souffle de feu, sans le réduire en cendres, sans même le brûler. Le danger était passé et la vie reprenait son cours normal.

Il se pouvait bien sûr qu'il n'en fût pas tout à fait ainsi, mais quel autre choix avait-il ? Fais ce que dois, et advienne que pourra.

On ne saurait passer chaque seconde de sa vie à trembler à l'idée des catastrophes qui peuvent survenir : une brique qui tombe, le conducteur d'une voiture venant en sens inverse qui s'endort au volant, ou bien une serviette piégée qui explose au milieu du café où l'on est entré boire un expresso. Le malheur frappe forcément un jour ou l'autre, impossible d'y échapper. S'il ne s'agit pas d'une serviette piégée, ce sera une tumeur ou bien un cyclone (on ne sait trop ce qui est le pire), mais de deux choses l'une : ou bien vous vous résignez à trembler ou bien vous décidez de vivre. De suivre votre chemin en espérant qu'il vous mènera le plus tard possible à la gueule béante du Malheur.

Je vais espérer, résolut Nika. Espérer très, très fort que le verdict n'a pas été confirmé, ni transmis par conséquent à un exécuteur.

Et aussi que les autres condamnés prendront l'avertissement au sérieux.

Avant de partir, par habitude, il s'approcha de la fenêtre et contempla la ville, sur laquelle la nuit était tombée. Les lumières, les toits luisants de pluie, l'œil myope de la lune brillant derrière la brume.

Quand le monde est si calme et sage, il semble qu'il n'y ait rien à redouter. La mort, la belle affaire ! Si la chance est avec vous, elle sera rapide et guère effrayante. Quel est le happy end dans les contes qui parlent d'amour ? Ils vécurent longtemps heureux et moururent le même jour. Ainsi, philosophait Nicholas, peut-être pareille mort est-elle bien le vrai bonheur ultime ? Main dans la main, nous marcherons à travers ciel vers la source sereine de ce halo pour que le brouillard du soir, de même manière qu'aujourd'hui, se lève, et que les vastes espaces baignés de la lueur paisible de la lune s'étendent devant nous sans qu'une nouvelle séparation vienne y jeter son ombre.

Chapitre huitième

LES CRIMES DE L'AMOUR, OU LA FOLIE DES PASSIONS

Mais le ciel était noir et impitoyable ; la lune, quant à elle, venait de se dissimuler derrière un mol amas de nuées, comme dans le vœu de ne pas faire miroiter au proscrit un faux espoir de salut, et il n'était nul endroit où se protéger de l'aveugle fureur des éléments.

Ne restait plus à Mithridate, transi de froid, qu'à recourir au tout dernier remède dont disposait la raison animée de courage : la philosophie. Combien rapide avait été sa chute depuis les sommets éthérés, depuis le piédestal où se dressait le trône, jusqu'au fond de cet abîme noyé de froidure et d'obscurité, pensa-t-il avec étonnement. Et cependant, pourquoi s'étonner ? La science physique le sait bien : un corps s'élève beaucoup lentement et difficilement qu'il ne retombe. Il n'est rien de plus naturel que la chute, laquelle n'est autre qu'un désir ardent de se presser contre le sein de la Terre-mère. Et la mort promise à chacun n'est autre qu'une chute elle aussi. Mais une chute qui, du point de vue de la religion, se transforme aussitôt en envol.

Oh, mon Dieu ! Quel froid !

Plusieurs feux étaient allumés sur la place, autour desquels se massaient laquais et cochers dans l'attente de leurs maîtres. Mitia voulut se précipiter vers la plus proche source de chaleur mais, entendant les rires grossiers de cette valetaille, il se figea. Plus un homme a le cœur rustre, plus basse et humiliante est sa condition, et plus il se montre dur et impitoyable envers son prochain. On allait le chasser, le chasser encore une fois ! Encore une épreuve de cette sorte, et il risquait de perdre à jamais tout amour et respect pour le genre humain, alors à quoi bon vivre ? Mieux valait encore mourir de froid sous le vent et la neige !

D'autant plus qu'il n'était nullement nécessaire d'en venir à cette extrémité.

Revigorée par la philosophie, sa raison était sortie de sa torpeur et manifestait enfin sa prodigieuse puissance.

Combien d'équipages stationnaient sur la place ! Il n'avait qu'à se glisser dans l'un d'eux assez discrètement pour n'être pas remarqué des serviteurs, et y attendre le départ des invités. Ensuite, il lui faudrait s'en remettre à sa chance. Mais quel que fût le propriétaire de la voiture, il serait plus simple de s'expliquer avec lui, noble aristocrate, qu'avec la plèbe. Il lui suffirait de dire en français : « Je vous en supplie, écoutez-moi ! », et il serait déjà clair que ce mioche vêtu de guenilles n'était pas un simple tire-sou.

Mitia plongea dans l'allée qui s'ouvrait entre deux longues files de traîneaux, et entreprit de se choisir un refuge. Les chevaux se tenaient sages, indifférents au léger cliquetis des harnais, le museau plongé dans la musette de picotin, l'avoine craquant sous leurs dents. Ils se moquaient bien de l'hiver. Et Mitia pensa tout à coup : combien l'homme, par sa nature physique, paraît petit et imparfait face à ces bêtes que nous menons à la baguette et que nous méprisons !

Enfin il trouva un élégant carrosse à sept vitres, à la portière ornée d'une couronne grand-ducale. Peut-être appartenait-il à quelque intime de la souveraine ? Il serait alors tout à fait possible qu'il eût déjà vu Mithridate.

Déjà il grimpait sur le marchepied, la main tendue vers la portière, quand soudain il vit qu'un nuage de fumée blanche s'échappait de la cheminée d'une grande dormeuse rangée non loin de là. Une voiture d'hiver, avec un appareil de chauffage ! Voilà où il fallait aller se blottir.

S'avançant légèrement, dissimulé par la croupe d'un cheval, il observa le feu de camp allumé à moins d'une dizaine de pas. Aucun danger : si là-bas la lumière était vive, l'endroit où il se tenait, en revanche, était plongé dans les ténèbres, et personne ne le remarquerait.

Il courut à la dormeuse. Se hissa à hauteur de fenêtre et jeta prudemment un coup d'œil à l'intérieur, pour vérifier si le cocher n'avait pas trouvé là un abri contre le froid.

La voiture était vide. Sans doute les domestiques n'avaient-ils pas permission de monter dedans, ou bien peut-être préféraient-ils passer le temps en joyeuse compagnie devant une bonne flambée.

Une seconde encore, et Mitia était à l'intérieur, enveloppé d'une chaleur délicieuse. Tout était noir et silencieux, les braises crépitaient doucement dans le poêle, les vitres étaient embuées jusqu'à mi-hauteur. O comme il était besoin de peu de choses pour que l'existence tourne du malheur à la félicité ! Il suffisait de presser son corps transi contre la paroi de fonte brûlante, et rien de plus, absolument rien de plus.

Mitia passa les deux bras autour du poêle, replia ses jambes sous lui, sans quitter ses laptis détrempés, se couvrit la tête d'une couverture de fourrure qui traînait là, sur la banquette, et ne pensa plus à rien, se contentant de jouir de la sensation de sec et de chaud qui l'envahissait.

Il fut réveillé par une voix sonore qui lança :

— Allons, vite ! Fouette, cocher !

Au premier instant, il ne comprit pas pourquoi le monde vacillait. Puis il entendit le crissement des patins sur le pavé poudré de neige et il se souvint : la dormeuse.

Il souleva d'une main tremblante le bord de la couverture. Quelqu'un était assis sur la banquette avant. Dans l'obscurité, il ne parvenait pas à distinguer qui était cette personne, mais il entendait sa respiration, rapide et oppressée.

Le cocher à ce moment se redressa, et sur le fond gris de la lucarne avant se dessina une capeline ornée de rubans. Une femme, donc. Tant mieux, car le beau sexe était plus charitable que les hommes et moins enclin à la violence spontanée, moins enclin par exemple à jeter dehors un visiteur importun sans autre discussion.

Tout de même, il avait dormi d'un vrai sommeil de plomb ! Il n'avait entendu ni le cocher mener la voiture jusqu'au perron, ni sa propriétaire y prendre place.

Celle-ci sursauta soudain, frappa de sa bague contre la vitre du cocher et lança d'une voix forte :

— Pas au quai de la Mer ! Nous ne pouvons rentrer chez nous !

Une voix jeune.

Visiblement, le cocher n'avait pas entendu, car la dame tira sur le loquet, entrouvrit la lucarne et répéta à travers le sifflement du vent :

— Pas à la maison ! Prenez la route de Moscou !

Elle referma la fenêtre et murmura :

— Seigneur, mon sort est entre Tes mains, sauve-moi, protège-moi...

A l'évidence, il lui était arrivé un malheur. Il fallait l'entendre soupirer, et même sangloter. Etait-ce bon ou mauvais ? Plutôt mauvais. Quand on est en proie à la douleur, on ne se sent guère concerné par les malheurs des autres.

Dommage qu'il fût impossible de voir quel visage elle avait – avenant ou revêche.

Mitia était torturé par le doute : devait-il se découvrir maintenant ou bien attendre que la dame se fût un peu apaisée ? L'ennui était qu'elle n'en prenait guère le chemin, ainsi qu'en témoignaient son agitation et ses marmonnements angoissés.

Tout à coup, elle se leva d'un bond, s'agenouilla sur le siège arrière, à deux doigts de Mitia, et d'un geste brusque tira la couverture qui le dissimulait.

Il s'apprêtait déjà à s'exclamer « Ayez pitié, madame ! » en français, mais à l'évidence elle ne l'avait pas vu.

Elle tira le loquet de la lucarne arrière, ouvrit la vitre et entreprit de glisser la pièce de fourrure par l'ouverture.

— La route va être longue. Tenez, prenez ça, couvrez-vous.

Deux voix lui répondirent, deux voix d'homme :

— Merci beaucoup, madame.

— Un peu de vodka ne ferait pas de mal non plus pour se réchauffer.

— Vous en aurez à la première halte, promit la dame.

Mitia ne perdit pas de temps. Pendant que l'autre s'escrimait à couvrir de sa voix les hurlements de la tempête, il se laissa glisser sans bruit sur le plancher et se tapit sous la banquette. Chacun le sait bien : quand on ne sait quelle décision adopter, mieux vaut encore attendre.

La fenêtre se referma en claquant, les ressorts, au-dessus de la tête de Mitia, se mirent à grincer : la femme avait décidé de s'installer sur le siège arrière. Et avec raison. Quand la route est longue, c'est la meilleure place, autrement on est sûr d'attraper la nausée.

Il entendit battre le briquet, puis il y eut un tintement de verre, et des ombres se prirent à danser sur le sol. La femme venait d'allumer la lanterne pendue au plafond.

Deux pieds chaussés d'escarpins blancs vinrent se camper juste devant son nez. Le soulier de gauche prit appui sur son confrère et fit choir celui-ci par terre, libérant un pied gainé d'un bas de soie, pied qui aussitôt fit subir le même sort à son libérateur, en sorte que les deux chaussures restèrent là toutes seules, abandonnées, tandis que leur propriétaire se juchait sur la banquette.

L'un des escarpins avait atterri dans le refuge poussiéreux et ô combien inconfortable de Mitia, et gisait maintenant juste sous ses yeux, son talon doré luisant dans la pénombre, hôte d'un autre monde où régnaient l'élégance et la beauté.

Les cahots enfin cessèrent, le traîneau à présent glissait d'un mouvement égal, telle une barque sur l'onde. C'est que nous avons quitté le pavé, devina Mitia. Bientôt nous aurons franchi les frontières de la ville.

Où allait-on ? Elle avait dit : « Pas à la maison, prenez la route de Moscou. » Avait-elle là-bas une maison de campagne, ou bien un domaine ?

D'en haut parvinrent à Mitia des reniflements coupés de brefs soupirs convulsifs. Elle pleurait.

De temps à autre, la dame se répandait en lamentations, mais à voix si basse que seuls quelques mots étaient audibles. « Je n'ai personne, absolument personne à qui... Seigneur, pourquoi tout cela ?... Jamais, jamais... » et autres bribes de phrases semblables au sens très incertain.

Après avoir versé toutes les larmes de son corps, elle se moucha, puis murmura :

— On se gèle comme ça.

C'était la pure vérité. Sans la couverture de fourrure ni la proximité du poêle, Mitia lui aussi commençait à se sentir transi.

Les pieds gainés de soie se posèrent à nouveau sur le plancher, des petits pieds aux chevilles fines. Le gauche plongea aussitôt dans son escarpin, tandis que le droit tâtonnait le sol sans trouver le sien. Une main potelée apparut alors, qui entreprit d'explorer le dessous du siège. Une bague brillait à son petit doigt.

Mitia avait déjà vécu cette scène, l'image lui revenait soudain. De la même manière exactement, il se tenait collé contre une paroi poussiéreuse, et une main progressait vers lui, mais cette fois-là il avait éprouvé une peur terrible alors qu'à présent, non, il ne ressentait presque rien. Et lui revint alors à l'esprit une réflexion d'un philosophe, que l'on peut bien noter pour le plus grand profit de la postérité : le sage ne s'effraie jamais deux fois de la même chose.

Il poussa le soulier baladeur en direction de la main, mais mal lui en prit, car au même moment celle-ci s'enhardit et s'enfonça résolument puis loin sous la banquette. Et heurta les doigts de Mitia.

La suite était obligée : cris, hurlements.

Il devait se hâter avant qu'elle n'appelle ses gens à la rescousse.

Il s'extirpa en gémissant de sa cachette, se redressa à quatre pattes. Sa phrase était déjà prête, tout à fait raisonnable et courtoise : « Madame, ne tremblez pas, voyez comme je suis petit. C'est moi qui tremble devant vous, et n'espère qu'en votre miséricorde. »

Seulement les mots restèrent coincés dans sa gorge. Sur le siège, les jambes repliées sous elle, les bras serrés sur sa poitrine, ses yeux déjà immenses tout écarquillés, se tenait Pavlina Anikitichna Khavronskaïa, cette même personne qui, si l'on reconstitue l'enchaînement logique des événements, était à la source de toutes les mésaventures de Mitia.

De près, elle se révélait encore plus belle, même s'il semblait pourtant que ce fût impossible. Mais placé ainsi, tout près, on pouvait distinguer une veine bleue sur son cou, le duvet de pêche qui couvrait ses joues, et un délicieux grain de beauté juste au-dessus de sa lèvre rose.

Ne voyant devant elle qu'un minuscule garçonnet, la comtesse cessa sur-le-champ de crier.

— C'est toi qui étais là-dessous ? demanda-t-elle d'une voix encore effrayée. Ou bien y a-t-il quelqu'un d'autre ?

Encore sous le coup de la surprise, Mithridate tardait à recouvrer l'usage de la parole, aussi se contenta-t-il de secouer négativement la tête.

— Mais tu es un tout jeune enfant, dit la belle Pavlina Anikitichna, définitivement rassurée. Comment es-tu arrivé ici ?

Il ne paraissait pas possible de répondre à cette question brièvement, et Mitia hésita : par quoi convenait-il de commencer ?

— Quel tout petit bonhomme ! Tu sais parler tout de même ?

Il opina du chef en pensant : sans doute vaudrait-il mieux d'abord expliquer le costume de lutin des bois.

— Cher bambin, cher poussin, tu en as de beaux yeux bleus. Allons, n'aie pas peur, la dame, tu verras, est très gentille, elle ne te fera pas de mal. Quel âge as-tu, le sais-tu au moins ? Et ton nom, quel est-il ? Allons, cela, nous devons bien le savoir. Nous sommes un si grand garçon. Un grand, tout grand ! Tu as froid ? Viens ici, viens.

Cette femme semblait en vérité la gentillesse et la charité mêmes. Elle lui caressa la tête, le prit dans ses bras et lui baisa le front.

Se trouvant ainsi serré contre son sein chaud et ferme, il pensa soudain : et dire que si je lui avais parlé en adulte, elle ne me cajolerait point de la sorte à présent.

Et Mitia eut alors une illumination.

D'où venaient toutes ses mésaventures, d'où venaient ses malheurs ? De ce qu'il était raisonnable et savant bien plus qu'on ne devait l'être à son âge, de ce qu'il avait entrepris de s'entendre avec les adultes selon leurs règles d'adultes. S'il n'avait pas joué au malin, il vivrait encore à présent dans la maison de son père et ne connaîtrait pas le chagrin. Quelle conclusion tirer de tout cela ? Eh bien, messeigneurs, qu'il est plus simple d'être un enfant déraisonnable, plus simple, plus profitable et beaucoup moins dangereux.

Aussi, quand la comtesse réitéra sa question :

— Eh bien, comment nous appelons-nous ? Ça te revient ?

Il répondit, en zozotant exprès comme un bébé :

— Mitioussa.

Il en fut aussitôt récompensé par de nouveaux baisers.

— Bravo, tu vois : tu es un vrai savant ! Et maintenant combien d'années avons-nous, mon poussin ?

Il décida d'en retrancher une, pour plus de sûreté, et montra sa main ouverte, doigts écartés.

— Cinq ans ? ! s'exclama la belle dame. Ouh, que nous sommes grand ! Et nous en savons déjà des choses ! Et ton papa et ta maman, où sont-ils ?

Cette question-là était plus difficile. Mitia plissa le front, réfléchissant à la meilleure manière de répondre.

Pavlina Anikitichna soupira avec compassion.

— Oh, voyez-moi ça, on fronce ses sourcils. Pauvre, pauvre petit orphelin. Alors avec qui vis-tu ? Avec ta grand-maman ?

Mitia hocha la tête.

— Et où est-elle donc, ta grand-maman ?

Puis-je lui dire : « Au palais d'Hiver » ? se demanda Mitia, pétri de doute.

Non, ce serait bête. Premièrement, on ne le croirait pas. Et deuxièmement, à l'heure présente, plus il serait loin du palais, et sans doute mieux il se porterait.

Mme Khavronskaïa était une femme de cœur, jamais elle n'abandonnerait un enfant dans le froid. Le mieux était de rester auprès d'elle, ne fût-ce que quelques heures encore, le temps de rassembler ses idées.

Encore une fois, elle interpréta son silence à sa façon.

— Oh ! elle est morte, n'est-ce pas ? Mon pauvre poussin en sucre.

Et Mitia sentit une grosse larme s'écraser sur le sommet de son crâne, là où ses cheveux étaient blancs. Par bonheur, la comtesse, dans la pénombre, ne remarqua pas ce détail, autrement elle eût éclaté en sanglots, le cœur brisé de compassion.

— As-tu encore quelqu'un, Mitioucha ? demanda Pavlina Anikitichna, la mine tout affligée.

Il secoua la tête.

— Moi non plus, je n'ai personne, dit-elle tristement. Ce n'est rien. Au début, c'est difficile, mais ensuite on s'habitue. Mais ne t'en fais plus, je t'emmène avec moi.

— Où ça ?

— A Moscou. Tu es d'accord ?

C'était impossible ! Une pareille chance, ça n'existait pas, c'était incroyable ! Moscou ! Et de là, à la maison, retrouver papa et maman ! En vérité, c'était le doigt du destin ; enfin lassée des persécutions dont le petit Mithridate était la victime, la providence avait décidé de lui accorder toute sa grâce.

— Tu ne sais pas ce qu'est Moscou ? C'est une grande, grande ville, encore plus grande que Saint-Pétersbourg. Et beaucoup mieux. Les gens y sont plus simples, plus généreux. Il y a là-bas beaucoup de neige, tout le monde fait de la luge, on y dévale des pentes de glace. Tu veux bien venir avec moi à Moscou ?

— Ze veux bien.

— « Ze veux bien », répéta la belle dame d'une petite voix fluette, avec un tendre sourire. Voilà qui est parfait.

J'ai un oncle qui vit là-bas. Et voyager ensemble sera beaucoup plus gai.

A ce moment, elle poussa un soupir qui semblait contredire son propos.

— Vois-tu, Mitioucha, je me suis préparée en toute hâte pour partir. On peut même dire que je ne me suis pas préparée du tout. J'ai encore sur moi ce que j'avais au bal.

Il vit qu'il en était bien ainsi. La pelisse de zibeline s'ouvrait sur la robe blanche que la comtesse portait pour la mascarade, tandis que la capeline laissait échapper une longue chevelure de sirène, où subsistaient encore quelques nymphéas.

— Pourquoi en toute hâte ? s'enquit Mithridate avec prudence. T'as pas pris de bottes, pas pris de zouets ?

— Des « jouets » ! fit-elle avec un léger rire chargé de tristesse. Ici ce qui compte, mon poussin, c'est de ne pas devenir un jouet soi-même.

Sur quoi elle ajouta, ne s'adressant plus à Mitia, mais à elle-même :

— Ce n'est rien, Platon Alexandrovitch, je vous en prie. Entrez donc, mon très cher hôte. L'oiseau s'est envolé. Et vos espions ignorent dans quelle direction.

Bien, bien. De cette réplique, on pouvait conclure que Sa Très Haute Excellence, même privé de Mitia, avait trouvé le moyen d'informer l'objet de sa passion de son projet de venir le visiter la nuit même en dépit de tous les murs et serrures qui pourraient faire obstacle. Madame Khavronskäia avait alors résolu de s'enfuir dès le sortir du bal, elle n'était pas même repassée par chez elle, où le favori devait sûrement avoir acheté des complicités.

— N'en parlons plus. (Pavlina Anikitichna fit asseoir Mitia à côté d'elle et passa un bras sur son épaule.) Nous allons rouler, rouler, comme la galette du conte. A travers les champs, à travers les bois. Personne ne nous rattrapera. Tu connais le conte *Roule-Galette* ? Non ? Eh bien, écoute.

Eh quoi ! D'une telle déesse, on pouvait bien subir même *Roule-Galette*.

On voyagea sans relâche durant la moitié de la nuit, jusqu'à Liouban, le temps pour Mitia d'entendre le conte *Roule-Galette*, mais aussi celui du Loup gris et celui de Bova fils de roi. La voix douce et posée de la conteuse était parfaite pour méditer. Sur les revers de la fortune, par exemple, et le fait que les femmes étaient meilleures que les hommes.

Mitia avait posé la tête sur les doux genoux de la comtesse, laquelle, en parlant, lui caressait les cheveux de ses longs doigts de soie. Il lui vint avec une joie mauvaise autant que délicieuse que le prince Zourov eût bien aimé, sans doute, lui aussi se prélasser de la sorte, qu'il eût même donné n'importe quoi pour cela, mais qu'il en était pour ses frais, tout puissant favori fût-il.

Au relais de poste, ce fut le laquais Levonti qui porta dans la chambre de maître un Mitia hébété de sommeil. Puis Levonti, l'autre laquais, Thomas, et le cocher Toouko s'en furent se réchauffer de quelques verres de vodka, tandis que Mitia aidait la comtesse à se déshabiller (elle n'avait pas de femme de chambre). Elle le dévêtit à son tour et, étroitement enlacés, ils dormirent jusqu'à l'aube sur le lit grinçant. En dépit de l'inconfort de la couche et de l'épouvantable journée qu'il venait de vivre, Mithridate fit un rêve très plaisant, où il était question de l'âge d'or. La science avait acquis l'art de créer de véritables homoncules parfaitement constitués et rendu ainsi inutile la moitié de l'humanité. Tous les hommes avaient disparu, et l'on ne voyait plus déambuler dans de grands prés verts que des femmes au front ceint de couronnes et des jeunes filles en simple tunique blanche. Il n'y avait plus ni guerres, ni brigandages, ni bagarres. Daims et girafes venaient chercher des caresses auprès des femmes, car personne ne chassait plus les bêtes sauvages, et les yeux des vaches n'étaient plus emplis de tristesse, car personne ne les égorgeait plus dans les abattoirs. On sait bien que les femmes ne sont pas grandes amatrices de viande, elles préfèrent les légumes, les salades et les fruits.

Au matin, Pavlina fit asseoir Mitia sur un petit seau de métal, tandis qu'elle même s'installait à côté de lui, sur un seau plus grand. La figure écarlate, Mithridate se détourna, et si grande était sa confusion qu'il fut incapable de répondre à l'appel de la nature. La comtesse, quant à elle, ne se priva pas de faire son affaire, fort bruyamment, en même temps qu'elle démêlait les nymphéas encore pris dans sa chevelure, et s'examinait dans la glace tout en commentant :

— Ce n'est rien, tout va bien se passer, la nuit porte conseil. Diable la nuit, bon Dieu le jour. Oh ! que je suis pâle, une vraie tête de cadavre. C'est affreux !

Or loin d'être pâle, elle était plus fraîche que fraîche. Simplement la lumière qui entrait par la fenêtre était encore celle du petit matin gris.

Pavlina était d'incomparablement meilleure humeur que la veille. En habillant Mitia, elle chantonnait en français, lui chatouillait les côtes et riait aux éclats. Mais ensuite, alors qu'il lui peignait les cheveux et l'aidait à les coiffer en un somptueux chignon, la comtesse cessa tout à coup de chanter, et il vit dans le miroir que ses yeux étaient humides et qu'elle battait des paupières un peu trop vivement. Que s'était-il passé ? Venait-elle de se rappeler Zourov ?

Non, ce n'était pas cela. Mme Khavronskaïa se retourna brusquement, prit Mitia dans ses bras et le serra contre sa poitrine. Puis s'exclama dans un sanglot :

— Cinq ans ! Je pourrais avoir un fils comme toi...

Et allez, que je te sanglote et que je te renifle à nouveau ! Quelles surprenantes créatures, tout de même, que les femmes !

Avant de reprendre la route, ils se rendirent à une boutique pour voyageurs afin de s'équiper. Pavlina n'acheta pour elle qu'une demi-douzaine de chemises ainsi qu'un flacon d'eau de Cologne, mais elle couvrit Mitia comme il convenait, de manière qu'il ne souffrît pas du froid : il eut ainsi droit à une touloupe, des bottes de feutre, et des moufles en peau de chien, et se trouva coiffé d'un foulard de fille, en laine angora. Mitia protesta comme il put dans son pauvre langage de marmot, car il eût de loin préféré un bonnet en peau de mouton, mais la comtesse se montra inflexible. Elle lui dit : « Ce bonnet est infesté d'un million de puces. Prends patience, mon petit trésor. A Moscou, je t'habillerai comme une poupée. »

Elle équipa également ses gens. Outre des vêtements chauds, elle leur acheta des armes pour se défendre des bandits : un sabre à Levonti et à Thomas, et un fusil à Toouko, le cocher finnois. Elle fit aussi l'acquisition d'un pistolet de voyage anglais, de petit modèle, à la crosse ornée d'incrustations, qui lui plaisait beaucoup.

— Eh bien, voilà, dit-elle. Mitioucha, tu vois quels grands guerriers nous sommes, toi et moi ? A présent nous n'avons plus peur de personne.

Bien reposés, les six chevaux s'élancèrent d'un même trot sur la route qui, durant la nuit, s'était couverte d'une couche de glace, et la dormeuse fila vers le sud-est, soufflant des flocons de fumée par sa cheminée.

On déjeuna dans la voiture, de pirojki et de lait qu'on mit à chauffer sur le poêle. Mitia, cependant, restait tourmenté par les larmes que sa belle protectrice avait versées le matin. Il se rappelait les mots de l'impératrice à son adresse : « cinq années de veuvage ». Qu'était-il arrivé à son époux, et qui était-il ?

— Passia ? lui demanda Mithridate d'un ton prudent (c'était elle qui lui avait intimé de l'appeler ainsi ; simplement « Pacha », ce qui, avec le zézaiement enfantin, donnait « Passia »). Mais où est ton monsieur à toi ?

Manière de dire : où se trouve ton mari ? Mais elle le comprit autrement.

— Tu veux parler de mon oncle ? Il est à Moscou, il en est le gouverneur. Un gouverneur, c'est un homme très, très important, que tout le monde, tout le monde, doit écouter.

Bon, essayons alors de front.

— Passia, tu as un mari ?

Il s'effrayait déjà d'avoir posé cette question. N'était-ce pas trop pour un mioche de cinq ans ?

Mais non, elle se contenta de rire.

— Oh ! mais quel galant ! Tu voudrais te marier avec moi ? Attends d'avoir grandi, et nous nous marierons. (Elle s'assombrit.) Moi aussi, vois-tu, je me sens le cœur fondre en songeant à ce temps-là.

Puis elle se tut, et demeura ainsi longtemps silencieuse, le regard perdu par la fenêtre, sur les champs blanchis de neige et semés d'arbres noirs. Mitia décida de ne pas insister davantage, pour ne pas l'importuner, et eut même le loisir de réfléchir à un autre sujet. Et si durant l'hiver on inondait la grand-route reliant Moscou à Saint-Pétersbourg ? Peut-être pas toute la route, d'ailleurs, mais juste les bords. Ainsi n'importe qui pourrait à son gré se déplacer avec des patins à une vitesse formidable, moyen simple et économique de voyager. Les fardeaux continueraient d'être transportés comme à l'ordinaire, en recourant aux chevaux. Ou bien mieux : on pourrait tapisser la voie d'une feuille de métal parfaitement lisse, de fer ou de cuivre ; il serait alors permis de filer à toute allure, en n'importe quelle saison, sans craindre les cahots. Mais si au lieu d'une feuille de métal, qui reviendrait à des sommes terriblement élevées, on se contentait de...

Mais il n'eut pas l'occasion de mener à son terme cette intéressante réflexion, car Pavlina soudain reprit la parole. Il était alors bien après midi, et on venait de passer Tchoudovo.

— Tiens, Mitioucha, je t'ai dit plusieurs contes hier. Tu t'en souviens ?

Il hocha la tête.

— Veux que je t'en raconte un autre ?

Les règles de la courtoisie réclamaient qu'il répondît par l'affirmative.

— Ze veux bien.

— Alors écoute. Il était une fois une princesse, nommée Maria... Enfin, elle n'était pas vraiment princesse, elle était fille de boyard [c'était d'elle qu'elle parlait, devina Mitia, et il prêta l'oreille avec attention]. Elle vivait seule avec son père, sa mère étant morte quand elle était tout enfant. Au reste elle ne voyait guère souvent non plus son père, qui était toujours au loin à guerroyer. Il naviguait sur les mers et combattait Tchouda-Youda le Poisson-Baleine, pour empêcher celui-ci d'opprimer les peuples chrétiens. [Son père, donc, était marin et faisait la guerre aux Turcs. Tiens, tiens...] Or voici qu'un beau jour... ou plutôt un affreux jour... Enfin, c'est sur le moment qu'elle jugea cette journée affreuse, car ensuite il se révéla que... Quoique, bien sûr, ce fût affreux en effet...

Pavlina Anikitichna s'embrouillait, ne sachant plus s'il s'agissait d'une heureuse ou d'une triste journée, et faute de parvenir à démêler ce point, elle y renonça et poursuivit son récit :

— Toujours est-il qu'un jour un preux chevalier se présenta à son château, un vieux camarade de son père, qui lui dit : « Pleure, jeune beauté, ton père est mort, il te commande de vivre longtemps et d'être heureuse, et avant de rendre l'âme il t'a confiée à mes soins, pour que j'interdise à quiconque de te faire offense, et te trouve un bon mari. » [Bon, son père, avant de mourir, avait choisi son compagnon d'armes pour être le tuteur de sa fille. Il n'y avait rien là que de très banal.] Elle pleura, bien sûr, elle fut accablée de chagrin, mais que faire ? Elle continua de vivre, et ce chevalier, durant tout ce temps, demeura avec elle. D'abord il lui déplut au plus haut point. Il était sec, maigre, avec le nez crochu, on aurait dit le sorcier Kachtcheï l'Immortel, et c'est ainsi d'ailleurs qu'elle l'avait surnommé. Mais lui aussi avait beaucoup navigué sur les mers, avait vu bien des choses en ce monde, et mené ses navires dans toutes sortes de contrées. [Pas « son navire », mais « ses navires ». Ce n'était donc pas un simple officier, mais un amiral.] Quand il racontait ses voyages, on ne se lassait pas de l'écouter. Peu à peu, Maria s'habitua à son Kachtcheï, elle cessa de le craindre et se lia avec lui d'amitié. Et quand il lui offrit sa main et son cœur – c'est ainsi qu'on dit quand un homme veut épouser une femme – elle se dit : eh quoi ! Il est bon, plein d'esprit, il est de même lignée que la famille impériale, et père l'aimait. Cela vaut mieux que de se marier avec un jeune sot qui n'a pas encore jeté sa gourme. Et ainsi, elle accepta. [Voilà pourquoi la tsarine lui disait « ma cousine » : elle était comtesse Khavronskaïa par son mari, or les Khavronski, comme chacun sait, appartenaient à la maison impériale.] Et elle ne le regretta pas. Elle vécut alors comme elle avait vécu auprès de son défunt père ; et même plus joyeusement, car son sorcier la choyait davantage encore, et ne ménageait rien pour elle. Les hommes âgés sont plus intelligents en amour que les jeunes, et savent comment plaire à un cœur féminin. On est pour lui à la fois une épouse et une fille, quel mal à cela ? Seulement voilà, Maria n'eut pas le temps de devenir mère... Le sorcier partit guerroyer sur les mers froides, il fut pris dans une terrible tempête et périt avec son navire. Elle l'attendit longtemps. Elle se disait : il reviendra, n'est-il pas un immortel ? Mais visiblement, l'aiguille s'était brisée, et Kachtcheï n'était plus...

La comtesse se prit à soupirer tristement, cependant que Mitia faisait le compte dans sa tête : elle était veuve depuis cinq ans ; on menait alors deux guerres, contre les Turcs et contre les Suédois, mais puisqu'il était question des « mers froides », il fallait que l'amiral Khavronski eût été engagé contre la flotte du roi Gustav III, c'était là qu'il était mort. Tout était clair.

— Maria se lamenta terriblement sur son sort. Elle pensait : ah ! que je suis malheureuse, je suis femme et je ne suis pas femme, fille encore et plus fille. Toute seule et seulette, sans personne sur qui m'appuyer. Et puis, quand elle eut un peu grandi et fût devenue plus sage, elle réfléchit : pourquoi devrais-je m'appuyer sur quelqu'un ? Dieu merci, je ne suis ni pauvre, ni malade, ni trop sotte. Je peux fort bien me passer des hommes. Ils n'apportent que du souci et des larmes. Il suffit d'observer autour de soi : l'un tyrannise son épouse, l'autre ne la regarde même pas. Et quand par miracle il se trouve un homme digne d'estime, que l'on peut aimer, tôt ou tard il s'en va guerroyer, se fait tuer et vous laisse le cœur brisé. Non vraiment, je suis bien plus heureuse à vivre seule. (Pavlina sourit et ébouriffa les cheveux de Mitia.) Regardez-le-moi qui bat des paupières, tout pensif. Allons, quoi, elle t'ennuie, mon histoire ? Je vais t'en raconter une autre. Celle d'Ivan tsarévitch, tu veux ?

Mais il était dit que Mitia n'entendrait pas le conte d'Ivan tsarévitch, car à cet instant précis des coups furieux furent frappés contre la lucarne arrière. Le laquais Levonti criait, en roulant des yeux effarés. Impossible au début de rien comprendre : la voiture affrontait une côte, et le cocher faisait claquer son fouet. Puis enfin on entendit :

— Madame ! Malheur ! Des brigands !

Pavlina Khavronskaïa se pressa d'ouvrir la fenêtre de gauche, Mitia celle de droite. Tous deux sortirent la tête, chacun de leur côté.

Derrière eux, se rapprochant à vive allure, galopaient cinq cavaliers : l'un nettement en tête, les quatre autres en retrait. A la vue du premier, on comprenait tout de suite qu'il s'agissait d'un brigand, car il portait un masque noir. L'inquiétant personnage montait un énorme cheval moreau, une cape noire flottant sur ses épaules, le tricorne rabattu sur le nez.

Aux alentours, le désert, pas âme qui vive, et de chaque côté de la route, la forêt, si dense qu'on l'eût dit impénétrable.

La comtesse tourna la tête vers le cocher et cria :

— Plus vite ! Le plus vite qu'on peut !

Les cavaliers, à leur tour, abordaient la montée, leur course se ralentit, alors que la dormeuse au contraire, parvenue au sommet, reprenait de la vitesse.

Sur la gauche, les arbres s'écartèrent, découvrant une vaste clairière hérissée de souches : un chantier d'abattage. A son extrémité la plus éloignée s'élevait une petite isba, une cabane de chasseur, selon toute apparence. De la fumée s'échappait de la cheminée, elle abritait donc des gens. Comment les alerter ? Crier ? Jamais ils n'entendraient à cette distance.

Eurêka ! Tirer en l'air !

Mitia montra l'isba :

— Pif ! paf !

Pavlina, fine mouche, comprit sur-le-champ. Elle frappa à la lucarne avant.

— Toouko ! Tire un coup de fusil !

— Tire ! grogna le Finnois. Et qui que va t'nir les rênes ?

D'un geste brusque, elle abaissa la vitre.

— Donne-le-moi !

Le temps que le cocher, d'une main, lui glisse l'arme par l'ouverture, le temps que la comtesse la passe par la lucarne arrière à ses valets de pied, la clairière habitée était déjà loin, et des deux côtés, à nouveau, ne se voyaient plus que les bois.

Le poursuivant de tête remontait la distance perdue. Son cheval allait au galop. Ses gros yeux étaient effrayants, tout injectés de sang, de ses lèvres pendantes volaient des flocons d'écume ; quant à son cavalier, il n'avait point d'yeux, mais deux trous blancs, et point du tout de bouche. Quelle épouvante !

— Tire sur ce diable ! ordonna la comtesse.

Thomas mit en joue, il y eut un nuage de fumée accompagné d'une détonation, mais il manqua sa cible, et ne fit qu'irriter le brigand. Celui-ci était déjà tout prêt, à cinq ou six toises, tout au plus. Il tira d'on ne sait où un pistolet à canon long, et visa !

— Maman ! s'exclama Thomas, qui, lâchant le fusil, s'accroupit, la tête dans les mains.

Levonti, lui aussi, se recroquevilla sur lui-même, et Mitia eut l'impression que le canon noir se braquait alors sur lui. Il empoigna Pavlina par la main et la força à se baisser. Ils se serrèrent l'un contre l'autre sur le plancher, fermant très fort les yeux.

Le coup de feu ne fut pas très puissant, bien moins que la déflagration du fusil. Et puis rien, tous deux étaient encore en vie, le tir était passé à côté.

Mais non, il avait bien atteint son but.

Il y eut un bruit étrange au-dehors, suivi d'un frottement contre la paroi, et, un court moment après, la voiture se mit à zigzaguer.

Le cri de Levonti leur parvint :

— Madame ! Le Finnois est tombé ! Nous sommes perdus !

Ah ! le gredin avait tiré par-dessus le toit, il venait de tuer le cocher Toouko !

On entendit alors toute une série de craquements, les chevaux poussèrent des hennissements affolés, et la dormeuse s'immobilisa en s'affaissant sur un côté. Un essieu a cassé[1], se dit Mitia. Quand son père et lui s'étaient rendus à Saint-Pétersbourg, la même chose s'était produite durant le voyage : il avait fallu une demi-journée pour réparer.

Mais la comtesse était une brave. Une autre dame se fût mise aussitôt à hurler, ou plus sûrement se fût effondrée, évanouie. Pavlina, elle, ne se démonta pas et cria aux laquais :

— Sabrez-le, avant que les autres soient là ! Allez !

Mitia colla son nez contre la lucarne arrière.

Il vit d'abord Levonti, puis derrière lui Thomas, sauter dans la neige et courir sus au brigand en brandissant leur arme. Il pensait que l'autre battrait en retraite pour attendre ses renforts, mais le scélérat cabra son cheval, et fit face. Il rangea son pistolet déchargé et dégaina son sabre.

Avec aisance, comme s'il jouait, il heurta de sa lame le sabre de Levonti, et dans le même temps lui porta un coup au-dessous de l'oreille. Le pauvre s'effondra face contre terre, sans avoir poussé un cri. Thomas voulut reculer, mais trop tard : déjà le cavalier se penchait pour le frapper à son tour. Thomas éclata en sanglots et tomba dans la neige où il resta à se débattre et gesticuler.

Ils étaient perdus !

Mitia descendit du siège pour se blottir sur le plancher. Ses dents claquaient, et ce menu roulement de tambour résonnait dans tout son crâne.

Pavlina s'était assise par terre, elle aussi. D'une main tremblante, elle releva le chien de son pistolet.

---

1. Il s'agit, on l'aura compris, d'une voiture normale convertie en traîneau pour l'hiver. (*N.d.T.*)

— N'aie pas peur, mon petit, dit-elle. Je sais tirer, mon mari m'a appris.

Mais elle-même était blanche comme un linge.

Des pas, au-dehors, crissèrent sur la neige. L'homme était descendu de cheval, il approchait !

Elle pointa le canon de son arme, en se mordant la lèvre, et donna une bourrade à Mitia pour qu'il se glissât sous la banquette. Elle lui chuchota :

— Bouche tes oreilles et ferme les yeux, tu es trop jeune pour voir ça.

Il consentit, certes, à se cacher, mais se garda bien de fermer les yeux, et observa ce qui se passait par-dessus le bas de la robe de Pavlina.

La portière s'ouvrit en grand.

Le bandit était un vrai géant, il masquait toute la lumière du jour.

— Par le Christ ! s'écria la comtesse en tenant l'arme à deux mains braquée sur le front de l'homme. Prends ce que tu veux et va-t'en ! Ne m'oblige pas à commettre un péché !

Il éclata d'un rire rauque, ses yeux s'étrécirent derrière le masque pour n'être plus que deux fentes.

Alors, sans plus hésiter, elle tira.

La voiture s'emplit de fumée, mais avant cela Mitia avait vu le malfaiteur s'accroupir lestement, et la balle ne lui avait causé aucun dommage.

Pavlina le gratifia d'un coup de crosse sur le crâne, mais le géant ne parut nullement s'en soucier. Il lui ôta le pistolet des mains et le jeta par terre. Cependant la courageuse personne ne s'avoua pas vaincue pour autant. Elle agrippa le visage du scélérat et lui arracha son masque.

Pikine !

Mitia se tapit le plus loin possible sous la banquette et ne vit plus rien. Seules les voix lui parvenaient.

— Eh bien, puisqu'il en est ainsi, il n'y a plus à faire de mystères, dit le terrible officier. Seulement à présent je me vois contraint de m'occuper de vos domestiques. Je n'ai pas besoin de témoins superflus.

— Non ! supplia-t-elle. Ce n'est pas après eux, monsieur, que vous en avez, mais après moi, n'est-ce pas ? Ou bien votre maître vous aurait-il expressément ordonné de vous conduire en assassin ?

Le capitaine répondit :

— Ne vous en prenez qu'à vous-même. Vous n'aviez nul besoin d'arracher mon masque, mieux eût valu que vous perdissiez connaissance. Ce que le prince m'a demandé restera entre lui et moi. Il ne s'agit en rien d'assassinats, mais de crimes de l'amour, de folies des passions. Asseyez-vous donc.

Et il claqua la portière.

On entendit une voix implorer – impossible de savoir qui c'était, Thomas ou Levonti :

— Pitié, monsieur, pitié...

La comtesse ne cessait de répéter :

— Mon Dieu, mon Dieu...

Et de nouveau les pas se rapprochèrent, les charnières grincèrent.

— Belle Psyché, déclara Pikine, j'ai ordre de vous conduire en un lieu paisible et charmant où vous attend Amour, dieu de la volupté. J'ai aussi pour mission de vous transmettre...

— Comment avez-vous su où me chercher ? coupa Mme Khavronskaïa. Je n'en ai parlé à personne.

Pikine répondit avec un sourire moqueur que sa voix trahissait :

— On vous a entendu devant le palais crier à votre cocher de prendre la route de Moscou. Ah ! les voilà enfin, ces fils de garce !

Il faisait allusion au martèlement de sabots qui se rapprochait.

Il s'en fut à la rencontre de ses sbires, qu'il se prit à houspiller et injurier.

Pavlina tomba à quatre pattes et tira Mitia de sa cachette.

— Vite, mon chéri, vite. Sauve-toi ! Ce sauvage n'épargnera pas même un petit enfant. Allons ! Que le Seigneur te protège !

221

Et elle le poussa dehors de force.

Mitia chut sans bruit dans la neige et aussitôt gagna en rampant le bas-côté où s'élevait une congère.

Cinq hommes s'arrêtaient déjà devant la dormeuse, toute de guingois.

— Vois ça, seigneur, l'essieu a cassé, dit l'un. On en a au moins pour jusqu'à la nuit à réparer. Le temps de trouver dans la forêt un arbre qui convienne, le temps de tailler la pièce et de la mettre en place. C'est un sacré carrosse, du tremble ou du bouleau, ça n'ira point, c'est du chêne qu'il faut ! J'ai bien peur qu'il ne faille passer la nuit ici.

— Ça ne fait rien. (Pikine dominait les autres d'une bonne demi-tête.) Je m'installerai dans la voiture près du poêle, et vous n'aurez qu'à allumer un feu. Mais pourquoi restez-vous plantés là ! Vous deux, dans la forêt, et plus vite que ça. Quant à toi, et toi, vous allez faire le ménage ici. Balancez-moi les deux cadavres dans un trou et recouvrez-les de neige. Ensuite vous reviendrez vous occuper du cocher. S'il est encore vivant, vous l'achèverez. Il s'est éloigné dans la neige, vous le rattraperez facilement. Lui aussi, vous enfouirez son corps. Exécution !

Ayant donné ses ordres, l'officier de la garde revint à la dormeuse. Il grimpa sur le marchepied, ôta son bonnet et salua.

— Madame, j'ai l'impression que nous attend une nuit des plus romantiques. Pour lever toute ambiguïté, je placerai entre nous mon épée dénudée, comme l'inflexible Roland.

Sur quoi il éclata de rire, l'ignare. Comment pouvait-il confondre Roland et Tristan !

Progressant en crabe, Mitia recula vers la forêt. Parvenu à couvert de noirs buissons couverts d'une profusion de baies rouges, pareilles à des gouttelettes de sang, il se redressa et partit en courant. Enfin, c'est là manière de parler, car il n'était guère possible de prendre beaucoup d'élan dans la neige poudreuse.

Il atteignit tant bien que mal un sentier, à l'orée des bois, et là s'arrêta pour réfléchir.

Les autres étaient bloqués sur place jusqu'au matin. Par conséquent, il était encore possible de sauver Pavlina. Il suffisait de ramener des renforts, voilà tout.

Question : où trouver des renforts ?

Il ignorait où il se trouvait exactement. Quelque part entre Tchoudovo et Novgorod. Quel était le prochain village ? A quelle distance et de quel côté se trouvait-il ? Mystère.

Mais, et la cabane de chasseur ?

La voiture ne s'en était pas éloignée tant que ça. D'une ou deux verstes, pas davantage.

Il fallait retourner en arrière tout en restant le plus près possible de la route. Ce n'était pas plus compliqué.

Le jour commençait à décliner, mais il avait encore du temps devant lui, avant qu'il fît nuit noire.

— Je vous sauverai, précieuse Pavlina Anikitichna, prononça Mitia à haute voix.

Et il s'en fut en courant sur l'étroit sentier, sans se soucier qu'il pût être fréquenté non par les hommes mais par les bêtes sauvages.

De tristes branches effeuillées lui fouettaient le visage, et ses pensées n'étaient guère plus joyeuses. Pourquoi fallait-il que le vice eût toujours un boulevard devant lui en ce monde, quand la vertu était réduite à cheminer par une étroite sente envahie de ronces ? Ce n'était pas tout. Il n'était qu'à prendre, tenez, cette pauvre Pavlina, Pacha. Pourquoi une telle beauté s'était-elle vue affligée de tant de délicatesse d'âme, de dignité et d'amour de la liberté ? Sans ce fardeau, sa vie eût été autrement plus simple et plus plaisante. Combien de femmes et de filles eussent tenu pour un immense bonheur que le prince Platon Alexandrovich les poursuivît de ses assiduités !

Quelle croix, en vérité, que la noblesse de cœur ! Laquelle, non contente d'entraîner l'être humain dans de pénibles épreuves, en outre ne lui apporte rien en échange de ses souffrances, et ne lui laisse pour toute récompense que malheur et chagrin !

Chapitre neuvième

MOSCOU ET LES MOSCOVITES

— Quand je pense à tout ce que j'ai souffert, aux tortures que j'ai endurées pour lui ! se lamentait Valia, terriblement offensée. Essayez donc un peu, vous, de vous épiler les sourcils ! Un cauchemar ! J'étais tout en larmes ! C'est un *fucking miracle* que je n'aie pas les yeux rouges. C'est que moi, je me faisais du souci pour vous, je m'inquiétais pour votre *Ruf* ! Le Cholestérol, ce n'est pas n'importe quoi, c'est le rendez-vous du Tout-Moscou. Il n'aurait plus manqué qu'on pense que vous sortez avec un travelo. La *Barbie's dress*, les sourcils comme un fil, le *make up* de *pop star*... tout ça pour vous, et vous, vous me tombez dessus, comme Bush sur le taliban ! Une petite demi-heure de retard, comme si c'était grave ! Je bossais, moi, je n'étais pas en train de bouquiner !

Nika avait déjà bien assez honte de s'être emporté contre la pauvre fille à cause de son retard. Elle avait jailli du taxi si heureuse, si aérienne : boucles d'or jusqu'aux épaules, robe à falbalas, bas résille, idéogramme chinois collé sur la joue – on aurait dit Natacha Rostova à son premier bal, et il ne serait venu à l'esprit de personne de douter de l'identité sexuelle de cette ingénue. Et tout ce qu'il avait trouvé à faire, lui, c'était de l'accabler de reproches. C'était mal de sa part, c'était du chauvinisme sexuel. S'il s'était agi d'une vraie jeune fille, il n'aurait pas formulé la moindre remarque.

— Bon, d'accord, d'accord, pardonne-moi, dit Nicholas. Tu es belle comme une reine, aujourd'hui.

Et Valia, qui n'était guère habituée aux compliments de la part de son chef, se trouva consolée dans l'instant, et afficha même une mine radieuse. Elle se tourna vers lui, battit de ses longs cils, redressa son faux buste et, posant le coude sur le dossier du siège, roucoula d'une voix passionnée :

— Me voici devant vous, simple femme russe que je suis.

Telle était la mode chez les jeunes de sa génération : égrener à bon ou mauvais escient des citations de films soviétiques antédiluviens. Qu'est-ce que ces enfants du soleil, ces premiers perce-neige du XXIe siècle, trouvaient donc de séduisant dans ces navets réalistes socialistes aux relents de moisissure ? Il ne s'agissait que de banale et bête propagande. Nicholas avait regardé deux ou trois cassettes parmi celles apportées par Valia – *Tchapaïev*, *Les Joyeux Garçons* et puis cet autre, là – comment s'appelait-il déjà ? –, d'où était tirée sa réplique concernant la simple femme russe, et puis il avait laissé tomber. Abreuvé durant toute son enfance et sa jeunesse des philippiques antisoviétiques de sir Alexander, il ne pourrait jamais percevoir l'art de l'époque du totalitarisme comme un style ou un exotisme.

— Tenez, prenez à gauche, dans le *side lane*, dit Valia en posant la main, comme par mégarde, sur l'épaule de Nicholas. Ensuite à droite, et ce sera le Cholestérol.

— Drôle de nom pour un restaurant...

Fandorine tournait la tête en tous sens, en quête d'une place où se garer : la rue était encombrée d'automobiles de luxe.

— Le cholestérol, c'est plutôt nocif, non ?

— Oui, mais c'est tellement bon... lui chuchota à l'oreille l'ensorceleuse.

— Ecoute, Valia, dit Nicholas d'un ton sévère, il me semblait que nous étions bien convenus une fois pour toutes que...

— *Kein problem !* Je comprends : on a une bonne maison, une bonne épouse, que demander de plus pour aborder paisiblement la vieillesse ?

Alors là, ma chère, pensa Nicholas en secouant la tête, c'est un peu exagéré : quarante ans et des brouettes, ça n'est pas si vieux tout de même !

Une Audi rouge venait de libérer une place juste en face de l'enseigne lumineuse en forme de porcelet insouciant. Fandorine s'apprêtait à se glisser dans la brèche quand Valia lui dit, avec une moue :

— Chef, allons un peu plus loin, d'accord ? *Top* comme je suis, je ne vais quand même pas sortir de cette poubelle sous les yeux du *people* ? Moi, je m'inquiète de votre réputation, mais vous, vous n'en avez rien à fiche de la mienne.

Nicholas conduisit sans broncher sa Tchetverka jusqu'à l'angle de la rue. Il avait acheté naguère cette vilaine voiture par patriotisme de néophyte, dans le vœu de soutenir la campagne « Achetons russe ! ». Depuis, il supportait stoïquement le sale caractère de la petite handicapée montée sur roues, soignait ses nombreuses maladies, remplaçait obstinément poignées, manettes et rétroviseurs qui se détachaient tout seuls, et surtout s'employait de toutes ses forces à ne pas jalouser sa femme qui, elle, roulait dans une Land Rover à la silhouette pachydermique. Eraste, ennemi de toute compromission, avait baptisé le moyen de locomotion de son père « l'Aspirateur », et refusait d'y monter, en revanche la sentimentale Guélia plaignait la pauvre Tchetverka, qu'elle appelait gentiment « Souricette » en référence à la comptine : « Souricette est tombée par terre, elle s'est cassé une patte, mais tant pis c'est elle que j'préfère, car c'est vraiment la plus bath. »

Tandis qu'il remontait la rue en direction du club brillant de mille feux multicolores, Fandorine ressentit soudain un sentiment merveilleux, un sentiment depuis longtemps oublié, une sorte d'avant-goût de gaieté et de fête, comme au temps de sa jeunesse étudiante, quand, au bras d'une amie, il allait danser ou plutôt jouer des coudes dans une boîte de nuit bondée et enfumée. Et tant pis si ce n'était pas Soho, mais la rue Dmitrov, tant pis si ce n'était pas une vraie fille qui claquait des talons à côté de lui, mais une créature échappant à toute définition précise, la sensation était la même, celle d'être délivré du poids de vingt années qui lui pesait sur les épaules, et sa démarche s'en trouvait plus élastique, sa tête plus légère, et ses poumons comme emplis de gaz hilarant.

Total fusion sous-entendait apparemment parfaite tolérance et fraternité (et peut-être sororité) entre les représentants de toutes les orientations sexuelles possibles et imaginables. Le Cholestérol accueillait tout le monde.

Pour commencer, Valia organisa pour son cavalier une petite visite guidée à travers les différentes salles.

— C'est ici qu'ont lieu les *live*, hurla-t-elle à l'oreille de Nicholas comme ils entraient dans une petite pièce obscure, pleine à craquer, où jouait un groupe de hard rock. Aujourd'hui, c'est *crowded* à mort, tout bonnement *unglaublich*. C'est Pourquoi ?.

— Quoi, c'est pourquoi ? demanda Fandorine, interloqué.

— Le groupe, il s'appelle Pourquoi ?. Sous-entendu : « Pourquoi aime son Maure la jeune Desdémone ? » Leur soliste est un Black du Burkina Faso. Là, maintenant, ça ne se voit pas : ils se sont tous teint la peau en noir.

— Pourquoi ?

— Ouais, c'est débile comme pseudo, opina Valia, qui à son tour n'avait pas compris la question. Magnons-nous vers l'*exit*, avant d'avoir la gerbe.

La pièce suivante, où des rangées de chaises s'alignaient devant une scène, était au contraire brillamment éclairée. Le public était presque entièrement composé d'hommes. Une dame aux épaules de lutteur et au visage exagérément fardé se tenait sur un podium, auprès d'un micro. Après un examen plus attentif, la dame se révéla être un homme vêtu d'une somptueuse robe de femme et affublé d'une perruque rousse.

— Un *drag show*, expliqua Valia en posant un regard condescendant sur cette caricature du beau sexe. Lola, le présentateur. Il est cool. On reste un moment ?

Monsieur Lola envoya au public un baiser aérien et lança d'un voix haut perchée :

— Mes poupées, comme je suis contente de vous voir à notre petite réunion intime ! Vous êtes tous si désirables, si érotiques... je suis terriblement excitée, j'en suis toute mouillée, je dégouline, regardez !

Et à ces mots, il arracha sa perruque, découvrant un crâne totalement chauve et ruisselant de sueur.

Tout le monde éclata de rire et applaudit, pendant que Lola adressait un clin d'œil à Fandorine, dont les deux mètres ne passaient guère inaperçus, joignait ses grosses lèvres en cul de poule et les remuait légèrement de haut en bas.

— J'adore les hommes très grands. Surtout quand ils ont tout de bien proportionné !

Il y eut de nouveau des rires et des applaudissements. Nicholas sentit braqués sur lui quantité de regards curieux, et malgré lui rentra la tête dans les épaules. Valia le prit par le bras d'un geste apaisant, et cette fois-ci il ne s'écarta pas. Ce serait moins gênant comme ça : vus de loin, ils formaient un coupe hétérosexuel normal.

Lola repoudra son nez couperosé et annonça d'un ton solennel :

— Et maintenant, mes puces, va se produire devant vous la divine Tchiki-Tchiki-san, la star du strip-tease japonais !

Une musique orientale retentit, tonitruante, et une jolie jeune fille aux yeux bridés, vêtue d'un kimono blanc, s'avança sur l'estrade en trottinant. Elle se mit à tourner sur elle-même avec grâce en agitant son éventail, puis laissa tomber de ses épaules son kimono blanc, pour en révéler un autre d'un rouge écarlate. La danseuse écarta alors les deux pans du vêtement et exhiba une jambe nue des mieux tournées. Le public enthousiaste sifflait et lançait des youyous.

— Partons d'ici, dit Valia en tirant Fandorine par la manche. Elle n'est pas du tout japonaise, c'est un *shithead* d'Oulan-Oude. Je me demande bien ce que tout le monde lui trouve !

— Tu es jalouse ? demanda Nicholas en riant, en même temps qu'il se frayait un chemin vers la sortie. Tu aurais bien aimé être sur la scène à sa place.

— Pfff ! fit Valia. Sûr que je vais *tanzen-schmanzen* devant cette bande de pédérastes.

Mais il était évident que le succès de la pseudo-Japonaise l'avait piquée au vif.

La troisième salle, la plus grande de toutes, abritait le restaurant et, dans l'angle le plus éloigné, le dancing, d'où parvenait une musique monotone, rappelant un peu un grincement d'essuie-glace sur une vitre sèche.

— Super ! s'exclama Valia en pressant ses mains sur sa poitrine. Ça c'est du son, ça c'est du *drive* ! Quel *groove* ! Dans deux cents ans, on dira de nous : « *Lucky bastards*, dire qu'ils vivaient à la même époque que le grand DJ Chevalier Gluck. »

— Quoi, cette musique aurait quelque chose de commun avec Gluck ?

Fandorine se concentra, prêtant attentivement l'oreille, mais ne releva aucune ressemblance.

— Non ? fit Valia, paupières mi-closes, les yeux dans le vague. Je reviens tout de suite, *the call of nature...*

Elle s'absenta pour filer aux toilettes. Elle y resta deux minutes, tout au plus, mais quand elle en revint elle était méconnaissable : de drôles de lueurs dansaient dans ses pupilles dilatées, sa bouche s'étirait en un sourire béat, et tout son corps vibrait au rythme de la musique.

— Patron, *avanti* ! Décollons pour le nirvana !

Elle prit Nicholas par la main et l'entraîna vers la piste de danse.

— Je vais mourir autrement. Il y a là-bas le tonnerre, et je suis la foudre !

Elle a eu le temps d'avaler ou de sniffer je ne sais quelle saloperie, se dit Fandorine. Ecstasy ou cocaïne. Ou peut-être même du crack justement : il croyait qu'il existait une cochonnerie de ce nom. Il savait par expérience qu'il serait parfaitement vain d'essayer de remettre à Valia les idées en place.

Et malgré tout, il ne put se retenir. Il lui dit, d'un ton furieux :

— Vas-y, va transpirer. Et quand tu seras sortie des vaps, nous aurons une conversation sérieuse, toi et moi.

Mais Valia pour le moment ne se souciait de rien. Ayant visiblement déjà décollé de la surface de la terre, elle lança cette phrase délirante :

— Rentrez la mèche, ça fume !

Puis s'en fut en sautillant vers l'entrée du dancing.

Nika se retrouva seul.

Sirotant au moyen d'une paille un verre de *tequila sunrise*, un cocktail faiblement alcoolisé, il observait sans hâte les citoyens insouciants du troisième millénaire de l'ère chrétienne et méditait sur les profonds changements qui avaient affecté Moscou et les Moscovites depuis le jour où il avait mis pour la première fois le pied dans cette ville. Six années à peine s'étaient écoulées, et elle était méconnaissable. Sans aucun doute, Moscou était du genre féminin. Sa perception du temps était très ténue ; aussi, à la différence des villes masculines, était-elle indifférente au passé, et ne vivait-elle qu'au présent. Les héros et les monuments d'hier ne signifiaient que bien peu pour elle : Moscou s'en séparait sans regret, elle avait la mémoire courte et le cœur terre à terre. C'est bon pour l'homme de sentir son cœur s'emballer et des larmes d'attendrissement lui monter aux yeux lorsqu'il croise une femme qu'il a aimée en sa jeunesse. La femme, en tout cas la plupart d'entre elles, ne trouve aucun intérêt à pareille rencontre, et même la juge déplaisante, pour autant qu'elle n'est nullement liée à ses préoccupations et à sa vie d'aujourd'hui. Moscou est exactement ainsi ; et il serait fou de lui en vouloir pour ça. Comme dit une fort jolie chanson, elle est comme l'eau qui prend la forme du vase où elle a coulé.

Quand Fandorine l'avait vue pour la première fois, elle n'était qu'une pauvre souillon, avide d'étiquettes bariolées de produits d'importation et jalouse de la richesse des autres. Mais depuis ce temps elle avait redressé sa situation matérielle, et retrouvé sa rondeur d'autrefois en même tant que l'emploi auquel la destinait sa nature. Par-dessus tout, Moscou évoquait pour Nicholas le personnage tchekhovien qu'il préférait : une belle femme vieillissante, issue de la petite noblesse, un peu cynique et blasée, pas trop heureuse en amour, ayant tout vu déjà du monde, mais encore animée d'un terrible appétit de vivre. Durant la journée, cette Arkadina-Ranevskaïa-Voïnitseva se morfondait, broyait du noir, toujours en tenue négligée, mais à la tombée du soir, lorsque les invités arrivaient, elle se repoudrait le nez, s'attifait à la hâte de ses plus beaux atours, attachait à son cou le collier de diamant de ses lumières, se parait de boucles d'oreilles serties de projecteurs, et se métamorphosait en lionne mondaine d'un charme à couper le souffle.

— Eh vous, *stranger in the night*! fit soudain une voix chantante et féminine. Alors, c'est dur d'être le père d'une fille adulte ?

Nicholas se retourna et vit qu'une femme s'était assise à la table voisine, qui un instant auparavant était encore inoccupée. Son visage dans la pénombre restait indistinct, mais il ne faisait aucun doute qu'elle était très belle, tant il y avait d'assurance dans sa voix, de nonchalance dans l'éclat de ses yeux, tant l'humide rangée de ses dents brillait, victorieuse, à travers la fumée de cigarette. Au premier instant, il crut que c'était Moscou elle-même qui venait de se matérialiser sous ses yeux, telle que son imagination lui en avait brossé le portrait, d'autant plus que l'inconnue portait au cou un collier étincelant, et à l'oreille un diamant dont le halo irisé indiquait la perfection. Ensuite seulement Nicholas pénétra le sens de l'étrange question : elle parlait de Valia. Elle pensait qu'il était venu au club avec sa fille. Leur différence d'âge sautait-elle donc aux yeux à ce point ? Quoique, à dire vrai, il n'y eût pas à s'étonner. Quel âge avait Valia ? Vingt-deux, vingt-trois ans.

La femme partit d'un rire léger.

— Quoi, piqué au vif ? Allons, je plaisantais. Quel père irait accompagner sa fille chérie dans ce bouge ? A part un père incestueux, peut-être. Mais vous ne ressemblez pas à un père incestueux.

L'inconnue était coiffée à la Louise Brooks : ses cheveux noirs dessinaient sur ses joues deux triangles incurvés. Sous ses pommettes s'amorçait un creux, telle une ombre mauve. Ou bien tel un gouffre, pensa soudain Fandorine. Puis lui vint encore à l'esprit : l'Inconnue[1], c'est elle. Exhalant parfums et brumes.

— Et à quoi je ressemble, alors ? demanda-t-il, cédant malgré lui à la voix de la femme, à sa propre humeur insouciante et à la magie de l'instant.

Elle tourna légèrement sa chaise pour mieux le voir, mais resta assise à sa table. Après un bref silence, elle répondit :

— A un homme qui est en passe de quitter l'âge où l'on aime l'aventure. Et donc en passe de cesser d'être un homme. Et aussi...

La lueur de sa cigarette, de rouge pâle qu'elle était, devint écarlate et durant une seconde éclaira la courbe ironique de deux lèvres délicates.

— Et aussi vous ressemblez à un navire de ligne transocéanique, égaré dans un canal nommé Moscou.

— Vous dites cela à cause de ma taille ? demanda Nicholas.

— Non. Je le dis parce que dans la vie quotidienne vous êtes contraint de jouer les bateaux-mouches, et que cela ne vous réussit pas beaucoup.

Elle me drague ! comprit tout à coup Fandorine. Autrefois c'étaient les hommes qui abordaient des femmes au restaurant. Les plus culottés saisissant le moment où le compagnon de la dame s'absentait pour danser. Mais à présent, avec la révolution sexuelle, les rôles s'inversaient. La prédatrice, sûre d'elle-même, mettait la nuit à profit pour partir en chasse. Elle l'étourdirait de discours enivrants, le ferait boire, le baladerait en voiture, et au matin lui dirait : « Eh bien, salut, mon trésor. Je t'appellerai. »

---

1. *L'Inconnue* est le titre d'un poème d'Alexandre Blok. La phrase qui suit en est une citation. (*N.d.T.*)

— Pourquoi souriez-vous ? (L'inconnue de nouveau tira sur sa cigarette.) Je m'y prends de manière trop grossière, c'est ça ?

— Oui, un peu, dit-il en riant.

— Mais c'est ainsi qu'il faut procéder avec les hommes, déclara-t-elle froidement. Vous savez... les perles aux cochons... Et puis nous avons peu de temps, votre collégienne risque de revenir d'un moment à l'autre. Vraiment, vous ne vous ennuyez pas avec elle ? Vous vous êtes fait une jeunette, vous vous êtes prouvé que vous valiez encore quelque chose, très bien, maintenant qu'elle retourne au bac à sable jouer avec les gosses de son âge. Une petite sotte ordinaire. Peut-être un jour deviendra-t-elle une vraie femme, mais ce n'est pas de sitôt.

— Je vous assure que Valia n'est pas du tout ordinaire. Elle est même tout à fait extraordinaire.

L'inconnue se renversa en arrière.

— Elle ne m'intéresse pas. Ecoutez ! Je ne répéterai pas. Je ne vous donne pas non plus le temps de la réflexion. Nous allons maintenant nous lever et partir d'ici. Pas d'adieux, pas de bobard à propos d'affaire urgente, etc. Je veux que la fille revienne et trouve votre chaise vide. Stop ! Je parle, et pour l'instant vous vous taisez. N'allez pas croire que je m'amuse à ça tous les jours. Seulement quand l'humeur m'en prend, quand la mouche me pique. Considérez que c'est un caprice. Alors : oui ou non ?

Elle avait la voix nonchalante, la voix de quelqu'un qui ne doute aucunement de la réponse qu'on va lui faire, et c'était ce qui la rendait d'autant plus attirante.

— Non, dit Nicholas. Je vous remercie, mais c'est non.

— Quoi, à cause de cette minette ?! s'exclama la femme, moins vexée que stupéfaite. Mais regardez-la donc un peu.

Fandorine se retourna et regarda.

Valia planait en vol libre : il la vit embrasser sororalement une fille aux cheveux rouge feu, puis aller s'asseoir à la table de deux jeunes machos visiblement d'origine caucasienne, et entamer avec eux une conversation animée, en gesticulant sur sa chaise. Allons, il n'y avait pas à s'inquiéter pour cette demoiselle. Nicholas savait qu'elle ne se laisserait pas marcher sur les pieds. L'impression de fugacité et de fragilité qu'elle donnait était trompeuse. Outre la danse moderne, Valentina pratiquait encore il ne savait plus quelle forme de boxe orientale (un nom comme un caquètement, qui se terminait par « do »). Un jour, tout au début de leur collaboration, alors que Fandorine n'avait pas eu le temps encore de découvrir tous les talents de son assistante, il s'était vu contraint d'intervenir pour elle dans un café. L'agresseur ne lui arrivait pas à la poitrine, en revanche il était deux fois plus large d'épaules, et les chances de l'emporter sur lui paraissaient à peu près nulles. Mais il était impossible de reculer : le conflit (provoqué, soit dit en passant, par Valia elle-même) s'orientait fatalement vers la violence physique. Alors que Nika, blêmissant, bafouillait qu'il allait appeler la police, Valia, à laquelle il faisait rempart de son corps, s'était soudain glissée devant lui, et retroussant sa mini-jupe avait exécuté une manière de fouetté qui avait étendu net la brute par terre. Après quoi elle avait tiré un miroir de sa poche et s'était repoudré le nez.

— Non, elle n'y est pour rien, répondit Nicholas. Et ce n'est pas non plus que je ne vous trouve pas séduisante. Bien au contraire...

L'inconnue eut un rire bref, comme s'il venait de dire quelque chose de drôle, mais frisant l'indécence.

— Attention, imbécile. (Elle secoua la tête d'un air affligé.) Tu vas ensuite t'en mordre les doigts jusqu'au coude. Pareille aventure, ça n'arrive qu'une fois dans la vie. Et encore, pas à tout le monde, loin de là.

Elle se sentait offensée, ce qui était bien compréhensible. Or Nicholas n'avait nul désir d'offenser une dame dont, après tout, la proposition était pour lui diablement flatteuse. Comme son père lui disait toujours : « Un gentleman, Nicholas, c'est quelqu'un qui n'offense jamais ceux qu'il n'a pas l'intention d'offenser. »

— Comprenez-moi, dit Fandorine avec un sourire qu'il espérait désarmant. J'aime les femmes, et comme l'a écrit

Karl Marx, rien d'humain ne m'est étranger. Mais je me suis marié relativement tard par rapport à ce qui se pratique en Russie, de sorte que j'ai eu tout le temps de satisfaire ma curiosité quant à la diversité des modèles féminins. J'ai mis longtemps à me décider, et j'ai choisi celle en la personne de qui je puis aimer toutes les femmes du monde. Quant à la demoiselle que j'accompagne ce soir, vous faites erreur, il n'y a rien de tel entre nous.

— Tu aimes ta femme tant que ça ? demanda l'inconnue, la mine sérieuse, comme si elle venait d'entendre une information importante et singulière qui réclamait d'être confirmée.

Et comme il hochait la tête, elle esquissa un geste agacé de la main :

— Eh bien aime-la, que m'importe ? Je ne te demande pas de m'épouser. On baise, on se sépare. Je ne garderai même aucun souvenir de toi, et tu n'auras toi aussi qu'à me chasser de ta tête.

— Mais la trahison ? dit-il tout bas. Ma femme ne saura rien, mais moi malgré tout je saurai, au fond de moi, que je suis un traître.

La femme écrasa son mégot dans le cendrier et ricana avec mépris.

— C'est bon, terminé. Comment ne l'ai-je pas vu tout de suite, idiote que je suis ? Je les connais, les hommes de ton espèce, accrochés à leurs principes. Tu as l'habitude de tirer ta femme, mais les autres te font peur. Tu as peur de n'arriver à rien avec aucune autre, c'est là tout ce qui fait ta fidélité.

Elle se leva d'un mouvement brusque, dans un crissement de chaise, et s'en fut s'installer au bar.

La voilà fâchée malgré tout, pensa Fandorine, accablé.

A présent l'inconnue était assise assez loin, mais on voyait mieux son visage que de près, car le comptoir était très brillamment éclairé. En regardant l'harmonieuse silhouette de la séductrice, le pied charmant qui, négligemment, balançait au bout de ses orteils l'escarpin dont il s'était déchaussé, Nicholas tenta d'imaginer ce qui aurait

235

pu se passer entre eux. Il y réussit fort bien, sans aucune difficulté, et de manière si réaliste qu'il se prit à se dandiner sur sa chaise.

Sa bonne humeur s'était évanouie. Premièrement, il avait honte vis-à-vis d'Altyn d'avoir complaisamment lâché la bride à son imagination. Cela ne s'appelait-il pas « pécher par intention » ? Mais plus encore sa conscience le taraudait de ressentir un regret au creux du ventre (ou plutôt du bas-ventre). Qu'avait-elle dit déjà ? « Tu t'en mordras les doigts jusqu'au coude » ?

D'ailleurs qu'est-ce que je fiche ici ? se demanda Fandorine, furieux contre lui-même. Il avait bien besoin de jouer aux amateurs de plaisirs défendus ! Il aurait mieux fait de rester à la maison, avec ses enfants, et de se réjouir d'être encore en vie.

Il posa de l'argent sur la table, jeta un dernier regard à Valia, qui s'éloignait pour danser avec un des Caucasiens. Tous deux riaient aux éclats sans retenue. L'inconnue a raison, se dit Nicholas. Valia n'avait qu'à rester jouer avec les gosses de son âge, ils avaient leurs propres jeux et s'exprimaient dans leur propre langage. Elle n'était pas de ces filles qu'il faut raccompagner chez elles. Et puis il y avait peu de chance que Valia passe cette nuit toute seule.

En passant près du bar, il adressa juste un signe de tête embarrassé à la femme fatale : celle-ci, en pleine conversation avec son portable, lui répondit en agitant vaguement ses doigts aux longs ongles écarlates.

Il sortit dans la nuit, huma la merveilleuse odeur de Moscou, odeur de pluie, d'asphalte et de feuilles mortes en décomposition, additionnée d'une touche de gaz d'échappement. S'asseoir au volant, mettre de la musique (nostalgique, de l'époque de son adolescence : les Bee Gees avant qu'ils ne sombrent dans la variette, le disque *Odessa*), rouler par les grandes avenues désertes jusqu'à la maison où dormaient ses enfants. Que pouvait-il y avoir de mieux ?

Non loin de l'entrée du club était garé un énorme 4 × 4. La portière de l'automobile était grande ouverte, et le fier propriétaire du monstre aux chromes étincelants se tenait campé là, debout, dans une pose pittoresque, un pied appuyé sur la marche escamotable, et parlait au téléphone. Moscou a l'air de battre tous les records en nombre d'appareils cellulaires par habitant, se dit Fandorine chemin faisant.

— Pas de problème, disait le propriétaire du véhicule, un jeune homme arborant blouson de cuir hors de prix et lunettes fumées (en pleine nuit !) à son invisible correspondant. On s'en occupe tout de suite.

Et tout à coup, comme Fandorine passait à sa hauteur, il retint celui-ci fermement par la manche.

— Nikolaï Andreïevitch, montez dans la voiture, dit l'homme à voix basse. (A travers les verres de ses lunettes brillaient des yeux très calmes.) Quelqu'un désire avoir un entretien avec vous.

L'espoir que tout fût arrangé se volatilisa dans l'instant. Ça y était ! C'était son tour !

Nicholas sentit son cœur se réduire à la taille d'un pruneau, et néanmoins il fit mine de ne rien comprendre, de ne rien deviner.

— Avec moi ? s'exclama-t-il, feignant l'étonnement de manière très exagérée, bien qu'il sentît lui-même combien sa voix manquait de naturel. Mais qui ? Et pourquoi ?

Il aurait dû s'en tenir à la formule sacramentelle : « Vous me confondez avec quelqu'un d'autre », mais voilà : on s'était adressé à lui par son prénom et son patronyme.

Il tourna la tête et vit que les deux videurs du club regardaient dans sa direction. Il s'en trouva un peu réconforté.

— Je n'irai nulle part avec vous ! déclara-t-il.

Et il tenta de se dégager. En vain. Le binoclard ne le retenait par la manche qu'avec deux doigts, mais ces doigts-là étaient d'acier.

Derrière lui s'entendirent des pas feutrés, et un objet dur, arrondi, de petit diamètre vint toucher son dos. Il devina aussitôt de quoi il s'agissait, même si personne ne lui avait jamais collé auparavant un canon de pistolet contre la colonne vertébrale.

— On évite les cris et les drames, l'ami, reprit l'homme. On monte en voiture, on s'en va, pas de scène, pas de happening.

Ce discours, qui trahissait une certaine instruction sinon une certaine culture, bizarrement effraya Nika encore davantage. Affolé, il jeta un coup d'œil derrière lui. Deux autres hommes se tenaient là, l'un, le visage somnolent, le nez camus, l'autre tout jeune, et rouquin, semblait-il, quoique la lumière des réverbères fût trompeuse.

Le pire était qu'à la vue de l'arme, les deux videurs s'étaient détournés, ayant compris sans doute qu'il ne s'agissait pas là d'une banale altercation, mais d'une conversation sérieuse

Et cependant il ne fallait surtout pas monter dans cette voiture avec ces coupe-jarrets, qu'ils fussent les complices de Chibiakine ou bien ses assassins. Les uns valaient bien les autres. « Quelqu'un désire s'entretenir avec vous » ! Cela voulait dire qu'ils ne le tueraient pas tout de suite. On connaissait l'histoire, on l'avait lue cent fois déjà : ils l'attacheraient à un radiateur, le tabasseraient, lui poseraient des questions auxquelles il ne pourrait répondre. Ou bien, s'il s'agissait des Vengeurs insaisissables, ils organiseraient un simulacre de procès contre « la canaille et l'escroc ».

— Ne me forcez pas à recourir à la manière forte, ajouta du même ton tranquille l'homme aux lunettes noires qui à l'évidence était le chef des ravisseurs. Vous savez bien qu'une fois déjà cela nous a conduits à une issue fatale.

Il leva sa main droite qui au lieu d'un téléphone portable tenait à présent un mince objet métallique, une seringue eût-on dit. Quant à l'issue fatale, c'était une allusion à Chibiakine. Par conséquent il n'avait pas affaire aux Vengeurs insaisissables. Au contraire. L'homme va m'injecter un soporifique, pensa Nicholas avec un atroce sentiment d'impuissance, je vais me réveiller menotté dans une cave. Puis comme l'autre malheureux cinglé, me retrouver étendu dans une mare de sang, la bouche ouverte et l'œil vitreux.

— Eh, patron ! lança derrière lui une voix furieuse. Où allez-vous comme ça ? *No way* ! Ça ne marche pas ! Et moi ?

Valia ! Elle venait de sortir en courant du club, ses talons martelaient le trottoir. Son visage était courroucé.

L'homme à la seringue murmura :

— Dites-lui de s'en aller. Il y aura moins de casse.

Nicholas tressaillit à ces paroles chargées d'une signification sinistre (il y aurait donc de la casse, et il en serait la victime). Il dit d'une voix éteinte :

— Valia, je viens de rencontrer des amis. Nous devons causer un peu. Attends-moi à une table.

— Des amis, *my ass* ! ricana-t-elle avec amertume, se délectant du rôle de fille séduite et abandonnée. Je vous ai vu roucouler avec cette vamp ! Vous vous êtes donné rendez-vous, c'est ça ? Je raconterai tout à MeuMeu, sachez-le bien !

Elle tira avec hargne le binoclard par le bras pour qu'il lâche la manche de Fandorine.

— Allons, *hands off* ! Il n'est pas à toi, bas les pattes.

— Fillette, répliqua l'autre d'un ton persuasif. Rends-moi service, tâche de vivre encore. Je te donne deux secondes pour galoper jusqu'au boulevard des Jardins.

Aïe, ça va être le massacre, pensa Nicholas avec angoisse. Et avant qu'il fût trop tard il lâcha :

— Valia, c'est inutile, ils sont arm...

Il n'eut cependant pas le temps de l'avertir quant au pistolet braqué dans son dos.

Néanmoins, le massacre fut évité : tout se déroula durant ces deux secondes que le nervi malchanceux avait offertes à Valia. Poussant un cri d'enragée, la chatouilleuse demoiselle lui écrasa le nez d'un coup de boule en même temps qu'elle lançait ses deux mains de chaque côté, frappant de la droite le Camard à la gorge, et de la gauche le Rouquin à la racine du nez.

Le spectacle était impressionnant sinon grandiose, et rappelait un peu le décollage d'une fusée spatiale. Un instant auparavant celle-ci se dressait encore, debout, entourée de ses supports d'acier, puis soudain on avait enclenché les moteurs, la fusée s'était enveloppée d'un nuage de fumée et de feu, et les supports avaient volé à l'écart, abandonnant le vaisseau stellaire à une orgueilleuse solitude.

Valia soupira bruyamment, croisa les bras sur sa poitrine et reprit son discours accusateur.

— Un époux fidèle, hein ? Un *family man* ? Et moi qui, comme une conne, le croyais, ne le touchais même pas du doigt ! Mais à la première pute qui passe et lui fait signe d'approcher, et hop ! j'accours, je viens ! Où est-ce que vous comptiez tous vous tirer ? A une partouze, c'est ça ? Et moi, je suis quoi pour vous, un tampon usagé ?

Nicholas n'ayant pas encore recouvré l'usage de la parole, il se contenta de montrer sans rien dire le trottoir où traînait le pistolet échappé de la main du Rouquin.

Valia émit un sifflement et s'accroupit.

— Eh bien, quel bazooka ! Waouh ! Patron, qu'est-ce que c'est ces *people* ?

Le chef des bandits battait des paupières, assis sur l'asphalte contre la roue de la voiture. Ses lunettes noires avaient glissé sur son nez d'où s'écoulait un flot de sang. Le Camard gémit et se redressa sur un coude.

Les deux videurs, eux aussi, s'étaient réveillés : l'un rentra précipitamment à l'intérieur du club, tandis que l'autre braillait dans son talkie-walkie.

— Laisse tomber cette saloperie ! glapit Nicholas, terrifié, en voyant Valia ramasser l'arme et l'examiner avec curiosité. Courons avant qu'ils n'aient repris leurs esprits !

Il empoigna sa secrétaire par le bras et l'entraîna dans la nuit.

— Tu es complètement cinglée ! tempêtait Fandorine, à bout de souffle. Est-ce que tu te rends compte seulement... de ce que... tu as fait ? Maintenant, c'est certain, ils vont nous tuer ! Tous les deux, et moi, et toi ! Seigneur, où se trouve le métro ?

Il y avait bien une station dans les parages... ah ! comment s'appelait-elle déjà ? Le Marché au Gibier ! Il en était sûr et certain, mais sous le coup de l'émotion, il avait complètement perdu le sens de l'orientation et restait à gesticuler au milieu du carrefour en répétant, impuissant :

— Où est le Marché au Gibier ? Où est le Marché au Gibier ?

Chapitre dixième

LE MÉDECIN MALGRÉ LUI

Mais cette cabane de chasseur, où est-elle donc ? se demanda Mitia, se reprenant soudain après s'être abandonné à de bien tristes réflexions. Il y avait longtemps qu'il ne courait plus, car le souffle lui manquait, il marchait, et marchait, et cependant la clairière ne se montrait toujours pas. Le sentier, qui au début déjà n'était pas trop bien frayé, était devenu franchement étroit. Un examen attentif ne permettait d'y relever aucune trace humaine, juste des empreintes un peu rondes, avec la marque de griffes, et d'une taille inquiétante.

La nuit était presque tombée, tandis qu'arbres et buissons se resserraient toujours davantage. Mitia comprit qu'il s'était égaré. Et il prit aussi conscience qu'ici, au milieu des bois, en plein hiver, les sages maximes et les livres qu'il avait lus ne lui seraient d'aucun secours. Le plus bête était de se rappeler soudain la comptine dont sa stupide nounou l'avait bassiné durant les premières années de sa vie, ses années de silence : « Et viendra un grand loup gris, qui te croquera tout vif. » Il venait ainsi de voir pour de bon deux lueurs phosphoriques s'allumer, là, derrière ces fourrés : l'ombre d'un authentique *Canis lupus* – animal fort répandu dans les plaines de Russie – surgissait sans bruit sur le sentier, puis bondissait sur ses pattes puissantes pour lui planter ses crocs acérés dans le flanc.

Quelque chose bougea en effet au milieu des branches. Mitia lâcha un cri, s'écarta vivement, perdit l'équilibre et tomba. Il ne s'agissait cependant nullement d'un loup, mais d'un gros oiseau, qui se trouva apparemment aussi effrayé que lui : battant de ses ailes grises, il s'envola en hululant.

Ma cheville ! Aïe, ça fait mal !

Il patienta un moment, mangea un peu de neige, la douleur sembla s'estomper. Mais quand il tenta de se relever, il hurla à pleine voix. Impossible de s'appuyer sur son pied !

Il s'était cassé quelque chose, aucun doute.

Il parvint tant bien que mal à se traîner jusqu'à l'arbre le plus proche et s'assit le dos au tronc.

Et maintenant, que vais-je devenir, hein ?

Voilà quand il eût convenu d'être effrayé, non comme un petit enfant par le loup gris de la comptine, mais pour de vrai, d'une peur d'adulte, car le terme prochain de son existence se dessinait à l'esprit de Mitia dans toute sa sévère et logique évidence : il ne pouvait plus marcher, la nuit tombait et s'il n'était pas dévoré par un loup ou bien des rats, de toute manière, dans une heure, il serait mort de froid.

Mais peut-être parce que son trépas semblait si inéluctable, Mitia ne ressentait aucune anxiété. Plutôt par acquit de conscience que pour vraiment vérifier, il essaya encore une fois de se relever, et constata qu'il ne pouvait ni marcher ni même rester debout. Ne devrais-je pas revenir sur mes pas, quitte à ramper ? se demanda-t-il. Mais il en repoussa l'idée. Il avait longtemps couru, puis longtemps marché, jamais il ne pourrait franchir une telle distance à plat ventre dans la neige. Et puis pour quoi faire ? Quand bien même il parviendrait à rejoindre la grand-route, la nuit en aurait chassé les derniers voyageurs. Il mourrait de froid sur le bas-côté. Son unique consolation serait de n'être pas mangé par les corbeaux et les renards, mais ramassé tôt ou tard par des gens et enterré. Eh quoi, Mitia, on ne tient pas à laisser sa chair aux corbeaux et aux renards ? Allons, qu'ils s'en nourrissent ! Et pourquoi d'ailleurs ramper, user ses dernières forces ? Ne valait-il pas mieux, à l'exemple de Sénèque, le philosophe romain, ou du sage Socrate, se préparer avec dignité à connaître la solution de l'énigme de l'existence terrestre ? La mort par le froid n'est nullement décrite comme douloureuse. On incline au sommeil, puis on s'assoupit, et on ne se réveille plus.

Voilà en quels instants les savants ouvrages vous deviennent utiles. Peut-être ne vous sauveront-ils pas la vie, mais au moins vous rendront-ils la mort plus douce.

Mitia se retourna sur le dos, et entama son agonie : respirer l'air de la forêt, dresser le bilan de sa vie. La position couchée était confortable et pour le moment, échauffé qu'il était par l'effort fourni, il n'avait pas froid. Ses idées coulaient toutes seules, et lui procuraient même un certain agrément.

Eh bien, Mithridate-Dmitri Karpov n'aurait guère vécu longtemps sur la sphère terrestre, six années et onze mois. Plus longtemps tout de même que la majorité des êtres humains qui voyaient le jour, dont le tiers mourait durant sa première semaine, et la moitié au cours de ses deux premières années. Par conséquent Mitia pouvait encore s'estimer heureux par rapport au plus grand nombre. En outre, il n'avait pas parcouru son chemin dans la pénombre d'un esprit commençant juste de s'éveiller, mais dans la vive lumière d'une intelligence accomplie, ce qui était une chance extraordinaire. Il avait tant appris, tant fait de découvertes, tant médité, pour pénétrer les lois qui régissent la nature. Quand on a compris le fonctionnement desdits mécanismes naturels, il n'est plus rien que l'on ait à redouter particulièrement. Au début, conformément aux lois de la physique, les fluides vitaux qui circulent dans vos veines, sous l'effet de la basse température, arrêtent leur mouvement, phénomène entraînant la séparation des deux substances psychique et corporelle. Entrent alors en action les lois de la chimie, et l'organisme qui auparavant portait le nom de Mitia commence à se décomposer en éléments simples. Mais probablement, avant cela, se seront aussi manifestées les lois de la biologie, mises en œuvre par les crocs et les becs de la faune sylvestre.

Une poudre légère volait sur la neige durcie, recouvrant peu à peu les bottes de feutre et la touloupe de Mitia. Celui-ci chercha d'abord à la chasser, puis il abandonna. A quoi bon ?

Le froid commençait à lui paralyser les jambes, mais au bout d'un moment, il ne le sentit plus.

Ses pensées devenaient un peu floues, mais elles n'en étaient que plus agréables, comme celles qui précèdent le moment où l'on sombre dans le sommeil. Tout était parfaitement calme et silencieux, on entendait juste le léger grincement des branches et le souffle feutré et indolent du vent chassant la neige au ras du sol. Mitia leva les yeux.

La grise ramure des arbres laissait entrevoir un ciel d'encre. Qu'y avait-il au-delà ? On avait soudain l'impression que si l'on s'appliquait à bien regarder, on finirait forcément par le voir. Seulement il fallait se hâter avant que l'âme se fût détachée du corps gelé.

Il cligna les paupières, et le ciel bascula vers lui. Mitia fut d'abord surpris, mais très vite il découvrit qu'il n'y avait pas lieu de s'étonner. Le fait était qu'il ne gisait plus à terre, mais planait dans les airs, entre les cimes pointues des sapins, et il en éprouvait un délicieux bien-être. Il jeta un coup d'œil en bas : il semblait en effet que quelqu'un fût encore étendu, là-bas, dans la neige, mais son spectacle ne présentait aucun intérêt, le ciel attirait le regard bien davantage. Mitia se retourna pour lui faire face et le vit se rapprocher à une vitesse vertigineuse. Bizarrement, il était toujours aussi noir, sinon plus noir encore, mais point du tout ténébreux. Mitia eut vite compris pourquoi : le ciel recelait une lumière si vive qu'elle en était blessante, aussi un voile lui couvrait-il les yeux. Comment ne l'avait-il pas remarqué plus tôt ? C'était confondant. Plus il s'élevait dans les airs, plus ses yeux s'accoutumaient à ce rayonnement intense, et voici qu'il ne volait plus à travers l'obscurité, mais flottait dans un halo ambré, tandis que loin devant commençait de transparaître une sorte de disque ou d'ouverture.

Mitia fit un effort pour voler encore plus vite, tant il était impatient d'examiner de près ce qu'était cette chose.

Et il entendit alors une voix, grinçante, vieille, vieille comme le monde lui-même. La voix prononçait des paroles indistinctes, mais qui clairement s'adressaient à lui. Cependant elle ne lui donnait pas le nom de Mitia, mais un autre qui lui était inconnu.

— Mououflet ! appelait la voix. Eh ! Mououflet !

Tel serait donc son nom désormais, ici, au ciel ? D'abord il s'était appelé Dmitri, puis Mithridate, et dorénavant Mououflet ?

Il ouvrit les yeux plus grands et découvrit que ce qu'il prenait de loin pour un disque ou un trou était en réalité un visage.

Observant ce visage avec plus d'attention, il frémit tant il était effrayant : joues ridées, sourcils blanchâtres en broussaille, nez crochu affligé d'une verrue.

Et la merveilleuse lumière soudain s'éteignit, laissant à nouveau la place aux ténèbres. Mitia se mit à claquer des dents de froid, et en même temps découvrit qu'il n'était plus du tout dans le ciel, mais dans la neige, au pied d'un sapin noir, et qu'une vieille sorcière, tout emmitouflée de chiffons crasseux, se penchait sur lui.

— Mouflet, eh, mouflet ! grinça-t-elle de sa voix éraillée. Qui qu'tu fais donc là ? T'es gelé ? Allons bon, allons bon.

Et de tendre vers lui ses doigts décharnés.

C'est Baba Yaga, se dit Mitia, nullement surpris, mais terrifié cependant, encore plus que par le loup de tantôt. Jambe de bois, blanches moustaches, dents de fer. Le sage et savant d'Alembert écrivait (ou bien était-ce le baron d'Holbach ? – il avait le crâne transi, ses idées n'étaient plus bien nettes) que dans les légendes populaires tout n'était pas qu'invention et superstition. Les dragons des contes, par exemple, étaient un souvenir des anciens reptiles qui autrefois peuplaient la terre, animaux monstrueux dont on exhumait aujourd'hui des ossements en différents lieux de la planète. Baba Yaga, donc, ne relevait pas, elle non plus, de la superstition, mais était une vraie de vraie sorcière de la forêt.

Mitia n'avait pas la force de lutter contre les maléfices. Et quand Baba Yaga, poussant un han, le chargea sur son dos, il ne sut qu'émettre un gémissement larmoyant. Elle était en train de l'emporter dans un lieu secret, situé sans doute par-delà les sombres forêts, par-delà les lacs bleus, dans les marais noirs, dans les grottes profondes.

— T'es ben pesant, mon gars. Où qu't'allais comme ça ? Au moulin ? Oh, j'aurai point la force, j'suis pus une jeunesse. Tiens donc, j'vas te laisser à not'bon père Danila. Il saura s'y prendre, Danila. C't'encore ben le mieux.

Mitia ne comprenait pas le sens de ces incantations, car le froid, la faiblesse et la peur rendaient son cerveau incapable de produire la moindre vapeur d'intelligence. Ne lui restait qu'une seule obsession, brutale, sinistre, surgie de sa petite enfance : Baba Yaga était en train d'emporter sa proie vers son isba montée sur des pattes de poule ; elle allait le dévorer et recracher ses os.

Il lui était refusé de partir avec la dignité des Anciens. Sa vie s'achevait de manière très russe, en fin de compte, très puérile, et parfaitement atroce.

Mitia se prit à sangloter en silence. Il avait envie d'appeler sa maman, il crut même la voir pour de bon : toute rose, et fleurant bon l'essence de violette, mais sa maman était assise devant son miroir, et elle ne se retourna pas pour regarder son malheureux enfant.

La sorcière déposa son prisonnier dans la neige, au beau milieu d'une petite clairière. Mitia se redressa et aperçut une grossière construction en rondins percée d'une minuscule fenêtre garnie de mica derrière laquelle flamboyait une lumière surnaturelle. Il ne parvint pas à distinguer les pattes de poule sur lesquelles devait reposer l'ensemble : sans doute étaient-elles ensevelies par la neige.

Empoignant un heurtoir de fer en forme d'anneau, la vieille frappa à la porte à grands coups sonores, puis soudain releva le bas de sa robe et fila dans les fourrés avec une prestesse inattendue. Un instant après, elle avait disparu, engloutie par l'obscurité.

La conduite extravagante de la sorcière ne fit qu'ajouter à la terreur de Mitia, si tant est qu'elle pût grandir encore.

Elle m'a apporté en cadeau, en offrande ! comprit-il. En offrande à quelque monstre auquel elle est soumise, et qui par conséquent doit être encore plus terrible qu'elle. De quel autre esprit malin, déjà, parlait Malacha, sa nounou, hormis Baba Yaga ? Le roi de la forêt, voilà ! Celui qui, lorsque des voyageurs traversent la forêt, monte discrètement à l'arrière du chariot et vole les petits enfants. Quel refrain chantait-elle, cette même Malacha ? Ah oui ! « Le roi de la forêt dans le chariot grimpera, et le petit Mitia au loin emportera. »

La porte s'ouvrit en grinçant et le roi de la forêt apparut à Mitia.

Il ne ressemblait absolument pas au personnage que le Dauphin figurait la veille pour le bal masqué. Le vrai roi de la forêt se révélait grand et maigre, droit comme un « I », avec une longue barbe blanche et des cheveux d'une même blancheur qui lui tombaient jusqu'aux épaules, et puis des sourcils noirs. Et ses yeux étaient noirs, eux aussi, et brillants. Ils se posèrent sur l'enfant, recroquevillé dans la neige. Et une voix, dont le timbre n'avait rien de sénile, prononça d'un ton sévère :

— Qu'est-ce que c'est encore que cette *apparition* ? Il ne me manquait plus que des gosses abandonnés ! Pour qui me prenez-vous, pour un orphelinat ?!

Il enjamba Mitia et, comme il était vêtu – d'une simple chemise noire ceinturée d'une lanière de cuir –, s'avança d'un bond dans la clairière. Il tourna la tête à gauche, à droite, mais comme il a déjà été dit, Baga Yaga avait disparu sans laisser de traces.

Alors le roi de la forêt se retourna vers Mitia et déversa sa colère sur lui :

— Ah ! mais dis-moi, sacripant, qui sont donc tes parents et de quel village es-tu ? De Saltanovka ? Ou bien de Pokrovskoïé ? De toute manière je finirai par le savoir et je te reconduirai chez toi ! Ah ! qu'ont-ils encore été imaginer, ces ingrats de plébéiens ?

Il tapa du pied, l'air courroucé – un pied chaussé d'une courte botte de feutre.

— Eh bien ! Qu'as-tu à rester étendu là ? Tu laisses entrer le froid dans ma cabane ! Entre, je ne vais pas te laisser ici. Mais demain matin, sache-le bien, je te ramène au pope de Pokrovskoïé. Qu'il se débrouille avec toi ! Allons, debout ! hurla-t-il d'une voix si furieuse que Mitia tenta malgré tout de se lever, et ne put retenir un cri.

— Qu'as-tu donc ? C'est ta jambe ?

Il souleva l'enfant sans effort et le porta dans la maison.

Le logis, à première vue, était des plus rudimentaires : une table faite de quelques planches clouées, une souche vaguement taillée en guise de chaise, un poêle non chaulé. Mais au mur étaient fixées des étagères chargées de livres, et l'unique chandelle brûlait d'une flamme prodigieuse, qui semblait ne jamais vaciller.

Voilà comment vivait le roi de la forêt. Peut-être n'était-il pas si terrible que le prétendait Malacha pour l'effrayer ?

Le sylvestre monarque lui ôta sa touloupe, il voulut également le débarrasser de ses *valenki*, mais Mitia protesta aussitôt :

— Aïe ! Ça fait mal !

— Tiens, tiens, tu sais donc parler finalement. Bon d'accord, nous causerons ensuite.

L'homme installa Mitia sur un banc, tira de sa botte un canif et découpa la chaussure de feutre. Il avait de longs doigts noueux, aux ongles coupés ras.

Il lui palpa avec précaution la cheville.

— Compris ! Allez tiens, mords là-dedans. (Il lui fourra dans la bouche un craquelin séché.) Plantes-y les dents, et serre bien.

Et de lui tirer brutalement sur la jambe d'un coup sec ! Sous la douleur, Mitia brisa en deux le biscuit pourtant plus dur que de la pierre, et des larmes lui jaillirent des yeux.

Mais déjà le vieux lui bandait le pied avec un chiffon, tandis que la douleur s'estompait.

— Lève-toi donc.

Prudemment, sans trop y croire, Mitia se leva. Sa cheville tenait !

— Demain tu boiteras encore un peu, dit le vieillard, mais après-demain, tu galoperas comme un lapin. Ce n'est rien du tout, une banale entorse, *luxatio*.

Il ne s'agissait nullement du roi de la forêt, bien entendu, c'étaient le froid et la peur qui avaient inspiré à Mitia une idée aussi absurde, lui-même en avait honte à présent, mais il était tout de même surprenant d'entendre un mot latin de la bouche d'un simple rebouteux. L'homme était cultivé, savant, collectionneur de livres, et vivait seul au milieu de la forêt hostile ! N'était-ce pas là un prodige ?

— Monsieur, s'exclama Mitia, c'est la providence elle-même qui vous a envoyé à moi ! Je vois que vous avez le cœur pur et miséricordieux ! Aidez-moi à sauver une noble personne des mains de scélérats ! Mais auparavant me sera-t-il permis de vous demander qui vous êtes et pourquoi vous résidez en ce désert, à l'écart du monde ?

Le rebouteux eut un mouvement de recul et fixa Mithridate avec stupéfaction. Puis il cligna les paupières et agita la main devant ses yeux, comme pour chasser une hallucination. Comme celle-ci persistait, il croisa les bras sur sa poitrine, dans l'attitude d'un stoïcien de l'Antiquité. Il répondit alors, d'une voix lente, sans détacher son regard du visage de Mitia.

— Vous désirez savoir qui je suis ? Ceci est bien la question la plus difficultueuse qu'on puisse poser à un homme. J'ai consacré toute ma vie à essayer d'y trouver une réponse. Par la volonté du sort, je suis né sujet de l'empire de Russie et orthodoxe de religion. Par la volonté de mes parents, je porte le nom de Danila. Mon état, à l'heure présente, est celui de médecin malgré lui. Et maintenant que, conformément aux règles de la courtoisie, j'ai répondu à votre question, puis-je savoir à mon tour, étrange petit homme, qui vous êtes ? Un incube ? Un homoncule ? Le fruit de mon imagination ensauvagée ? Ou bien Satan en personne, ayant pris l'aspect d'un enfant de paysan ?

— Non, non ! s'empressa de répondre Mitia pour dissiper ce doute très naturel. Je ne suis qu'un simple mortel, tout à fait ordinaire. Mais en dépit de mon jeune âge, j'ai beaucoup lu et beaucoup médité, de sorte que mon esprit s'est développé plus vite qu'il n'est coutume. Je m'appelle Dmitri Karpov.

Il s'inclina, et l'homme qui disait se nommer Danila lui rendit son salut avec non moins de civilité.

— Par la Raison ! s'exclama-t-il. J'avais vu mentionnés dans des livres des cas semblables, mais j'avais toujours tenu ces récits pour des exagérations. A présent je vois bien cependant qu'il se rencontre des catégories d'esprits qui mûrissent plus tôt qu'il n'est coutume chez l'être humain, tout comme le bambou croît en taille beaucoup plus vite que les autres arbres. Puis-je vous demander quel âge vous avez exactement, cher monsieur Karpov ?

— Six ans et onze mois, moins un jour.

Danila s'inclina de nouveau, avec encore plus de respect.

— C'est pour moi un réel bonheur de faire la connaissance d'une si rare personne. Quand j'étais étudiant à l'université de Moscou, il y avait parmi nous un garçon beaucoup plus jeune et en même temps plus dégourdi que nous, il avait à peine treize ans, alors que nous en avions tous au moins seize, et certains même plus de vingt. Mais s'exprimer de manière aussi sensée et cohérente quand on a à peine sept ans ! En vérité, cela force l'admiration !

— Je vous remercie. (Mitia exécuta derechef une révérence, non sans se dire qu'entre les murs de rondins de la misérable bicoque, toutes ces cérémonies avaient un côté bien étrange.) Cependant j'ai une affaire absolument urg...

— Il est mort, le pauvre, soupira le vieillard en hochant tristement la tête à l'évocation de ce souvenir. D'une fièvre cérébrale. Il n'aura pas atteint son quatorzième anniversaire. Or quel talent il aurait pu cultiver, quels services il eût pu rendre à la patrie, sinon à l'humanité tout entière !

Comme Danila s'interrompait un instant, Mitia ouvrit la bouche pour décrire la scélératesse de Pikine et exposer la situation désespérée de Pavlina Khavronskaïa, mais l'autre avait déjà repris la parole.

— Dommage que je ne sois pas resté dans les murs de l'université pour me consacrer à la science en mes jeunes années. Combien de temps perdu pour rien. Hélas ! Mon géniteur m'avait inscrit dès ma naissance sur les rôles du régiment Semionovski, et il ne toléra que je poursuivisse mes études que jusqu'au jour où un poste se trouva vacant à la cour.

En cet endroit seulement il se reprit et s'excusa de ne pas laisser son hôte proférer un seul mot. Il sourit d'un air coupable, or le sourire du médecin malgré lui (ainsi qu'il s'était nommé lui-même) était doux et amical.

— Je vous prie humblement de me pardonner ce bavardage ininterrompu. J'ai perdu ici beaucoup des usages du monde, faute de relations civilisées. Je ne reçois jamais la visite que des villageois de la région, et quelle sorte de conversation puis-je tenir avec eux ? Aussi, cher monsieur Karpov, endurez encore un peu mon verbiage. Bientôt j'aurai parlé tout mon soûl et je me tairai enfin.

Eh bien ! réfléchit Mitia, sans doute est-il plus sage de procéder ainsi. Chacun sait qu'on écoute avec moins d'attention quand on n'a pas eu soi-même le loisir de s'exprimer. De toute manière, la dormeuse ne reprendrait pas la route avant l'aube, il restait donc assez de temps.

— Et quel était ce poste que votre père vous avait obtenu à la cour ? demanda Mitia, connaisseur en la matière. Je vous remercie.

Cette dernière réplique se rapportait à la collation que son hôte venait de lui servir : un bol de soupe de baies séchées fumante, du pain et du miel en un pot. Oh ! comme il avait faim après tout ce froid, toutes ces peurs !

Danila s'assit en face de lui, détacha un morceau de la miche, mais renonça à le porter à sa bouche.

— A l'époque, il ne s'agissait pas d'un poste très envié : secrétaire de la grande-duchesse Catherine Alexeïevna. Elle était tenue à la cour pour un personnage de peu d'importance, sinon digne de pitié, avec un tel époux. Ce n'est qu'ensuite qu'on apprit quelle femme elle était : Catherine *le Grand* !

— C'est Voltaire qui l'a surnommée ainsi, n'est-ce pas ? glissa Mitia.

Il devait montrer à ce savant homme qu'il ne se contentait pas de s'exprimer « de manière sensée et cohérente », mais qu'il révérait aussi les grands hommes des temps modernes.

— Oui, ce sont bien les termes de ce vieux flatteur. Il croyait entretenir une correspondance avec la plus philosophe des femmes, alors qu'en réalité c'était moi qui rédigeais les lettres qu'il recevait. Catherine ne maîtrisait guère le français écrit, et n'était pas non plus très riche en idées personnelles. J'étais devenu à cette époque son secrétaire particulier, « premier secrétaire de la chambre ».

Ayant prononcé ces mots, il se troubla, sans doute à l'idée qu'on pût le soupçonner de se vanter.

— Ah ! mon ami, premier secrétaire ! La Raison sait que ce n'est pas là une charge de grande importance. Quoique du point de vue de beaucoup, servir un monarque soit déjà en soi le plus haut titre auquel on puisse aspirer. Pauvres minuscules papillons ! Combien d'entre eux se sont brûlé les ailes à la langue de cette flamme trompeuse et, pire encore, s'y sont consumé le cœur ! Si vous aviez pu voir un jour l'impératrice de près, il n'eût guère été difficile pour vous, avec votre esprit et votre perspicacité, de discerner sa personnalité profonde. C'est une femme qui n'est point sotte sans non plus être intelligente, pas méchante sans non plus être bonne, et dont l'unique talent se résume à un flair infaillible. Elle sait deviner les attentes de la fraction active avant même que cette partie de la société en ait elle-même conscience. Voilà en quoi consiste le vrai génie d'un souverain-né.

Mitia eut la sagesse de passer sous silence le fait qu'il avait vu la tsarine de bien plus près que n'importe quel secrétaire de la cour ; il baissa modestement les yeux quand il fut question de la perspicacité que son interlocuteur lui prêtait, sans qu'il sût trop pourquoi ; mais le dernier jugement du singulier médecin lui fit froncer les sourcils :

— Vraiment ? dit-il. Vous pensez que toute l'essence de l'autorité réside dans la capacité à deviner les désirs de ses sujets ? Et quelle est au juste cette fraction active que vous évoquez ?

— Un souverain a besoin de deviner les aspirations non pas de tous ses sujets, mais juste de cette partie d'entre eux dont quelque chose dépend. J'appelle cette catégorie d'individus *fraction active de la société*. Selon les pays et les époques, le nombre et la nature des effectifs de cette cohorte sont très variables. Dans la Rome tardive, par exemple, il fut un temps où la fraction active ne comptait plus dans ses rangs que la garde prétorienne. Au reste, chez nous, en Russie, la fraction influente de la société n'est guère plus importante : la noblesse, les fonctionnaires, les riches négociants, le haut clergé. Le vrai chef d'Etat sait percevoir la structure et l'humeur de la couche active de la population, et jamais ne permet au flot des événements de le devancer : il se tient toujours au sommet de la vague, sur sa crête. Certains savants, fort versés en histoire, ne comprennent pas comment d'ignobles tyrans comme Tibère ou Ivan le Terrible ont pu gouverner si longtemps sans être éliminés par leurs sujets. Mais le secret en est simple : ces sangsues ne faisaient jamais que ce que la fraction active de la société désirait au fond de son cœur, autrement ils eussent échoué à se maintenir au pouvoir.

Mitia réfléchit à ce qui venait d'être dit, et sur-le-champ lui vinrent des objections, mais Danila était déjà passé à un autre sujet.

— Je suis parvenu à cette vérité alors que j'étais jeune encore, et je n'ai vu alors pour ma patrie qu'un seul chemin à suivre : accroître par tous les moyens l'importance numérique de la fraction active, et pour cela inclure dans ses effectifs des classes sociales qui jamais jusqu'alors n'avaient été admises à participer aux décisions de l'Etat. Quand la jeune souveraine a ordonné de convoquer une Commission législative, j'y ai vu les prémices d'un Parlement russe. Je me flattais que Catherine écoutait mes arguments et leur prêtait une attention bienveillante. (Le vieil homme eut un ricanement amer.) Rêveur ridicule ! La voie menant à la raison de l'impératrice ne passait pas par ses oreilles, mais par un tout autre orifice. Certains esprits déliés, que dans ma naïveté je tenais pour quantités négligeables, étaient parvenus à cette autre vérité bien avant moi. Durant la journée, Catherine pouvait bien prêter l'oreille à ses savants conseillers, au nombre desquels j'appartenais, mais la nuit elle se berçait du chant d'autres rossignols à la voix plus convaincante. Combien de fois, appréciant mes travaux, elle m'a offert honneurs et richesses, récompenses que je refusais toujours, trop heureux déjà de participer au grand œuvre. D'autres ne se montraient pas si sourcilleux...

L'homme des bois semblait conter des fables, mais il était impossible de ne pas le croire, tant il parlait avec simplicité et tristesse. Non, en vérité, il n'avait rien d'un menteur ni d'un hâbleur. A l'évidence il avait bel et bien connu une période dans sa vie où il fréquentait les hautes sphères du pouvoir impérial.

— Quelqu'un parmi les favoris de la tsarine aurait-il attiré sur vous la disgrâce ? demanda Mitia, presque certain de deviner juste. Les Orlov ? Ou bien le prince de Tauride ?

Danila secoua fièrement la tête.

— Non, je me suis éloigné de moi-même quand j'ai compris que mes projets n'étaient rien d'autres que des chimères. Ensuite j'ai beaucoup voyagé. J'observais et j'écoutais, je voulais étudier et comprendre la nature et les hommes. J'ai appris énormément, en particulier sur la nature. Je n'ai pas compris grand-chose, en revanche, à l'homme. Mais enfin, quand j'ai regagné mes pénates, se sont produits certains Evénements, à la suite desquels je me suis retiré dans cette forêt sauvage.

Ce mot d'« événements », fort banal en soi, le vieillard l'avait prononcé comme s'il se fût agi d'un nom propre. Au ton de sa voix, on pouvait supposer que les faits ainsi désignés n'avaient rien d'heureux.

Danila soupira, puis poursuivit.

— Je vois, monsieur Karpov, que vous n'êtes pas seulement intelligent et cultivé, mais que vous possédez également une âme délicate qui vous retient de poser des questions. J'apprécie, et je vous en remercie. Quelque chose me souffle que dans l'avenir vous et moi serons amenés à devenir plus intimes, alors je vous raconterai mon malheur. Pour l'instant, il vous suffira de savoir que si j'ai fui la société des hommes, ce n'est pas à titre d'ermite en quête de sainteté. Les Evénements dont je parle m'ont simplement rendu insupportable la vue de visages humains. Cependant, même en ce refuge, je n'ai pas réussi à trouver de solitude parfaite ! Durant mes années de pérégrinations, désireux de pénétrer le mystère qui se nomme Etre humain, j'ai étudié la médecine à l'université de Padoue. Le mystère, bien entendu, m'est resté hors de portée, car il ne se borne point à notre constitution organique, mais j'y ai appris l'art de soigner. Un jour, il y a deux ans, j'ai par sottise remis en place les os d'un habitant du coin qui, pris de boisson, était passé sous sa propre charrette. Et depuis lors je n'ai plus de paix. Je reçois des légions de malades et d'estropiés, et tous, je les soigne, par bêtise personnelle et par manque de volonté. Et comme je n'accepte de paiement de personne, les indigènes se sont mis dans la tête que j'étais un saint homme au service de Dieu. Ils vont et viennent, m'observent, tissent des fables à mon sujet, m'apportent de la nourriture alors que je n'en ai nul besoin. Il y a là bien assez de champignons, de baies et de plantes de toutes espèces pour subsister.

L'ancien secrétaire particulier de l'impératrice, ex-voyageur et aujourd'hui médecin cracha d'un air furibond, puis redressa du bout des doigts la mèche de la curieuse bougie, laquelle à ce contact émit une lumière encore plus éclatante. Mitia nota que depuis le début de la conversation, la cire ne semblait pas avoir du tout fondu.

— C'est une de mes inventions, expliqua Danila qui avait surpris le regard de son jeune hôte. J'ajoute à la cire d'abeille un extrait de pissenlit et de plusieurs autres plantes. La bougie suffit alors pour une nuit entière plus une demi-journée, et donne autant de lumière qu'un lustre. Le seul inconvénient, qui empêche une utilisation universelle de cet appareil d'éclairage, est que lorsque la mèche brûle jusqu'au bout, les vapeurs accumulées s'échappent à l'extérieur, et il se produit une manière d'explosion. Mais je ne laisse jamais ma bougie se consumer entièrement et pour l'éteindre l'arrose d'une solution spéciale.

Il montra un flacon empli d'un liquide blanchâtre, puis demeura un instant silencieux.

Enfin il écarta les mains, et conclut avec un sourire embarrassé :

— Eh bien, voilà, je me suis jeté sur vous avec mon bavardage, comme on se jette sur un repas gras au sortir du jeûne. Racontez-moi à présent ce qui vous a conduit dans cette forêt, seul, et à la nuit tombée qui plus est. Les loups ne sont pas rares dans les environs, vous savez !

Mais tout à coup il fronça les sourcils.

— Attendez ! N'aviez-vous pas commencé tout à l'heure à évoquer certains scélérats ainsi qu'une noble personne réclamant secours ? Je n'ai pas perçu alors le sens de vos paroles, ébloui que j'étais par la singulière élégance de votre discours. Au nom de la Raison, pardonnez-moi, mon ami ! Oh, comme je suis vain et égoïste ! Quel malheur vous est-il donc arrivé ?

J'ai bien eu raison, se dit Mitia, de l'avoir laissé s'exprimer. Maintenant il va m'écouter avec autant d'attention que de bienveillance.

— Oui, en effet ! répondit-il en proie à une émotion grandissante. Il est survenu un terrible malheur, un crime d'une lâcheté sans nom ! Parti de Saint-Pétersbourg, je voyageais en direction de Moscou, accompagnant une dame digne d'être traitée avec les plus grands égards. Non seulement à cause de son rang, car Pavlina Anikitichna appartient à l'une des plus nobles familles de l'empire, mais surtout en raison de ses qualités incomparables. Toute son infortune lui vient d'une beauté sans pareille qui est cause que...

— Un instant ! (Le vieillard avait levé la main.) Mon jeune ami, à voir votre agitation je devine que vous me faites récit d'une affaire d'extrême importance, cependant les mots coulent de votre bouche à la manière d'un torrent impétueux, et je n'entends pas la moitié de ce que vous dites. Soyez charitable avec ceux qui n'ont pas reçu comme vous en partage une si prodigieuse agilité de la langue et de l'esprit, car...

Mitia comprit qu'à sa détestable habitude, il avalait ses mots. Mais Danila, quant à lui, s'exprimait avec tant de lenteur et d'une manière si ampoulée et surannée qu'il se **vit** contraint à son tour de l'interrompre.

— Bien, bien ! coupa-t-il avec un geste d'impatience, avant de s'employer à prononcer plus lentement.

Cela valait d'ailleurs mieux, car en même temps qu'il parlait, il avait besoin de réfléchir à ce qu'il devait dire et ce qu'il devait taire.

Par exemple, il eût été inopportun de citer le nom de Sa Très Haute Excellence, le prince Zourov. Qui oserait aller contre la volonté du favori en personne ?

— Nous étions en voiture, Mme Khavronskaïa et moi, quand nous fûmes rattrapés par un homme terrible qui tua les domestiques de Pavlina Anikitichna et fit de celle-ci sa prisonnière. Il obéissait aux ordres de certain haut personnage, esclave d'une passion insensée...

Et poursuivant de la sorte, sans s'égarer dans des détails superflus, il raconta toute son histoire.

Danila l'écouta, la mine renfrognée. Assis au début, il bondit bientôt de sa chaise pour faire les cent pas à travers la pièce.

Mitia acheva par ces paroles :`

— Il faudrait courir au village pour quérir de l'aide. Ou mieux encore des soldats. Ils sont cinq, ne l'oublions pas, et tous armés. On devrait aller trouver le chef de police.

Le maître des lieux tiraillait furieusement sa barbe blanche.

— Le chef de police est à Vichera, à vingt verstes d'ici. Et puis je le connais, c'est un imbécile, il ne fera rien. Mais nous n'avons besoin de personne. Vos bandits n'iront nulle part pendant la nuit, nous gagnerons la route avant le lever du jour, et nous verrons ce que vaut ce Pikine. Nous débrouillerons cette affaire tout seuls.

Mitia ne put retenir une exclamation. Ils étaient beaux, les débrouilleurs d'affaire ! Un vieillard et un gamin !

— Monsieur, vous n'êtes pas le chevalier Lancelot, vous êtes médecin ! dit-il dans l'espoir de ramener à la raison ce grand-père pris d'un élan de bravoure.

Mais l'autre tapa du pied :

— Votre histoire m'a fâché, Dmitri Karpov. Je vois que pendant que je cherchais dans la forêt à me protéger des hommes, le monde est devenu encore plus ignoble qu'auparavant, or je n'ai jamais pu supporter l'ignominie. Vous avez raison, je suis à présent un homme paisible et pacifique, médecin de son état, mais je le jure par la Raison (et vous pouvez me croire, car Danila Fondorine ne ment jamais), la colère d'un médecin est bien plus dangereuse que certains le supposent.

Chapitre onzième

L'HOMME INVISIBLE

— Patron, qu'est-ce qui vous prend, vous êtes malade ?
Faut vous appeler un médecin ? (Valia entraîna Nicholas
dans le sens opposé.) Quel métro ? Vous êtes une
andouille, Tubing[1] ! Primo, il est fermé à cette heure-ci, et
secundo, rappelez-vous ! nous sommes venus avec votre
panzerwagen !

Ils coururent jusqu'à la voiture garée au coin, montèrent
dedans, mais ne purent aller bien loin.

Les videurs du club s'étaient révélés efficaces : non seulement ils avaient appelé la police, mais ils s'étaient souvenus
du véhicule dans lequel étaient arrivés le grand dégingandé
et sa superbe compagne : ils les avaient remarqués déjà au
moment où Fandorine s'apprêtait à stationner devant le
club, puis changeant d'avis, pour une raison qu'ils igno-
raient, avait poursuivi plus loin. Une voiture du GIR, le
Groupe d'intervention rapide, était dans le voisinage. Une
minute exactement après que Nicholas eut pris le volant, et
quinze secondes après qu'il eut enfin démarré, au troisième
essai, la UAZ de la police barrait la route à sa Jigouli.

— Tu t'es débarrassée du pistolet au moins ? demanda
Fandorine d'un ton nerveux, tandis qu'il descendait, glissant la main dans sa poche pour y prendre ses papiers.

---

1. Réplique tirée d'un épisode d'un des premiers feuilletons télé-
visés soviétiques : *17 Moments du printemps*, tourné en 1972 par
Tatiana Lioznova d'après un roman d'espionnage de Ioulian
Semenov. (*N.d.T.*)

Aïe, quelle tuile ! Il allait falloir expliquer maintenant comment les choses s'étaient passées, et pourquoi. Le temps pour les bandits de recouvrer leurs esprits et de prendre des mesures. Vous sortez du poste, ils sont là pour vous accueillir.

— Sors ta main, ou t'es mort ! hurla une voix furieuse surgie de l'obscurité.

On entendit le claquement de culasse d'une arme automatique, et Nicholas, terrifié, leva les mains en l'air. Bien entendu, on les prenait pour des mafiosi qui tentaient de s'esquiver après un règlement de comptes. Ils n'hésiteraient pas à les cribler de balles, et ils auraient raison.

— Les mains !... Sur le capot !

Il s'appuya des deux mains sur le métal froid. Valia vint se camper à côté de lui.

— Tu as tes papiers au moins ? murmura Fandorine.

Valia ne répondit pas. Clignant les paupières sous la lumière des phares, elle regarda par-dessus son épaule. Effectivement, à quoi lui servirait sa carte d'identité, si seulement elle l'avait sur elle ? Il y serait écrit : « Valentin Sergueïevitch Glen ». Et ce serait le début d'un sacré numéro de cirque.

— Pardonnez-moi, patron, mais je vais me catapulter, murmura l'homme du futur.

D'un seul élan, avec légèreté, Valia bondit à pieds joints sur le capot, sauta à terre de l'autre côté de la Jigouli, et échappant au faisceau des phares disparut dans l'obscurité.

— Halte ou je tire ! Sania, cours-lui après ! braillèrent les policiers.

Mais le martèlement de talons provenait déjà d'un porche d'immeuble, de sorte qu'il n'était plus question de faire feu.

L'un des hommes (le dénommé Sania, visiblement) fit mine de se lancer à sa poursuite, mais se ravisa aussitôt.

— Qu'elle aille se faire voir. C'est pas moi qui vais galoper dans les arrière-cours.

Un autre, jurant tout ce qu'il savait, fouilla vaguement Fandorine avant de lui coller un coup de matraque sur la cuisse, sans aucune raison. Nicholas étouffa un cri de douleur, mais s'abstint d'élever la moindre protestation. En des circonstances semblables, il ne connaissait pas de pays où la police se fût comportée d'autre manière.

— ... Celui-là... va nous dire comment s'appelle sa copine sportive, déclara un troisième tout en déchiffrant les papiers de Nika à la lueur d'une lampe de poche. N'est-ce pas, monsieur Fandorine ?

Et la matraque le frappa à nouveau au même endroit, pas trop fort cependant, comme en manière d'avertissement.

— J'ai ramassé cette fille dans la rue, elle faisait du stop. Je sais juste qu'elle s'appelle Margot, répondit aussitôt Nicholas, sachant son mensonge parfaitement vraisemblable : la nuit, Moscou regorgeait d'autostoppeuses de cette sorte. Mais ce n'est pas elle qui est en cause. Nous avons été agressés devant le club par trois types sortis d'une jeep. Ce sont des gangsters, pressons-nous. Et puis rangez votre matraque ! Je suis le président de la société le Pays des Soviets, tenez, voici ma carte !

Dieu sait ce qui impressionna le plus les gardiens de l'ordre établi : le mot ronflant de « président » ou bien le nom imposant de la société, mais toujours est-il qu'ils lui permirent de baisser les bras et l'accompagnèrent jusqu'à l'entrée du Cholestérol.

La jeep cependant avait disparu. Ne restaient plus sur le trottoir que quelques gouttes de sang – échappées du nez du type à lunettes. L'esprit d'observation des videurs se révéla sélectif. Ils se rappelaient fort bien la Jigouli-Tchetverka de Fandorine, mais n'avaient retenu ni le numéro ni même la couleur du luxueux 4 × 4. Pire : tous deux affirmaient d'une seule voix que c'étaient Fandorine et sa « gonzesse à moitié ouf » qui s'étaient eux-mêmes rués sur ces jeunes gens pourtant très comme il faut et les avaient roués de coup jusqu'à les laisser pour morts.

— Allons au poste éclaircir l'affaire, décida le chef du groupe, qui ajouta, s'adressant cette fois-ci à Nicholas : Si les victimes ne déposent pas plainte, je te relâche demain matin. Bien évidemment, il y aura une amende à payer.

Fandorine, le rouge au front, lui murmura :

— Et si je vous la payais tout de suite, directement, cette amende ? Le double, ou même le triple ? Vous n'avez pas besoin de me retenir. Vous avez déjà établi mon identité, non ?

Jamais de sa vie Nicholas A. Fandorine ne se fût permis de soudoyer un officier de la police, qui plus est dans l'exercice de ses fonctions ! Il n'avait même jamais cherché à amadouer un agent de la circulation pour qu'il ferme les yeux sur quelque dépassement de ligne blanche par exemple : chaque fois, comme le dernier des imbéciles, au lieu de glisser un billet de cinquante dans la main du représentant de loi, il avait perdu deux bonnes heures à accomplir les formalités nécessaires pour que le montant de l'amende fût prélevé sur son compte d'épargne, et il allait jusqu'à s'en enorgueillir.

Mais il s'agissait là d'une question de vie ou de mort. Pendant qu'il serait bouclé au poste, les « jeunes gens très comme il faut » auraient tout le temps de se préparer à une nouvelle rencontre.

Le lieutenant réfléchit un instant à la proposition de Nika. Il appela un des videurs.

— ... la couleur, le numéro... laissons tomber. Mais la marque, c'était quoi ?

— La marque de la jeep ? Une Brabus.

Le flic prit Fandorine par le bras et l'entraîna vers la UAZ. Il lui expliqua calmement :

— Non, ça ne marche pas. De simples malfrats ne roulent pas en Brabus. Je n'ai pas besoin de m'attirer des emmerdements inutiles. Tu resteras bouclé jusqu'à demain matin, tu n'en mourras pas, va.

On fit monter Nika dans la voiture sans le menotter, et non pas dans le « coffre », comme un quelconque poivrot, mais sur la banquette arrière.

Réfléchis, réfléchis ! se répétait Nicholas fiévreusement. Il faut faire quelque chose, mais quoi ?

Téléphoner au capitaine Volkov, voilà ce qu'il fallait faire !

Mieux valait un policier douteux, mais néanmoins connu et pleinement responsable, que ces chasseurs nocturnes armés de mitraillettes et de matraques.

Il repêcha au fond de sa poche la carte de visite de l'officier de police judiciaire et entreprit de composer le numéro.

— Eh, range-moi ça, et vivement ! lui dit le sergent assis à côté de lui.

— Un seul coup de téléphone – c'est mon droit, non !

— Dans un instant c'est le mien, de droit, que tu vas prendre, mon droit et mon gauche, répliqua, menaçant, le serviteur de la loi.

C'était là un manifeste et grossier abus d'autorité. En d'autres circonstances, Fandorine fût immanquablement monté sur ses grands chevaux, mais pas maintenant, pas maintenant.

— Lieutenant, dit-il en se penchant en avant vers l'officier. Je vous paierai de toute façon l'amende. Si vous me permettez de donner ce coup de téléphone.

L'autre réfléchit, puis renifla.

— D'accord. Allonge cent dollars et appelle.

— Mille roubles, répondit Fandorine d'une voix effondrée. Je ne peux pas plus.

— Aboule.

Visiblement, le lieutenant se fût même contenté de cinq cents, mais bon, ce n'était pas le moment de s'arrêter à ce détail.

Tandis qu'il composait le numéro, Nicholas ne redoutait qu'une chose : s'entendre répondre dans l'appareil : « L'appareil de l'abonné est désactivé ou momentanément inaccessible. » Il était malgré tout dans les trois heures du matin. Il se surprit même à murmurer :

— Seigneur, Seigneur !

— Ouaip ! fit Volkov d'une voix alerte, qui ne trahissait nullement qu'on l'eût tiré du sommeil.

— C'est moi, Fandorine. J'ai des nouvelles. C'est urgent. Je...

— Où êtes-vous ? coupa le capitaine.

— Dans une voiture de police. On m'a arrêté...

— Pas arrêté, retenu en garde à vue, rectifia le chef du groupe.

— On me retient en garde à vue. Des policiers. Ils sont en train de m'emmener au poste.

— Lequel ? demanda Volkov.

Il convenait de lui rendre cette justice : réveillé en pleine nuit, il réfléchissait vite et ne posait que les questions les plus essentielles.

Fandorine lorgna les visages de pierre de ses voisins. Mieux valait ne rien leur demander.

— Je ne sais pas. On n'est pas loin de la place du Marché-au-Gibier.

— Entendu. J'arrive.

Et il n'y eut plus dans l'appareil que le signal intermittent.

Le temps qu'on dresse le procès-verbal, le temps qu'on consulte le BAC et le FIZ (malgré tous ses efforts, Nicholas ne comprit pas de quoi il s'agissait) pour s'assurer de l'identité du gardé à vue, il fallut bien séjourner au violon. Deux hommes couverts de poussière y roupillaient à même le sol, ainsi qu'une dame à la mise encore plus malpropre. A côté du violon se trouvaient deux portes munies de judas. A en juger par les voix qui filtraient au travers, il y avait là aussi des individus enfermés – des délinquants sans doute plus sérieux que le hooligan N. A. Fandorine et ses compagnons de cage.

A dire vrai, le séjour de Nicholas en ces lieux ne fut guère synonyme de repos. Le problème n'était même pas qu'il n'y eût rien pour s'asseoir – finalement ses voisins avaient l'air d'être parfaitement installés par terre –, mais ses nerfs en pelote lui interdisaient l'immobilité et réclamaient une certaine activité musculaire.

A faire les cent pas d'un coin à l'autre du local, il parcourut une distance dépassant certainement la longueur de la rue de Tver. Volkov arriva quand Fandorine approchait déjà virtuellement de la rue de la Pravda, sinon du stade Dynamo.

Sa libération se déroula de manière étonnamment simple, sans aucune formalité. Volkov glissa un mot à l'oreille de l'agent de service, et Fandorine récupéra sur-le-champ tout ce qu'on lui avait confisqué le temps de sa garde à vue : téléphone, papiers d'identité, clefs, portefeuille et peigne métallique.

— Où peut-on bavarder tranquillement ? demanda Volkov.

— Mais où tu veux, tous les bureaux sont vides, répondit l'agent. Tiens, voilà les clefs de celui de l'adéhérache, les sièges sont plus confortables.

Ils montèrent au premier étage et entrèrent dans une pièce sur la porte de laquelle s'affichait l'écriteau : « Adjoint au directeur des ressources humaines ». Là, ils prirent place dans des fauteuils râpés, qui certainement conservaient encore le souvenir de l'époque du NKVD.

— Eh bien ? demanda le capitaine en tirant un paquet de cigarettes. On cause un peu, et sans ricra ?

— D'accord, sans ricra. (Nicholas se frotta furieusement la tempe pour tenter de chasser un mal de crâne naissant tout à fait inopportun.) Dites-moi, capitaine, à combien se monte votre salaire ?

Volkov ne parut nullement surpris par la question :

— Deux mille huit cents roubles. Pourquoi ?

Pour le coup, c'était Fandorine qui tombait des nues. Un officier de la police judiciaire, un homme d'une importance sociale majeure, exerçant qui plus est un métier dangereux, gagnait moins de trois mille roubles par mois ! Mais à Moscou, il était impossible d'entretenir une famille avec un telle misère !

— Mais votre Nokia coûte dans les six cents dollars. Ne me dites pas que c'est la Rue Petrovka[1] qui vous fournit ce modèle !

— La Rue Petrovka nous fournit des queues de cerise et des cacahuètes, répondit Volkov en ricanant. Je reçois l'allusion cinq sur cinq et j'assume, en vous livrant des

------

1. L'équivalent à Moscou du Quai des Orfèvres à Paris. (*N.d.T.*)

aveux complets et sincères. Oui, citoyen Fandorine, je bosse un peu à côté pour arrondir mes fins de mois.

— Et dans quoi, si vous me permettez cette question ?

— Comme tous les gens normaux : dans ce que je sais faire. Le médecin de l'hôpital public, après le boulot, court visiter sa clientèle privée, non ? Eh bien moi, j'ai une profession différente. Et donc aussi des patients différents. Ce sont ses jambes qui nourrissent Volkov. (Le capitaine esquissa un sourire tendu.) Pourquoi restez-vous bouche bée ? Nous sommes en Russie, pas en Europe occidentale. Depuis la nuit des temps, les choses, chez nous, sont réglées comme ça : l'Etat fournit un poste au fonctionnaire, et le fonctionnaire est prié de se nourrir tout seul, dans la mesure, comme on dit, de son degré de corruption. Mais n'ayez pas peur, je suis un flic honnête, pas un ripou, je ne gagne pas mon fric en trempant dans des affaires criminelles.

— Et comment alors ? Dans mon cas, vous vous donnez un sacré mal de chien. Je vous réveille en plein milieu de la nuit, et hop ! pas de problème, vous rappliquez sur-le-champ !

Fandorine s'attendait à n'importe quoi sauf à une réponse claire et directe.

Et il avait tort.

— Mon paisible sommeil avait déjà été interrompu une dizaine de minutes avant votre appel. C'est une bien mauvaise habitude que de ne pas couper son portable avant de se coucher.

— Qui vous a téléphoné ?

— Vous voudriez un nom ? Je ne le connais pas. Je ne connais que la voix. « Récupère-nous l'Anglais. Attention, le gus est vif, et son garde du corps est coriace. Prime garantie à la clef. » Si bien que lorsque vous m'avez appelé, j'étais déjà frais comme l'œil. J'étais en train de me creuser le bulbe pour trouver une réponse à trois questions. Une : comment faire pour vous récupérer ? Deux : pourquoi vous filait-on ce surblase : l'Anglais ?

Ils savent déjà tout sur moi, pensa Nicholas avec angoisse. Ah ! il était beau le coryphée des bons conseils : il avait couru tout seul se jeter dans la gueule du loup.

— Et enfin troisième question, reprit le policier après un bref silence : n'aurais-je pas intérêt à les envoyer se faire voir chez les Grecs ?

— De quel côté ? s'exclama Fandorine, ouvrant des yeux tout ronds. C'est-à-dire, non, ce n'est pas ce que je voulais demander. En fait, je ne comprends pas de quel côté vous êtes : vous travaillez pour eux, oui ou non ?

— Je bosse pour eux, oui, répondit Volkov avec calme. Si ce ne sont pas des *bandidos*. Mais si leur intention est de scrafer un mec, je ne joue pas à ce genre de hockey.

— Scrafer ?

— C'est un nouveau mot. Apparu il n'y a pas long-temps. On pourrait aussi bien dire : étendre, déquiller, dégommer, lessiver, mataver, ratatiner...

— Et Chibiakine, coupa Nika désireux d'écourter cette liste de synonymes lugubres. Ce sont bien vos « patients » qui l'ont *scrafé*, non ?

— Je ne pense pas. Pourquoi auraient-ils fait ça ? Ils vou-laient bavarder avec le parachutiste, mais quelque chose a dû foirer. Soit l'homme est tombé par malchance, soit il a sauté exprès. Pour vous, c'est une autre affaire. Ils veulent vous liquider, ça ne fait pas un pli. Le type qui m'a appelé, on aurait dit qu'il allait bouffer son turlu, alors qu'aupara-vant il avait toujours employé un ton très poli, très intello.

Ce doit être ce jeune homme à lunettes noires, se dit Fandorine en rentrant la tête dans les épaules.

— Sergueï... excusez-moi, je n'ai pas retenu votre patro-nyme...

— Merde, laissez tomber le patronyme ! grogna l'officier de police. Appelez-moi Sergueï tout court.

— Sergueï, je vous en conjure. Si vraiment vous ne trempez dans aucune activité criminelle, racontez-moi tout depuis le début, demanda Nicholas avec douceur en regardant Volkov droit dans les yeux. Que savez-vous de ces gens ? Qui sont-ils ? Que veulent-ils de moi ?

Le capitaine détourna le regard et souffla par le nez un long filet de fumée.

— J'aurais dû, c'est sûr, commencer par enquêter sur eux, essayer d'établir à quels oiseaux j'avais affaire, répondit-il d'une voix éteinte. Je procède toujours ainsi. Mais là, ils ont pris contact avec moi en y mettant le paquet. Un jour l'agent de service m'appelle de l'entrée, il me dit : « Le Gris ? Il y a un paquet pour toi. » Je déballe le truc : un portable, celui-là, oui. Accompagné d'un contrat VIP : durée illimitée, bavarde tant que tu veux. Le tout à mon nom, sans une erreur : adresse, état civil, numéro de carte d'identité. Bon, j'ai pigé le message : il s'agissait de mecs sérieux qui entamaient de solides travaux d'approche. Je venais juste de me repérer dans les touches et de me choisir une sonnerie, quand je reçois un appel. Un type, très poli. « Eh bien, il me demande, le jouet vous plaît-il ? » Moi : « Il est très chouette, oui, et maintenant ? » Lui : « C'est bien vous qui représentez le 16ᵉ bureau dans l'enquête préliminaire sur l'affaire des Vengeurs insaisissables ? » Or le dossier était confidentiel, je vous l'ai déjà raconté. Je ne dis rien, j'attends. L'autre poursuit : « Je vous propose une collaboration temporaire. Rien de criminel. Nous avons des intérêts communs, vous et nous, nous aussi nous recherchons ces dégénérés. Pourquoi ne pas s'entraider ? Ce que nous apprendrons, je vous le communiquerai, ça pourra vous être utile pour votre carrière. Et en échange, s'il vous plaît, vous me tenez informé. Je vous offre trois cents par jour, plus une prime de résultat. » Moi, comme un blaireau, je demande : « Trois cents roubles ? » Il éclate de rire : « Trois cents dollars US. Pas mal, non ? » (Volkov écarta les mains en un geste d'impuissance.) J'ai un fils, et puis une fille à Noguinsk, d'un premier mariage, qui veut s'inscrire en droit. Vous savez combien ça coûte ? Entre les répétiteurs, les frais divers, les bouquins, et tout le reste… Et là, trois cents dolluches par jour qui me tombent du ciel ! Et surtout, l'affaire était clean : il s'agissait simplement d'un type qui voulait protéger sa vie.

— Lequel ? demanda vivement Fandorine, pour aussitôt se mordre la langue. Le capitaine n'avait pas besoin pour l'instant de connaître l'existence de la liste des condamnés à mort.

— Comment ça ? dit le capitaine, un peu surpris. Quoi, vous voulez savoir qui c'est ? Je n'en sais rien, mais c'est un gros bonnet, en tout cas, ça c'est clair. Ça fait une semaine que je travaille pour eux, hein ? J'ai touché deux mille cent dollars pour la semaine, plus mille pour la copie du rapport d'autopsie du parachutiste, plus encore mille pour faire connaissance avec vous. Quatre mille cent dollars, ça n'est pas de la roupie de sansonnet. Sans compter la reconnaissance du service pour avoir réussi à établir l'identité du cadavre, de ce fameux Chibiakine. Vous pensez que c'est par vous que je l'ai apprise ?

— Non, je ne le pense pas.

— Et vous avez raison. C'est le type à la voix polie qui m'a soufflé le renseignement : le nom, l'adresse, et même le code d'entrée. Nous avons fouillé les lieux, m'a-t-il dit, nous n'avons rien trouvé d'intéressant. Maintenant, c'est à votre DRIS de travailler.

— Qui ça, qui ça ?

— La Direction des recherches et investigations scientifiques, c'est dans le quartier des Kolobki. Des gars qui connaissent leur boulot... Enfin voilà, je me retrouve là à gamberger sur la manière d'expliquer à mes chefs comment j'ai logé notre parachutiste. Et puis juste à ce moment-là, vous me téléphonez, pour me causer vous aussi de Chibiakine. Tout s'ajustait à merveille ! Je fais mon rapport : j'ai pris l'initiative de lancer une opération code 7 (le nom officiel chez nous de « Semion Semionitch », « Sous surveillance constante ») sur Ostankino[1], laquelle m'a conduit à l'adresse recherchée.

— Mais pourquoi sur Ostankino ? L'appartement de Chibiakine se trouve rue Lyssenko !

Volkov éclata de rire.

— Ostankino, c'est le surnom qu'on vous donne chez nous ! Ben oui, quoi, à cause de votre taille. Vous suscitez

---

1. Nom d'un quartier de Moscou (au nord de la ville) où s'élève notamment l'une des deux plus hautes tours de téléradiodiffusion du monde. (*N.d.T.*)

chez nous un énorme intérêt. Vous êtes, après tout, le seul parmi tous les « candidats » identifiés – j'entends par « candidats » les individus que les Insaisissables ont condamnés à mort – à n'avoir pas encore été trucidé.

A ce minuscule petit mot de « encore », résonnant comme un glas, Nicholas se raidit. Comme il hésitait toujours à livrer la liste à Volkov, il se souvint d'une vieille maxime : dans le doute, abstiens-toi.

Il s'abstint donc.

— Un autre « candidat » est le patron de mon courtois employeur, poursuivit le capitaine. Un type intelligent, on dirait. Il a tout de suite pigé que la condamnation prononcée contre lui n'était pas de la foutaise. Et à présent, il est à cran. Quelque chose pour lui a changé depuis hier. Quand je leur ai parlé de celle qui pesait sur vous, d'après le papier retrouvé dans la poche du parachutiste, le bien poli m'a seulement demandé d'aller vous rendre visite, juste histoire de vous sonder. Je leur ai fait mon rapport sur votre personne : un citoyen intéressant, genre premier de la classe à première vue, mais peut-être aussi cache-t-il son jeu. Très bien, m'a-t-on répondu, on va voir ça de plus près. Et puis aujourd'hui, crac ! cette agression contre vous. Ils ont appris quelque chose sur vous, Nikolaï Alexandrovitch, quelque chose que vous ne m'avez pas dit.

L'officier de police fixa sur Fandorine un regard inquisiteur, mais celui-là se contenta de pousser un soupir. Quelle puérilité ! Supprimer les indications du fax, et croire que c'était suffisant pour être tranquille ! Pour une structure sérieuse, ce n'était pas le binôme de Newton, ni même le tire-bouchon de Maxwell. Ils avaient reçu l'avertissement, et établi en moins de deux qui le leur avait adressé. Eh ! il aurait dû au moins envoyer Valia le faxer depuis la poste...

— Et je les comprends, reprit le policier faute d'avoir obtenu une réponse. Vous êtes une sacrée énigme, vous savez, n'importe qui prendrait peur. Comment avez-vous découragé notre parachutiste, hein ? Vingt-quatre heures n'étaient pas écoulées. Et on m'a parlé également de votre garde du corps. Pas un gorille au crâne rasé, comme tout le monde, mais une vraie Nikita ! Très fort !

— Je ne suis absolument pas une énigme. Et j'ai agi tout seul, rétorqua Nicholas d'un ton maussade, comprenant fort bien que son interlocuteur s'était déjà forgé une image à laquelle il ne renoncerait pas facilement.

— Ben tiens ! Et la charmante demoiselle championne de taekwondo qui vole à votre secours, elle est tombée du ciel peut-être, et y est retournée ensuite avec ses petites ailes ? Qui sait si vous n'êtes pas un espion, Nikolaï Alexandrovitch... Non, vraiment, pourquoi vous appellent-ils l'Anglais ?

Fandorine fronça les sourcils. Il ne manquait plus que ça ! Avec sa biographie et l'espionnite qui sévissait actuellement en Russie !

— Si j'étais un espion ou, comme vous dites, un gros bonnet, je ne chercherais pas de l'aide auprès de vous.

Volkok réfléchit à cette réponse. Il hocha la tête avec la mine du prince du Danemark prononçant : « Il y a plus de choses sur la terre et dans le ciel, ami Horatio... »

— Très bien, cette affaire ne me concerne plus. Vous n'aurez qu'à vous débrouiller tout seul avec eux. La prochaine fois qu'ils m'appelleront, je les enverrai voir ailleurs si j'y suis. Et je les avertirai, bien sûr : s'il arrive la moindre merde au citoyen Fandorine, la police judiciaire de Moscou saura qui rechercher. Mais je doute foutrement qu'ils m'écoutent. C'est un mec sérieux qui vous a convoqué pour un entretien. Convoqué dans les règles, pas comme un gamin. On ne refuse pas de telles invitations. Mais vous, vous avez refusé. Et qui plus est, de manière très vexante. Maintenant ils vont avoir encore plus peur de vous. Or les gens sérieux ne sont pas très doués pour avoir peur ni être vexés. Pour ce genre de complications, ils n'ont qu'une seule réponse.

Le capitaine se passa le pouce sur le cou.

— Mais que d-dois-je donc f-faire ? s'exclama Fandorine, bégayant sous le coup de l'émotion. Croyez-moi, Serguéï... Tenez, au moins imaginez un instant que je sois un type tout à fait ordinaire, absolument sans défense ! Je mène une petite vie tranquille, sans histoire, jusqu'au jour où soudain, sans crier gare me tombe dessus une espèce de cauchemar, un truc complètement délirant et abominable !

— Ça peut arriver, bien sûr

Volkov considérait Fandorine d'un air sceptique, quand soudain il sembla lire sur son visage un détail qui jusqu'alors lui avait échappé. Les yeux du capitaine s'étrécirent, une étincelle s'y alluma. Peut-être s'agissait-il même d'une lueur de compassion ?

— Dans ce cas, gaffe à toi. Mais quoi, vraiment, tu ne bénéficies d'aucune protection ? demanda-t-il avec une grimace douloureuse. Et personne pour te piloter ?

Nika secoua négativement la tête.

— Bon, si tu ne mens pas... (Volkov haussa les épaules.) Disparais ! Disparais complètement. Transforme-toi en homme invisible. Tu as vu le film ? Non ? C'est l'histoire d'un gus qui...

— J'ai lu le roman. Mais comment ça, « disparais » ? J'ai une famille, un boulot !

— Quelle famille, putain ! Tu ne mets plus un pied ni chez toi ni au bureau. Tu ne te montres plus où tu as l'habitude d'aller. Tu n'appelles personne. Tu balances ton portable. Maintenant je vais te faire sortir d'ici, et comme on dit, tu vas te fondre dans la nuit.

— Et... et combien de temps ça va durer ?

Le policier poussa un soupir.

— Si tu te caches mal, pas très longtemps, c'est sûr. Bon, allez, note ce numéro. Le nom, c'est Tanka. Appelle dans un jour ou deux, d'un téléphone public uniquement, compris ? Tu diras... tu diras : ici le télécentre. S'il y a du nouveau, Tanka te le dira.

— C'est votre femme ? demanda Fandorine en tirant un stylo de sa poche.

— Non, une pute en délicatesse avec la justice. Mais bonne fille. On peut compter sur elle.

Disparaître ? Se cacher ? Mais comment ? Et où ?

— *Stell dir vor*, deux jours d'affilée en homme, j'en suis devenue toute bleue, tiens ! Ce matin, j'en étais complètement dégoûtée, *schreklich* ! Aujourd'hui, vois-tu, c'est une journée rose à *one hundred percent*. Je me regarde dans la glace : *my gosh* ! ce n'est pas possible d'être aussi belle ! Une perruque rousse afro, des bottes à perles (tu te rappelles lesquelles, avec un ruban à la cheville), une petite écharpe de soie pour flotter au vent, et il aurait suffi que je me pointe sur la Tverskaïa-*strasse* pour que tous les hommes tombent par terre. Mais non, impossible, *verboten* ! Quoi, je suis trop conne peut-être pour comprendre ? Tes kidnappeurs cherchent une fille. S'ils la trouvent, ils lui flanqueront une *abreitung* sans anesthésie. C'est atroce comme j'en ai ma claque des boots et du crâne rasé ! Un SDF, un vrai SDF ! Il n'y a qu'ici, à la datcha, que j'ai pu me relaxer. Ça ne fait rien si je ne suis pas maquillée ?

Valia se détourna de la cuisinière sur laquelle achevait de mijoter une bizarre omelette compliquée, et rafla un petit miroir posé sur la table. Elle tourna la tête d'un côté et de l'autre, arrangea ses boucles.

— *Alptraum* ! soupira-t-elle. Cette perruque ne vaut rien, j'ai fourré dans mon sac la première qui me tombait sous la main. Quant aux vêtements, je préfère ne pas en parler... Mais bon, une *country house* est une *country house*. Soyons simple, non ?

Après deux jours passés dans son refuge, Fandorine était si fatigué de la solitude et des idées noires que la voix de Valia lui était comme une musique céleste. Son assistante avait apporté de Moscou des vivres et des journaux, mais surtout avait tiré le reclus de cet ignoble état d'abandon où le rêve se confond avec la réalité et où l'on ne sait plus lequel de tous ces cauchemars est le pire.

Après avoir pris congé du capitaine Volkov, Nicholas avait tout de même passé un coup de fil, depuis la poste centrale, à Valia. Il avait besoin de savoir si la fugitive était parvenue à rentrer chez elle.

Il se trouva qu'elle y était parvenue, oui, et d'excellente manière. En outre, après avoir écouté un moment le discours haché et passablement bousculé de son patron (« disparaître au plus vite... je ne sais pas où... ne pas téléphoner... invente quelque chose pour Altyn », etc.), la collaboratrice de Fandorine avait manifesté une exceptionnelle présence d'esprit. On peut dire même qu'elle l'avait tiré de l'abîme de désespoir où il avait sombré.

« Vous avez des *soldi* ? avait-elle demandé, interrompant son chef. Combien ? »

Nicholas avait plongé la main dans sa poche pour y prendre son portefeuille.

« Mille cinq cents. Et un peu de monnaie.

— *Genug*. Prenez un tacot, et filez chez nous, au *country house*. Vous vous rappelez ? Vous y êtes déjà allé, pour le *birthday* de Mamona. C'est sur la route Roublevo-Nikolsk, au kilomètre quarante-trois. Vous verrez, il y a un panneau indicateur. En ce moment il n'y a personne, la baraque est vide. J'appellerai les gardiens, ils ont un double des clefs. Enfermez-vous là-bas, attendez. Il doit y avoir de la bouffe dans le *fridge*. Du *cheese*, du saucisson. Je ne phonerai pas. Ils savent que je suis votre secrétaire, ils peuvent avoir mis ma ligne sur écoute. Je passerai voir votre baby-sitter, je lui dirai qu'il faut qu'elle reste plus longtemps. »

Qui d'autre avait une aussi merveilleuse assistante ? Devant tant de bon sens, de sang-froid, d'organisation, Fandorine avait presque les larmes aux yeux. Son affolement s'était estompé, car son futur proche acquérait soudain logique et cohérence.

Le premier taxi qu'il arrêta accepta de conduire le voyageur nocturne jusque dans la campagne. Le chauffeur réclama d'abord deux mille roubles, puis condescendit à n'en toucher que mille cinq cents : la fortune souriait décidément de plus en plus à la victime du funeste sort.

La résidence secondaire des parents de Valia était une maison des plus chic bâtie dans le célèbre lotissement privé les Collines. Six chambres, un petit jardin avec tonnelle et fontaine. une salle de billard au sous-sol, un solarium à l'étage, en un mot un *paradise* de nouveau Russe doté de toutes les options. Seul problème : malgré tous ses efforts,

Nicholas n'avait pas réussi à comprendre comment le chauffage se mettait en marche, de sorte que l'endroit restait glacial. Pour se tenir chaud, il avait enfilé la robe de chambre molletonnée et brodée de silhouettes de paon de Mamona, ainsi que ses pantoufles en peau de mouton (la maîtresse de lieux avait une taille et une carrure de grenadier, si bien que robe de chambre et pantoufles lui allaient parfaitement).

Il s'était bien gardé d'allumer la lumière, afin de ne pas éveiller de curiosité inutile chez les autres habitants du petit village. C'est pourquoi il s'était abstenu aussi de regarder les nouvelles à la télé, ne se nourrissant que de saucisson, et passant tout son temps à observer le territoire alentour ; les maisons voisines sur trois côtés, à peu près identiques à celle où il avait trouvé refuge, et une palissade en planches de trois mètres de haut sur le quatrième, palissade surmontée d'une spirale de fil barbelé. Il n'y a pas à dire, les riches jouissent d'une immense liberté en Russie.

Enfin, au terme de sa seconde journée de réclusion, Valia était apparu. Il était arrivé à moto, couvert de boue de la tête aux pieds, et avant même que l'engin fût arrêté avait lancé :

« Oh ! je n'en puis plus ! Je suis à bout ! »

Pour courir aussitôt se débarrasser de ses vêtements d'homme.

A présent revêtu d'une petite robe d'intérieur aux couleurs éclatantes, il officiait devant la cuisinière, préparant un dîner chaud. Nicholas était assis à la table de cuisine et jouissait du babillage de Valia. Comme c'était bon ! Il était vivant, n'était plus seul, bientôt les radiateurs seraient chauds, et quand la nuit tomberait on pourrait allumer les lampes.

Le seul ennui était que Valia avait très vite et résolument entrepris d'abuser de la situation.

Premièrement, elle était tout de suite passée à un tutoiement intime. Telle était, visiblement, la tendance qui se dessinait déjà dans l'entourage de Nicholas : plus personne à présent ne faisait beaucoup de cérémonies avec lui, ce qui, sans nul doute, témoignait de la dégradation de son

275

statut social. Le chef d'entreprise, l'homme solide qu'il était s'était changé en personnage invisible, en ombre. On ne voussoie pas une ombre. Qui a dit : « Ombre, sache te tenir à ta place[1] » ?

En second lieu, Valia profitait un peu trop effrontément de son rôle d'agent de liaison entre le reclus du ghetto pour riches et le monde extérieur. Comme Nicholas lui demandait si elle avait réussi à joindre Altyn, la perfide créature avait répondu :

« Je lui ai laissé un mot dans votre *mailbox*. Impossible de l'avoir au téléphone. Je sais imiter ta signature, et j'ai tapé le texte sur ordinateur. Un truc du genre : "Pardonne-moi, ma chérie, mais je suis un peu fatigué de la *family life*, j'ai besoin de passer quelque temps *ganz allein*." »

Nika poussa un gémissement, mais Valia lui fit observer d'un ton protecteur :

« Crois-moi, elle ne t'en aimera que davantage. Je te le dis en tant que femme. »

Peut-être, après tout, est-ce encore le mieux, se dit Fandorine avec amertume. Mieux vaut finalement qu'elle soit fâchée qu'inquiète. Elle rentrera demain de Saint-Pétersbourg, ouvrira la boîte à lettres... Et que pensera-t-elle ? Que j'ai rencontré une autre femme ?

« Ecoute, dit-il à haute voix. Tu vas retourner là-bas. Tu récupéreras ta lettre et tu en mettras une autre dans la boîte. Je vais te la rédiger tout de suite. »

Et il écrivit :

« Altynka, je pars pour deux ou trois jours. Une affaire urgentissime, je n'ai même pas eu le temps de prévenir Lidia Petrovna. Félicite-moi : j'ai enfin dégoté un client important – ton annonce y est pour beaucoup. Certes, je dois partir loin, dans la région d'Arkhangelsk. J'ai essayé de t'appeler sur ton portable, mais ça ne marchait pas. J'ai bien peur de ne pas pouvoir te téléphoner de là-bas. C'est vraiment à Perpète-les-oies, et je

---

1. Réplique tirée d'une pièce d'Evgueni Schwartz, *L'Ombre*, et devenue proverbe. (*N.d.T.*)

doute que le réseau aille jusque-là. Quand je reviendrai, je te raconterai tout. Il s'agit d'une histoire proprement fantastique.

Ton baronet. »

Il pensait avoir choisi le ton juste : enjoué, en même temps qu'un peu fébrile. Ça devrait marcher.

Valia aurait fort bien pu ranger la lettre dans la poche de sa robe. Au lieu de cela, elle releva lentement le bas de celle-ci et glissa le papier plié en quatre derrière l'élastique de sa culotte en dentelle. Nicholas poussa un soupir douloureux et détourna la tête.

— Je ne sais qui est le plus à craindre : ces mafiosi ou Mamona, jacassait la perfide tout en servant à Nicholas une énorme part d'omelette aux truffes. Si jamais elle flaire dans quelle *story* je suis allée me fourrer, elle ne prendra pas de gants. Elle m'expédiera sous escorte quelque part dans les îles Tuamotu, loin du péché. Quant à ces enfoirés, eh bien… Mais mange, mange. Tu veux une tartine de beurre ?

Elle s'assit en face de lui, la joue calée dans la main, en une attitude des plus féminines. Une vraie idylle familiale !

— Ils ont appelé hier, à la maison. (Ici Valia prit une voix d'homme :) « Monsieur Glen ? Excusez-nous de vous déranger chez vous. Nous n'arrivons pas à joindre Nikolaï Alexandrovitch, or nous avons une affaire urgente à régler avec lui. Ne pourriez-vous pas… » J'ai répondu aussi sec : « Non, je ne pourrais pas. J'ai pris mes jours de congé. Cherchez-le tout seuls. » Et j'ai raccroché. Un détail intéressant : Mamona a fait installer un appareil très rusé capable d'identifier n'importe quel appel, or là, rien du tout : c'est donc qu'ils ont un antiscanner. Tu captes ? *All right.* Ce matin je suis passée par le bureau pour arroser les fleurs. C'est là-bas sans doute qu'ils m'ont prise en filature. Et habilement, car je n'ai rien remarqué. Je suis allée ensuite au *Pier-Paolo*, c'est un endroit spécial, tu n'aimerais pas. Je m'installe au bar, je cause un peu avec Margot (c'est le barman de là-bas), je bois un cappuccino. Tout à coup entrent ces trois types, tu sais, ceux que j'avais étendus devant le Cholestérol. Pourquoi tu ne manges plus ? Ce n'est pas bon ?

277

Nicholas posa sa fourchette.

— Que... que t'ont-ils dit ? Ils t'ont abordée ?

— Juste un seul, une espèce de rouquin. Les deux autres sont restés près de l'entrée. Moi, j'étais là sur mon siège, les nerfs tendus à bloc. Je me dis : ils vont me reconnaître, c'est sûr. *Not at all !* L'autre s'approche, me file une tape sur le haut du crâne, une tape amicale, tu vois, avec sa grosse main moite, et me dit : « Eh bien, *skinhead*, où est ton patron ? » Le sinistre truand ! Je lui répète mon histoire de congé. Genre : le boss m'a appelée avant-hier soir pour me dire qu'il devait se barrer d'urgence et qu'en attendant j'avais quartier libre. Je me disais : il ne va pas me croire, il va commencer à s'énerver. Mais non, le Rouquin n'a pas bronché, il m'a adressé un clin d'œil, et puis tous les trois ont fait *weggegangen*.

— Quoi, qu'est-ce qu'ils ont fait ? demanda Fandorine, plissant le front.

Ce qui lui donnait le plus de mal, dans le langage de Valia, c'étaient bien les germanismes.

— Eh bien, ils ont prit l'*out*, ils sont partis, quoi. Enfin, pas tout fait. Un quart d'heure plus tard, environ, Max vient me trouver, il bosse dans la boîte comme vigile. « Tes trois mastards, là, me dit-il, ils sont montés dans un 4 × 4, et ils attendent. Ils veulent t'emmerder, c'est ça ? » Tu comprends, le *Pier-Paolo*, c'est le gros rendez-vous des gays, des vrais, des purs et durs. Ils n'aiment pas trop les hétéros. Moi, c'est différent, ils se sont habitués, je suis un peu comme une *genosse* pour eux. Max me dit : « Je vais sortir et laisser tomber sous leurs pneus un gros paquet de clous. Comme ça tu pourras repartir tranquillement, Valia. » Je suis sortie, j'ai enfourché mon *chopper* et j'ai mis pleins gaz. La jeep a démarré en trombe derrière moi, mais elle n'est pas allée bien loin... Si bien que j'ai roulé jusqu'ici peinarde, sans être filée.

Et Valia éclata de rire, très satisfaite d'elle-même.

— Et s'ils parviennent à te choper et qu'ils te descendent pour te faire payer cette plaisanterie ! objecta Nicholas en

278

secouant la tête. Ce sont des hommes très dangereux, tu ne sais pas tout sur leur compte.

— Il faudra voir encore qui descendra qui ! déclara l'intrépide demoiselle d'un ton belliqueux. *Guck mal !*

Elle bondit de sa place, attrapa son sac et en tira un pistolet – celui-là même qu'elle avait ramassé devant le club.

— Je leur offrirai un *final countdown* ! (Valia brandit l'arme en l'air.) Bam ! Bam !

— Quoi, tu ne l'as pas balancé ?! s'écria Fandorine. Idiote ! Donne-moi ça tout de suite !

Il arracha le pistolet des mains de l'insensée et voulut le glisser dans la poche de sa robe de chambre, mais se figea, fasciné malgré lui par l'éclat mat et l'élégance du terrible objet. Pourquoi les armes sont-elles toujours belles ? se demanda Nika. Comme des œuvres d'art. Et il se répondit : mais parce que, tout comme l'art, elles portent en elles le mystère de la vie et de la mort. Une seule légère contraction des muscles de l'index, et le mystère est résolu. Tout, tout ce qui est menace de mort pour le cœur d'un mortel renferme...

La sonnette retentit dans l'entrée, musicale et même rassurante, mais Nicholas pourtant sursauta. Sans réfléchir, il fourra le pistolet au fond de la poche de sa robe de chambre, et se leva.

Valia sourit :

— Pas de panique, Nick ! Nous sommes aux Collines, seuls les résidents peuvent entrer. J'ai demandé aux vigiles de me cueillir des branches de sorbier. Je les mettrai dans un vase, ça fera un bouquet *wunderschön* !

Et elle s'en fut à petits pas pressés dans le couloir en lançant d'une voix chantante :

— J'arrive !

Tout en s'essuyant les lèvres avec sa serviette, Nicholas tendit la main vers la théière.

Il entendit le claquement du verrou, puis Valia qui s'exclamait d'une voix ravie :

— Oh ! quel merv...

Puis il y eut un grand vacarme dans l'entrée, comme si quelque chose, ou quelqu'un, s'était effondré par terre.

Fandorine se précipita vers le bruit, sans même lâcher sa serviette.

Il s'engouffra dans le couloir, et se figea, comme paralysé.

Valia gisait sur le dos, bras en croix. Deux filets de sang coulaient sur son visage. Ses yeux étaient clos.

Dans l'embrasure de la porte se tenait le même homme qui avait cherché à retenir Nicholas, devant la boîte de nuit. Aujourd'hui il ne portait pas de lunettes noires et avait troqué son blouson de cuir pour un costume et une cravate. Il tenait contre lui une grosse brassée de branches de sorbier, et secouait les doigts de sa main droite, laquelle était gantée.

— Et voilà mister Fandorine, dit l'inquiétant personnage d'un ton neutre. Ce qu'il fallait démontrer !

Et il se débarrassa du bouquet en le jetant dans un coin.

Comme Nicholas reculait, l'homme avança vivement d'un pas et émit un claquement de langue.

— Cela suffit, *sir*, nous avons assez couru. Vous ne faites qu'attirer inutilement des ennuis à tout le monde, et en premier lieu à vous-même.

Honteux de son manque de courage, Nika voulut faire mouvement en sens inverse, pour examiner Valia.

Le bandit émit un autre claquement de langue. Le son n'était pas très fort, mais paralysant, comme le bruit d'un serpent à sonnette. Et aussi bien, Fandorine se trouva paralysé. Figé sur place.

— Que lui... que lui avez-vous fait ? demanda-t-il d'une voix faible.

— Rien de bien terrible. J'ai cogné votre hermaphrodite sur le nez, comme il l'a fait avec moi. Pour ne pas l'avoir dans les jambes.

Il jeta un coup d'œil sur les jambes lisses et dénudées de Valia, encore sonnée, et observa, ironique :

— Vous ne manquez pas de fantaisie, décidément. Et vous êtes sapé comme une vraie princesse.

Nika croisa sur sa poitrine les deux pans de sa robe de chambre brodée de paons. Ce type pouvait bien penser ce qu'il voulait de ses relations avec Valia, c'était pour l'instant le dernier de ses soucis. Mais comment était-il arrivé jusqu'ici ?

— Comment avez-vous retrouvé sa trace ? Il affirmait pourtant ne pas avoir été filé !

— Les filatures, mister Fandorine, c'était hier. Une distraction pour dilettantes manquant de moyens techniques.

L'homme se pencha, arracha la perruque de Valia et tapota son crâne rasé.

— Un de mes hommes lui a donné une petite claque comme ça sur le cuir, son gant était enduit d'une solution spéciale, un genre de colle. Cette solution émet un signal repérable par radar. Et c'est tout, un vrai jeu d'enfant ! Comme on le prévoyait, l'hermaphrodite nous a conduits droit où nous voulions aller.

— Mais comment avez-vous pénétré sur le territoire du lotissement ? Il y a un poste de garde !

— Vous nous offensez, Nikolaï Alexandrovitch, répondit l'homme en secouant la tête d'un air de reproche. Je viens juste de vous faire la démonstration de l'étendue quasi illimitée de nos possibilités techniques, afin que vous cessiez enfin de jouer à l'imbécile et commenciez à nous prendre au sérieux. Je possède un joli petit laissez-passer qui me permet non seulement de pénétrer dans un lotissement de maisons de campagne, mais même d'entrer au Kremlin.

Il se tourna vers la porte restée ouverte et adressa un signe à quelqu'un.

Nicholas regarda par-dessus son épaule et vit la jeep de l'avant-veille garée devant la maison. Deux hommes en descendaient, qu'il connaissait aussi déjà. Le Rouquin se dirigea vers le perron tandis que le Camard restait près du véhicule.

Voyant Fandorine éponger de sa serviette la sueur qui perlait à son front, le chef de la bande eut un sourire :

— Quoi, cellules glandulaires en pleine sécrétion ? C'est nerveux.

— Ecoutez, que voulez-vous ? Pourquoi me poursuivez-vous ? Je ne sais absolument rien ni de vous ni de vos affaires. Je vous le jure !

Ses paroles sonnaient de manière si pitoyable, si désespérée, que Nika eut honte et tenta de se reprendre en main. En une situation aussi épouvantable, l'important était de ne pas perdre le sentiment de sa propre dignité. Tout ce qu'on voulait, mais pas ça.

D'un geste agacé, il fourra sa serviette dans sa poche. Ses doigts y rencontrèrent un objet dur et froid.

Le pistolet ! Comment avait-il pu l'oublier ?

Sa paume se referma toute seule sur la crosse tandis que son index s'allongeait sur la queue de détente.

Les cellules susmentionnées par le chef des malfrats redoublèrent d'activité : la sueur se mit à couler sur son front à grosses gouttes.

Non, je ne pourrai pas, comprit Nika.

Un James Bond ou bien le grand-père Eraste tireraient à travers la poche, sans hésiter davantage. Mais moi, je ne peux pas.

Bon, faire feu, bien sûr, c'était commettre un meurtre, un acte de barbarie. Mais s'il sortait l'arme et qu'il se mît à brailler : « Pluuuuus un geste ! Les mains derrrrrière la nuque ! » ?

Il palpa le cran de sûreté et le fit même basculer en arrière, mais il savait pertinemment qu'il se berçait d'illusions : non, jamais il ne pourrait brandir l'arme en hurlant. Et encore moins tirer.

Anxieux, il se planta les dents dans la lèvre inférieure.

— Eh bien, milord, dit l'homme, séparez-vous donc de vos magnifiques volatiles, enfilez un manteau et veuillez bien me suivre. Le carrosse vous attend. La personne qui souhaite s'entretenir avec vous n'a pas l'habitude de réitérer deux fois ses invitations.

A ce moment le Rouquin apparut dans l'entrée. Il vit Valia étendue par terre, puis Fandorine, et émit un sifflement.

— Je l'avais bien dit, déclara le chef en jetant un bref coup d'œil à son comparse, la mine très satisfaite. C'était garanti sur facture. Fais le tour de la baraque en vitesse, juste pour voir, au cas où. *Sir* Nicholas et moi attendrons dans la voiture.

Il empoigna Fandorine par le bras, d'un geste autoritaire, et le conduisit jusqu'au portemanteau.

— Qu'est-ce qu'on fait de celui-là ? demanda le Rouquin en désignant Valia d'un mouvement de tête.

— Il m'a frappé au visage. Tu l'as oublié ? répliqua l'autre d'une voix dure.

— Compris.

Il décrocha le pardessus pendu à la patère et entraîna Nika vers la porte. Au moment de franchir le seuil, celui-ci se retourna et vit le Rouquin sortir un pistolet à silencieux et le coller contre le front de Valia. La pauvrette ouvrit des yeux vitreux, mais elle ne parut pas comprendre pourquoi un tube d'acier se profilait près de son visage, et elle referma les paupières.

Ce qui se produisit l'instant d'après se déclencha presque spontanément, sans que la raison de Fandorine y prît la moindre part, exactement comme au temps où il jouait au basket, quand le mouvement réflexe devançait les ordres donnés par le cerveau.

Poussant un gémissement, entre sanglot et raclement de gorge, Fandorine libéra son bras gauche des doigts qui l'étreignaient et de toute la masse de son corps bouscula le malfrat, lequel, brutalement éjecté au-dehors, dégringola du haut du perron. Dans le même temps il levait sa main droite, toujours crispée sur l'arme, et la tendait en direction du Rouquin, sans l'extraire de sa poche, de telle sorte que la robe de chambre s'ouvrit, formant une sorte de velum bigarré comme on en voit sur les champs de foire.

Le Rouquin sursauta et son regard se posa aussitôt sur l'étrange vêtement déployé de manière menaçante. Dans l'instant il comprit la signification du phénomène et sa forte main couverte de menues taches de rousseur orienta le tube du silencieux vers Nicholas. Juste au moment où le tube se changeait en un trou noir, Fandorine serra le poing de toutes ses forces.

Le paon tissé d'or figurant sur la poche cracha une flamme dans un tonnerre assourdissant et le Rouquin fut projeté contre le mur. Il glissa sur le sol, laissant sur le papier peint une traînée rouge et brillante.

Nicholas s'empressa de lui tourner le dos, pour ne pas voir le visage de l'homme qu'il venait de tuer. Du coup, il découvrit ce qui se passait dehors.

Le chef des bandits n'avait pas eu le temps encore de se relever, mais sa main avait plongé sous son aisselle. Le Camard s'était dissimulé derrière la jeep, et le canon d'une arme surgit par-dessus le capot.

Nika ne s'attarda pas à regarder davantage. Il claqua la porte et tira le verrou.

Il fut bien contraint malgré tout de contempler le Rouquin.

L'homme gisait par terre, la nuque collée à la paroi, la tête couchée sur l'épaule. Sa figure toute jeune, tavelée de pâles éphélides, était figée dans une expression outragée Comme celle d'un gamin qu'on aurait empêché de regarder le film qu'il voulait voir, pensa Fandorine.

Mais il n'avait pas le temps de s'appesantir sur ce sujet. Toujours mû par ses réflexes de basketteur, il souleva Valia par les aisselles et la traîna le long du couloir, puis à travers le salon, sans savoir lui-même où il allait ni pourquoi.

Valia battit des paupières, dévoilant un regard encore bien vague.

— Où va-t-on ? bredouilla-t-elle (ou plutôt non, bredouilla-t-il, car, sans sa perruque, Glen se trouvait à nouveau métamorphosé en jeune homme). *Wofür ?*

Il se remit debout cependant. Il vacillait un peu, mais il tint bon.

Ouvrant la porte vitrée de la véranda, ils se faufilèrent dans le jardin. Soutenant Valia par la taille, Fandorine s'enfonça dans les buissons effeuillés et hérissés de piquants, laissant sur son passage des fils d'or et d'argent accrochés aux branches.

Ils progressèrent ainsi tant bien que mal, mais pour se heurter très vite à la haute palissade qui clôturait le lotissement.

— Par où peut-on passer ? demanda Nicholas en secouant Valia par le col pour tenter de lui faire reprendre ses esprits.

Celui-ci avait toujours le nez qui saignait, et ses joues étaient à présent marquées de deux longues éraflures, dues sans doute aux épines.

Valia toucha son nez à la racine, et ne put retenir un gémissement :

— Mon nez est cassé ! Mon Dieu ! Quel cauchemar ! Ne me regarde pas ! S'il te plaît, ne me regarde pas !

Sur quoi il couvrit de ses mains son visage défiguré.

— Il faut partir ! lui cria Fandorine à l'oreille. On peut sortir du lotissement autrement que par le poste de garde ?

— Oui, nasilla Valia. Par là.

Ils coururent le long de la clôture. Glen parvenait déjà à se déplacer sans l'aide de personne, même s'il était encore un peu zigzagant.

Passant des haies vives aux couleurs éteintes, des pelouses tondues ras au milieu desquelles se dressaient les formes blanches d'orphelines balançoires, ils arrivèrent à un poteau surmonté d'un projecteur, planté là où la palissade tournait à gauche à angle droit.

Dissimulant toujours son visage, Valia dit alors :

— La planche, là, elle peut se démonter. C'est moi qui l'ai pétée l'été dernier. Pour filer au village, retrouver un mécanicien qui me trouvait mignon. Je veux dire mignonne…

Il tira un clou et écarta un des panneaux de bois. Il se glissa dans l'étroite ouverture sans aucune difficulté, tandis que Fandorine, lui, manquait rester coincé.

Devant eux s'étendait un champ aux couleurs grises de l'automne, au-delà commençait la forêt.

Nicholas s'élança droit devant lui, ses pantoufles claquant dans la boue. Au bout d'un instant il se retourna, et constata que Valia n'avait pas bougé de place.

— Qu'est-ce que tu fais ? Grouille ! Il faut atteindre le bois avant qu'ils nous aient aperçus !

Valia restait immobile, le visage dans les mains, les épaules secouées de sanglots.

Force lui fut de revenir sur ses pas.

— Qu'est-ce qui te prend ? Il faut courir !

— Pars ! répondit Glen, la voix étranglée de larmes. Sauve-toi, je vais me débrouiller tout seul...

— Comment ça « tout seul » ? Où « tout seul » ?

S'emmêlant pour la première fois, semble-t-il, dans les masculins et les féminins, l'homme du futur bredouilla :

— Je ne veux pas que tu me voies dans cet état, je suis affreuse... Laisse-moi tout seul. Toi, sauve-toi. La gare est là-bas, de l'autre côté du bois. Quatre kilomètres à l'est.

— Arrête de déconner ! Ils vont te tuer !

— Je vais aller à la ferme, trouver Volodia...

— Qui c'est ce Volodia encore ?!

— Eh bien, le mécanicien, je viens de t'en parler... Il est très gentil... Le seul ennui, c'est qu'il pense que je suis une fille. Mais tant pis, je dirai que je me suis rasé la tête. Que c'est plus *fashion*... Mais cours donc, va-t'en !

Valia tapa du pied avec violence, et sanglota de plus belle.

Fandorine jeta un coup d'œil à la brèche ouverte dans la palissade, puis s'en fut à toutes jambes en direction de la lisière de la forêt. Quand une minute plus tard il regarda derrière lui, Valia n'était plus devant la clôture. Il ne se retourna plus avant d'avoir atteint les arbres, et ce n'est qu'une fois à l'abri des premiers buissons qu'il se permit de reprendre souffle. Il écarta alors les branches.

Le lotissement des Collines ressemblait à une île de conte de fées surgie des profondeurs de la mer : des tourelles s'élevaient derrière ses remparts, couronnées de girouettes et d'antennes paraboliques. Une île dessus la mer repose, une ville dans l'île est enclose[1].

---

1. Citation tirée du *Conte du tsar Saltan* de Pouchkine, conte où figurent également les trente-trois preux chevaliers de la phrase suivante. (*N.d.T.*)

Dieu merci, au moins les trente-trois preux chevaliers étaient hors de vue. Une nouvelle fois, l'insaisissable N. Fandorine venait de glisser entre les pattes griffues du malheur.

Il resta un moment sans bouger, son front brûlant collé à l'écorce froide et humide d'un chêne. Avant de se remettre en route (juste quatre kilomètres finalement !), il sortit le pistolet de sa poche, jeta sur l'arme du crime un regard plein de dégoût et la balança dans un fossé qui, à en juger par la couleur de l'eau, ne devait jamais être à sec, même en été.

Au début, il marcha d'un pas vif, en se retournant de temps à autre, à tout hasard. Il avait déboutonné sa stupide robe de chambre, qui lui tenait trop chaud. Il essayait de ne pas penser à ce qui s'était passé cinq, ou tout au plus dix minutes plus tôt. Bien sûr, il lui serait impossible de vivre désormais comme avant, mais il y réfléchirait plus tard. D'abord prendre de la distance, laisser refroidir tout ça.

Fandorine ne tarda pas à le ressentir, ce refroidissement, en tout cas au sens propre. Il commença par refermer sa robe de chambre, puis il en releva le col, et enfin glissa ses mains dans les larges manches à revers.

Bon Dieu, quel froid !

Rien d'étonnant : on était à la mi-novembre. Quelle était la température à présent ? Deux, trois degrés, sûrement pas davantage.

Au fait, il s'était enfoncé d'un pas décidé dans le bois, mais où se trouvait l'est ? Il s'arrêta, regarda autour de lui.

La forêt des environs de Moscou est déserte en novembre, et inhospitalière. Les gens n'y viennent pas, faute de bonnes raisons d'y venir : les teintes dorées de l'automne sont loin, et il est encore trop tôt pour les promenades à ski.

En l'absence d'êtres humains, ce minuscule bosquet de grande banlieue avait retrouvé sa qualité de nature sauvage.

Tout était sombre et silencieux. Il y avait dans l'air comme une odeur de mort.

Dans la clairière où il venait de faire halte, se dessinait par terre une tache ronde et noire, vestige d'un feu de camp, qu'avoisinaient deux briques et une paire de bouteilles vides. Un peu plus loin, dans une mare, scintillaient quelques lambeaux de papier alu. Voilà tout ce qui subsistait ici de l'homme. Nicholas pensa tout à coup qu'un jour viendrait où l'humanité aurait disparu de la surface de la terre, comme les vacanciers avaient disparu de ce bois. Et il ne resterait d'elle que des fragments et des débris.

Il se secoua : il avait trouvé le bon moment pour philosopher ! Allons, où était donc l'est ?

Il est écrit dans les livres que les arbres se couvrent de mousse du côté nord. Très bien, prenons la bande de peluche verte qui s'étale sur ce bouleau. Si les livres disent vrai, il suffit de se camper devant, face à elle, et l'est sera à notre gauche.

Réconforté, Fandorine reprit sa marche selon le cap établi et progressa d'un pas assez alerte jusqu'au moment où juste devant son nez se dressa un autre bouleau qui tournait vers lui la même face moussue que le premier.

Comment était-ce possible ? Il n'avait donc pas marché vers l'est, mais vers le sud ?

Nicholas leva la tête et contempla le ciel gris qui peu à peu s'assombrissait. Et il imagina quel spectacle il devait offrir de là-haut : ridicule créature vêtue d'une robe de chambre et chaussée de pantoufles, perdue au milieu de squelettes d'arbres dénudés.

Comme Ivan tsarévitch dans la forêt enchantée, à cette différence près qu'il n'y avait pas de loup.

Et à peine se faisait-il cette réflexion qu'il entendit un froissement de feuilles mortes tout près. Il sursauta, regarda derrière lui et, n'en croyant pas ses yeux, aperçut au-dessus d'une souche une gueule grise et poilue au front plissé, aux oreilles pointues, aux yeux attentifs qui l'espace d'un instant brillèrent d'une mauvaise lueur phosphorique.

Non, ce n'était pas le loup gris, juste un louveteau gris. Ou plutôt un chien errant qui très certainement comptait parmi ses ancêtres au moins un berger allemand.

Fandorine se réjouit de cette rencontre avec une créature vivante. Quand on est deux, tout paraît plus gai.

Il siffla, clappa des lèvres, tendit la main.

Le chien le regarda, toujours sur la défensive. Il n'aboya pas, ne gronda pas, et ne bougea pas de place.

Alors il entreprit de se rapprocher doucement de lui, en répétant :

— Allons, allons, n'aie pas peur, petit chien. Faisons connaissance...

Le chien recula. Puis, tout en jetant de temps à autre de brefs coups d'œil derrière lui, partit au petit trot à travers les bois, à une allure modérée cependant comme s'il hésitait à courir vraiment.

Nika se lança à sa poursuite.

— Attends ! Eh ! tu es le meilleur ami de l'homme pourtant !

L'animal déboucha dans une clairière où s'empilaient des troncs d'arbres sciés, visiblement oubliés là depuis longtemps. Alors, il s'arrêta.

Fandorine, emporté par son élan, ne vit pas tout de suite qu'à côté de la pile de bois se prélassait toute une meute de chiens. L'un d'eux, une bête au poitrail puissant et à la tête à moitié pelée, se leva et retroussa les babines, découvrant de vilains crocs jaunes. Les autres aussitôt l'imitèrent. Comme ces pirates des bois ressemblaient peu aux chiens des villes ! Pas une ombre chez eux de timidité ni d'obséquiosité. Mais des yeux qui vous mesuraient, comme pour chercher à déterminer ce que vous étiez : une menace, ou une proie.

Glacé, Nika se rappela un article lu dans il ne savait plus quel journal qui parlait du nombre inquiétant de chiens errants qui s'étaient répandus dans les bois des environs de Moscou. Ils étaient depuis longtemps retournés à l'état sauvage – Dieu sait depuis combien de générations – et attaquaient sans façon les cerfs, les élans, et même parfois les humains.

Dans son effroi, Nicholas regretta de s'être débarrassé du pistolet, mais sur-le-champ il eut honte de cette pensée. Eh quoi, il ne pouvait plus faire un pas maintenant sans être armé, c'est ça ? Au moindre pépin, pan ! on tire ! Tous les problèmes résolus à coups de plomb ! Il avait tué un homme, à présent il voulait aussi mitrailler des chiens. Mais était-ce bien leur faute si les hommes les avaient chassés, eux ou leurs ancêtres, de leur maison ? Est-ce que vraiment tu serais capable d'abattre ce gros molosse marron à la gueule carrée ? Ou bien, tiens, ce bâtard roux, tout mal fichu, à la tête de colley et aux courtes pattes de basset ?

Il battit en retraite à reculons, pas trop vite cependant, pour que cela n'eût pas l'air d'une fuite. Les chiens l'accompagnèrent des yeux, sans manifester d'autre hostilité.

Une fois au couvert d'un arbre, Fandorine tourna les talons et détala à toutes jambes.

Il courut jusqu'au moment où la semelle détrempée d'un de ses chaussons se décolla. Il la remit en place tant bien que mal, s'assit sur un tronc d'arbre abattu et entreprit d'analyser la situation.

Il n'était pas dans la taïga, tout de même. Quelle taille pouvait avoir un massif forestier dans les proches environs de Moscou ? Au maximum quelques kilomètres carrés.

Il avait bêtement paniqué, et s'était mis gesticuler comme un perdu.

Que recommandait-il en pareil cas à ses clients, lui, le spécialiste en conseils futés ? D'abord de localiser l'origine du stress.

Celle-ci est tout à fait évidente, répondit Nicholas Fandorine au susdit spécialiste. J'ai commis un meurtre. J'ai déjà été amené un jour à tirer sur un homme, mais cette fois-là, Dieu merci, tout s'est finalement arrangé. Aujourd'hui, rien ne s'est arrangé. Le jeune grêlé, qui n'affichait pas vingt-cinq ans, est mort. Durant neuf mois, sa mère l'avait porté, puis il avait mis longtemps pour grandir, il avait découvert le monde, échafaudé des rêves, et tout cela, je l'ai rayé d'un trait. Si mauvais que puisse te paraître quelqu'un, tu n'as aucun droit de le tuer, parce que chaque homme est un univers. Et tout homme (bon, enfin, disons presque tout homme) est aimé de quelqu'un, d'une personne pour laquelle il est la lumière qui entre par la fenêtre, d'une personne même pour qui la vie sans lui ne vaudrait pas d'être vécue.

Le spécialiste ès conseils hocha tristement la tête, s'étant pénétré de tous les aspects du problème. Et répondit ainsi.

Oui, tu as tué, mais pas de sang-froid après avoir bien pesé le pour et le contre, au contraire tu as obéi à l'instinct qui commande à un être humain de se défendre et de protéger ses amis. Le Rouquin, dis-tu, était un univers à lui tout seul. Mais Valia, qu'est-ce que c'est ? N'est-il pas lui aussi aimé... je veux dire, n'est-elle pas elle aussi aimée... ah, zut ! peu importe... N'est-il donc personne qui aime Valia ? Et ensuite, toi. Toi aussi, tu représentes un univers, et dans cet univers, outre ta petite personne, il y a aussi ta femme, et ta fille, et ton fils. Ou bien aime toute l'humanité du même amour, comme le Christ, et alors tends ta joue gauche, ne t'oppose pas à la violence, accepte de marcher au supplice, et toutes ces choses, mais garde-toi de fonder une famille et de te faire des amis. Autrement, veuille bien faire en sorte de vous protéger, eux et toi. Même si pour cela tu es contraint de tuer.

Voilà le conseil qu'il formula, un conseil si sanguinaire que Fandorine se sentit mal à l'aise.

Son cœur cependant, si étrange qu'il puisse paraître, se trouva délivré de l'affolement qui l'agitait et laissa enfin le champ libre à sa raison : pense, réfléchis, à présent tu le peux.

Et il apparut à Nicholas qu'il n'avait nul casse-tête à résoudre. Il lui suffisait de marcher autant que possible en ligne droite jusqu'à ce qu'il débouche sur quelque route ou chemin, qui finirait bien par le conduire quelque part.

Son errance dans les bois prit fin alors qu'il faisait déjà nuit noire. Par deux fois, Fandorine s'était égaré : d'abord en empruntant un layon à peine tracé qui après maints tours et détours avait fini par se diviser en plusieurs branches, toutes impraticables ; puis il était tombé sur une allée parfaitement entretenue, et même asphaltée, qui hélas allait buter sur un mur de pierre et un portail clos ne portant aucune indication ni pancarte. Ce n'est qu'à la troisième tentative que, transi de froid, les pieds trempés, il trouva enfin la bonne voie. Un sentier, insignifiant à première vue, le conduisit droit à une route qu'il suivit jusqu'au premier lieu habité. Avant même que ne se dessinent les premières maisons, il entendit au loin le fracas d'un train. Ouf ! La gare n'était plus très loin.

Il n'attendit pas d'avoir atteint le premier réverbère pour ôter sa robe de chambre et la jeter dans un fossé. Apparaître dans un tel costume, c'était pousser un peu loin la témérité, mieux valait encore se montrer en bras de chemise.

La situation de la « canaille et escroc » en fuite était, pour s'en tenir à un euphémisme, fort peu enviable : sans manteau, pratiquement sans chaussures, sans argent, et sans nul endroit où aller. Mais au cours de sa promenade prolongée dans les bois, Nicholas avait eu le temps d'échafauder un plan – le seul possible dans les circonstances données.

Il n'était sur toute la terre qu'un seul homme en état de porter secours au paria – s'il y était décidé, bien sûr. Mais Nika avait bizarrement l'impression qu'en dépit du caractère épisodique et, comme on aime à dire aujourd'hui, pluriel de son expérience avec l'individu, celui-ci ne lui refuserait pas son aide.

Mais d'abord, il était nécessaire de surmonter une petite difficulté technique : donner un coup de téléphone sans disposer de la moindre liquidité.

Fandorine trépigna un moment devant le guichet de la gare, puis jeta un coup d'œil par la porte entrouverte sur laquelle s'affichait l'écriteau : « Chef de station ». Une grosse dame coiffée d'une casquette était assise là, occupée à lire un roman à couverture brochée. Sur son bureau se dessinait la forme noire du téléphone tant convoité.

Enclenchant le sourire le plus charmant de son arsenal, Nicholas passa la tête par l'embrasure.

— Au nom de Dieu, pardonnez-moi de vous distraire de votre lecture, dit-il. J'ai une énorme prière à vous adresser...

L'employée posa son roman à plat, couverture au-dessus, et considéra d'un air mécontent le grand type dégingandé en manches de chemise qui osait la déranger.

— Il m'arrive une terrible mésaventure, poursuivit le titulaire d'une maîtrise d'histoire. J'ai perdu ma veste, et avec elle mon portefeuille. Me serait-il possible de téléphoner à Moscou, s'il vous plaît ?

— Trèèèès intéressant, répliqua la dame d'une voix traînante, où c'est qu'on paume sa veste à présent ? Vous n'avez pas l'air bourré pourtant. Le mari est rentré de mission plus tôt que prévu, c'est ça ?

Sur la couverture du livre de poche était représenté un médaillon en forme de cœur, et dans le médaillon une beauté à demi nue collée à la poitrine d'un macho musculeux, avec au-dessous ce titre : *Le Fruit défendu*.

Peut-être devrait-il jouer le jeu ? Si cette femme se passionnait pour la lecture de romans d'amour, c'était que la vie ne la gâtait guère en matière d'aventures romantiques. Seulement voilà : vers qui allait sa sympathie : les femmes trompées ou les amantes torrides ? A première vue, elle ne ressemblait aucunement à une briseuse de cœurs, mais dès lors qu'elle s'intéressait aux fruits défendus...

— Quelque chose comme ça, lâcha-t-il d'un air modeste avant de baisser les yeux comme pour donner à entendre que le mal était fait et qu'il était inutile de revenir dessus.

Après un silence pesant, la chef de station déclara :

— Un seul appel. Et bref. On n'a pas le droit d'occuper ce téléphone.

Nicholas composa le numéro de l'amie du capitaine Volkov, en s'efforçant de ne pas penser qu'elle pourrait fort bien n'être pas chez elle.

La lectrice du *Fruit défendu* demeura assise, bras croisés sur la poitrine, fixant Fandorine d'un regard sévère : à l'évidence elle attendait des détails piquants. Le problème, déjà délicat, s'en trouvait encore plus compliqué. Comment, en présence de cette Gorgone, exposer à une parfaite inconnue du nom de Tanka l'essentiel de l'affaire ?

— Ça ne décroche pas ? demanda la bonne femme avec une joie mauvaise en même temps qu'elle tendait la main vers l'appareil. Je ne vous laisse pas appeler plus longtemps. Ça n'est pas permis.

Hourra ! Une voix jeune et féminine se fit entendre dans le combiné :

— Allô ?

— C'est Tanka ?

— Et alors ? Qui est à l'appareil ?

— Je suis un ami de Serguëï, dit Nicholas, choisissant prudemment ses mots, sans lâcher des yeux la main dodue pendue au-dessus du téléphone. Nous travaillons ensemble… au télécentre. Il a dû vous parler de moi, je pense.

— Et alors ? répéta Tanka sans manifester le moindre enthousiasme, mais, Dieu merci, sans non plus avoir dit : « Quel télécentre ? »

— Faites-lui savoir, s'il vous plaît, que je me trouve à la gare de Lepechkino, sur la ligne Moscou-Riga. Et dites-lui aussi que je suis tombé dans une situation très difficile.

— Ravie de l'apprendre ! répondit Tanka de manière surprenante, avant de développer aussitôt sa pensée en ajoutant : Vous n'êtes tous que des saletés de punaises.

— Qui ça ? demanda Nika, interloqué.

— Vous, les hommes. Dès qu'on vous lâche un peu de mou, vous vous barrez au galop. J'en ai ma claque de vos histoires de flics, compris ?

Et dans le combiné ne s'entendit plus que le signal intermittent. Avait-elle vraiment raccroché ? Ou bien la communication avait-elle été coupée ?

Il voulut refaire le numéro dans l'espoir que l'inflexible Tanka comprendrait toute l'urgence de sa requête, mais la femme lui confisqua l'appareil.

— Un appel, j'ai dit. Alors, la femme de ton copain t'a envoyé paître ? Bien fait, à ton tour de déguster, Roméo. Ils croient que parce qu'ils sont de la télé tout leur est permis !

Elle est du parti des épouses, conclut Nicholas. Et si elle lit *Le Fruit défendu*, c'est juste pour mieux connaître la psychologie de l'ennemi.

Il se dirigea vers la porte. La hargneuse et toute-puissante souveraine de la gare de Lepechkino lui balança encore dans le dos :

— Ne t'avise seulement pas de monter dans le train sans billet. Le soir, il y a moins de presse, c'est pain bénit pour les contrôleurs. Si jamais ils te chopent, ils t'embarquent au poste.

La principale question existentielle pour le moment se formulait ainsi : Tanka transmettrait-elle son appel au capitaine ou non ? Les autres questions vitales découlaient toutes de celle-ci. Si le message était transmis, le serait-il rapidement ? Et l'officier viendrait-il bien comme il l'espérait ?

Car à dire vrai, pourquoi viendrait-il ? Il n'avait rien à y gagner, en revanche il risquait de s'attirer des ennuis, et des plus sérieux.

Fandorine s'installa sur un banc dans l'abri vitré et rentra la tête dans les épaules. Il grelottait de froid et réfléchissait. Hormis ces deux occupations, il n'avait de toute façon rien d'autre à faire.

Quelle conduite adopter si Volkov ne venait pas ?

A l'évidence, il lui faudrait se rendre à la police. Après tout, il avait commis un meurtre, même si c'était en état de légitime défense. En attendant qu'il passe devant un juge, on le collerait en prison. Là au moins, il aurait chaud. Et serait en sûreté.

En sûreté, vraiment ? Si ces gens savaient qui était responsable de quoi au sein de l'équipe chargée d'enquêter sur l'affaire tenue secrète des Vengeurs insaisissables, si, comme l'avait déclaré le chef des malfrats, ils pouvaient à leur gré pénétrer n'importe où, et jusqu'au Kremlin, alors il était probable qu'ils n'auraient aucun mal à l'atteindre même dans une cellule de préventive.

Un autre obstacle encore : la police voudrait comprendre comment le citoyen Fandorine se trouvait en possession d'une arme à feu. Allait-il livrer Valia ?

Quand on parle du loup, on en voit la queue : pile à cet instant un policier s'approcha.

Ce n'était pas un enquêteur, certes, juste un sergent.

— Alors quoi, on se repose ? s'enquit le représentant de la loi. Trois trains sont passés, et vous êtes toujours là à lézarder. Et en tenue légère encore. On vous a volé vos vêtements ou quoi ?

Après une seconde d'hésitation, Fandorine décida de mentir :

— Mais non, tout va bien. Ma voiture est tombée en panne. J'attends qu'elle soit réparée, je me réchauffe.

— Qui la répare ? Liokha de l'ARM ?

Ce qu'était l'« ahérème », Nicholas n'en avait pas la moindre idée, cependant il hocha la tête. Rassuré, le sergent poursuivit sa ronde.

Ce n'était pas la première fois que Fandorine se trouvait dans une situation de danger mortel. On ne peut dire qu'il les aimait, ces situations, bien au contraire. Mais visiblement, tel était le destin qui lui était tracé. Titulaire d'une maîtrise d'histoire tombé dans les histoires. L'espèce *Homo sapiens* incluait différentes sous-espèces. Ainsi, il y avait des hommes qui vivaient toute leur existence sans connaître ni tracas ni mésaventures, et il y en avait d'autres, comme Nikolaï Alexandrovitch Fandorine, qui se voyaient constamment confrontés à toutes sortes de situations rocambolesques. Il était remarquable de noter que durant la première moitié de sa vie, passée en Angleterre, rien de tel ne lui était jamais arrivé, tous ses ennuis avaient commencé après son installation en Russie. Tel était ce pays, qui ne permettait pas à l'homme de vieillir en paix, qui sans cesse le tournait et le retournait, à tous les sens du terme, éprouvait sa dureté, son goût, sa peur.

Mais n'était-ce pas mieux ainsi ? Dans un pays sans problème, on pouvait vivre cent ans sans traverser aucune épreuve sérieuse, et par conséquent sans savoir ce qu'on valait vraiment, sans connaître son propre degré de solidité. Ses amis anglais disaient : Nik Fandorine est devenu cinglé. Déménager en Russie, changer de nationalité – quelle folie ! Or si l'on considérait que le but principal d'une vie était de se comprendre soi-même, de vaincre en soi ses faiblesses et ses mauvaisetés, de devenir meilleur et plus fort, alors c'était bien en Russie qu'il fallait vivre. Ou alors en Chine. Ou bien dans quelque Erythrée. Bref là où il arrive des histoires aux gens.

S'étant une nouvelle fois convaincu de la pertinence de ses choix, Nicholas ferma les yeux, s'adossa au mur et se prit à somnoler. La fatigue physique et nerveuse l'emporta sur le froid, néanmoins, dans le seul rêve qui lui vint, il se sentait gelé et ne parvenait pas à se réchauffer.

Le réveil fut désagréable.

Quelqu'un le secoua brutalement par l'épaule.

Nicholas ouvrit les yeux et vit, penché sur lui, le sergent de tantôt.

— Vos papiers, dit le sergent en tendant la main.

Fandorine battit des paupières.

— Ils sont dans ma veste, et ma veste est dans ma voiture. Je vous ai dit tout à l'heure que...

— Je suis allé au garage, coupa l'agent de police. Il est fermé. Et voilà trois jours que Liokha n'a pas dessoûlé. Vos papiers, j'ai dit !

Nicholas ne répondit pas.

— Pas de papiers ? Alors suivez-moi !

Le sergent empoigna son prévenu par l'épaule et le força à se mettre debout. Nicholas le dépassait d'une tête, et le policier, à tout hasard, le menaça de sa matraque.

— Fais gaffe, salopard. Un coup, et tu te retrouves plié en deux.

Eh bien voilà, tout s'est décidé tout seul, pensa Fandorine en sentant les doigts de l'homme se planter sans ménagement dans son bras. J'ai perdu ma liberté de choix, me voici changé en objet se déplaçant avec une accélération de 981 centimètres par seconde carrée.

Il y avait un autre policier sur le quai, tête nue, mais vêtu d'une veste à épaulettes, noire et brillante. Il tourna la tête à droite et à gauche, avant de regarder derrière lui, dans la direction où se trouvait Fandorine. Celui-ci manqua fondre en larmes de soulagement.

Le capitaine Volkov ! Gloire à Toi, Seigneur !

Deux minutes plus tard, Fandorine était assis dans une Jigouli de la police garée derrière les hangars à marchandises, et frottait ses mains paralysées de froid. L'officier ôta sa veste, en couvrit le rescapé et alluma en outre le chauffage. La vie s'améliorait sérieusement.

— Cette veste ne vaut rien, dit Volkov. Faux cuir et vraie merde. Elle n'est pas à moi, elle traînait là dans la bagnole. La bagnole aussi est une merde. J'ai pris celle qu'on m'a donnée, j'étais pressé de te retrouver. Alors, quels sont ces nouveaux cauchemars dans ta passionnante existence ?

— J'ai b-bien cru que Tanka ne te ferait pas la c-commission, déclara Nika en claquant des dents tant il grelottait encore. Je n'esp-pérais presque plus.

— Quoi, Tanka ? C'est une fille sur qui on peut compter. (Le capitaine soupira.) Tiens dis-moi, Kolia, pourquoi parmi toutes les nanas, ce sont les putes sur qui on peut le plus compter ? Quel est ton avis là-dessus ?

La question n'était pas compliquée, Nicholas aurait pu facilement expliquer ce phénomène à Volkov, mais le moment n'était guère propice aux considérations abstraites.

— Que s'est-il passé avec les autres ? Ils ont appelé ?

L'officier secoua la main.

— Et comment ! Une demi-heure après que tu t'es fait la malle. Je les envoyés se faire voir.

— Et alors ?

— Alors rien. Ils ont déconnecté mon portable. Mais j'en ai rien à secouer, pour douze dollars j'ai remplacé la carte SIM, et j'ai pris un numéro fédéral – c'est moins cher. Je souscrirai un abonnement plus tard.

Surgie de l'obscurité, s'éclairant de phares puissants, une voiture tout-terrain s'approcha et vint s'arrêter pile devant le pare-chocs de la Jigouli. Volkov se raidit et plongea la main dans sa poche, tandis que Nicholas fixait avec angoisse les vitres noires et opaques de l'énorme automobile.

Mais du monstre descendit une femme, jeune à en juger par sa manière de se mouvoir, et très élégante. Elle actionna un bip puis s'enfonça dans la nuit, ses talons aiguilles résonnant sur le bitume.

— Pfff ! cracha le capitaine en ressortant la main de sa poche. J'imaginais déjà... Futée, la gonzesse : elle se gare exprès devant une caisse de flic pour qu'on ne démonte pas sa merveille. Eh bien, qu'est-ce qui vous arrive, citoyen Ostankino ? Je ne veux que les faits. Les arguments, ensuite.

Et Nicholas se borna donc aux faits. Son récit se révéla extraordinairement simple et bref, exposé ainsi, sans le détail de ses propres émotions : son assistant avait été filé par les bandits, ceux-ci avaient voulu tuer ledit assistant, c'est pourquoi lui, Nicholas, avait dû abattre l'un d'eux et fuir pour échapper aux autres. C'était tout, vraiment ? Et lui qui, lorsqu'il errait dans la forêt déserte, se sentait pour le moins comme un héros de tragédie shakespearienne !

L'officier de police, cependant, ne sembla pas trouver triviale l'histoire qu'il venait d'entendre.

— Foutue merde ! déclara-t-il d'un air soucieux. Il vaut mieux que tu évites la taule, Kolia. Il se trouvera facilement un enfoiré à épaulettes pour accepter de zigouiller un type pour de la thune. Et il ne prendra même pas cher. Les zigs vont chercher à te liquider pour venger leur mec, je connais leurs coutumes. Même si tu te casses en Australie, ils finiront par te retrouver. Si bien que maintenant, te voilà avec deux condamnations à mort sur le dos. Tu fais carrière.

L'avis compétent de l'expert ruina chez Nicholas toute illusion concernant l'amélioration de sa vie.

— Que me conseilles-tu, Serguei ? demanda le spécialiste en conseils, dont la voix, traîtreusement, s'était mise à trembler.

Le capitaine n'eut pas le temps de répondre.

Le 4 × 4 que sa propriétaire venait de quitter alluma tout à coup ses phares, aussi bien ses feux de route que le projecteur antibrouillard fixé sur le toit. Sous la puissance du faisceau braqué sur son visage, Nicholas se trouva aveuglé.

Il se retourna, mais derrière, d'autres phares étaient allumés : un autre véhicule semblable stationnait là, à une dizaine de mètres.

— Bravo capitaine ! cria une voix ne provenant ni de l'avant ni de l'arrière mais de quelque part à gauche, dans l'obscurité. Tu nous livres la marchandise en parfait état !

Fandorine reconnut la voix : c'était celle, toujours si courtoise, du chef de la bande. Ce n'était pas cependant cette révélation qui l'accablait le plus, mais la monstrueuse trahison de l'officier de police judiciaire. Comme il lui avait menti de manière convaincante, comme il avait joué à merveille son rôle de brave gars sincère !

— Sortons, messieurs ! reprit la voix enjouée. De grandes choses nous attendent !

Volkov jura entre ses dents et frappa du poing sur le volant.

— Les fumiers ! Ils m'ont collé une balise ! Je me suis fait piéger comme le dernier des bleus...

Apparemment, le policier ne s'était rendu coupable d'aucune ignominie, et bien que cela ne changeât guère la situation présente, Fandorine en éprouva un immense soulagement.

— Je vais sortir, toi reste là, dit-il en posant la main sur le bras du capitaine. Tu n'as rien à voir là-dedans. Merci d'avoir bien voulu m'aider.

Il allait ouvrir la portière quand Volkov lui flanqua un douloureux coup de coude dans l'épaule.

— Bouge pas, grand fêlé ! Pour qui tu prends Sergueï Volkov, pour le gentil petit fiston à sa maman ? Un instant, tu vas voir...

Le capitaine tourna la tête rapidement, à gauche, en arrière, encore à gauche, en avant.

— Non, impossible de prendre le large, ils nous coincent. Alors procédons autrement.

Nicholas entendit comme un déclic au niveau du plancher. Il baissa les yeux et vit un pistolet serré dans la main du policier.

— Ne pissons pas dans notre froc, Kolia. J'ai ma médaille de champion de tir, nous allons forcer le passage. Je vais tirer dans les phares de celle de devant, toi tout de suite tu files par la droite, moi par la gauche. Fonce dans les fourrés, sans te retourner. Dieu seul sait l'heure à laquelle on doit mourir.

Fandorine voulut protester contre ce plan suicidaire, mais déjà l'intrépide capitaine levait la main et pressait la détente. Le projecteur sur le toit de la jeep, en face, explosa.

Il n'y eut qu'un seul coup de feu, mais bizarrement deux trous se formèrent dans le pare-brise. Volkov se cogna énergiquement la nuque contre l'appuie-tête, et demeura assis dans cette pose, immobile, tandis que sa main armée retombait. Abasourdi, Nika vit les lèvres du capitaine dessiner une moue, comme s'il s'apprêtait à pouffer de rire, et cependant ce ne fut pas un rire qui s'échappa de sa bouche, mais un gargouillement, tandis que dégoulinait sur son menton un épais liquide noir où brillaient des débris de dents.

Sans comprendre quel malheur venait de frapper Sergueï, Nicholas tira sur la poignée de la portière, roula à terre et, jouant furieusement des coudes, rampa jusqu'aux buissons bordant la route. Là, il bondit sur ses pieds, et sans se soucier du chemin qu'il prenait, s'élança dans l'obscurité.

— Prenez-le vivant ! cria quelqu'un derrière lui.

La voix était aiguë, ténue, on aurait dit une voix d'adolescent.

Nicholas se heurta le genou contre une caisse qui devait traîner par là, mais il ne sentit même pas la douleur.

Une idée lui traversa l'esprit : heureusement que j'ai une veste noire, en chemise blanche je serais visible de loin.

Un martèlement de pas s'entendit derrière lui. Il n'arrivait pas à savoir combien il avait de poursuivants, mais à coup sûr, ils étaient plus de deux. Il y eut un rugissement de moteur, suivi aussitôt d'un autre.

Ses longues jambes chaussées de pantoufles molles touchaient la terre sans bruit. Nika tourna dans un étroit passage entre deux hangars, sauta d'un seul élan sur une palissade, se hissa au sommet (mais d'où lui venait pareille force ?) et atterrit de l'autre côté.

Des rails. Un peu plus loin les lumières de la gare.

Un convoi de marchandises passait sur une voie éloignée, dans un lourd grondement.

Fandorine courut dans cette direction, il se maintint quelque temps à la hauteur du train, au prix de gigantesques foulées, puis, saisissant le bon moment, agrippa le garde-fou de la plate-forme de freinage du dernier wagon et s'y suspendit. Il ramena les jambes sous lui, réussit à poser un genou sur le marchepied, puis le deuxième, et enfin regarda derrière lui.

Des ombres s'agitaient au loin sur les voies, des faisceaux de torches électriques dansaient ici et là.

L'avaient-ils vu ou pas ?

En tout cas, plus grande serait la distance qu'il mettrait entre Lepechkino et lui, mieux il se porterait.

Nicholas frotta son genou meurtri et s'assit sur le plancher métallique. Il se moquait bien qu'il fût couvert de poussière, de crasse, de taches de mazout ou de quelque autre saleté malodorante.

Se renverser sur le dos, reprendre souffle.

Il essaya de s'étendre plus confortablement sur l'étroite surface, et soudain donna de la tête contre quelque chose de mou. Ou plutôt contre quelqu'un.

Etouffant un cri, il se retourna.

A l'extrémité opposée de la plate-forme, un homme était assis, recroquevillé, emmitouflé de chiffons. Un réverbère croisé au passage tira un instant de l'obscurité une paire d'yeux brillants, une barbe en broussaille et un bonnet déchiré en peau de lapin.

— Eh bien, monsieur l'inspecteur, vous êtes bien intrépide, dit l'homme. Et quelle détente ! Je suis admiratif. C'est à cause de moi que vous risquez comme ça votre précieuse vie ? Pour me conduire au poste ?

— Qui êtes-vous ? bredouilla Fandorine, effrayé à l'idée d'avoir des hallucinations à la suite de tous les chocs émotionnels qu'il venait d'éprouver.

— Micha, voyageur. Je vis entre ciel et terre. Tel que vous me voyez, je m'en vais hiverner dans le gouvernement de Novgorod. A condition, bien sûr, que vous ne me fassiez pas descendre du train.

Nicholas peu à peu s'habituait à l'éclairage sporadique de la voie de chemin de fer, sous lequel les objets tantôt surgissaient de l'ombre, tantôt se renfonçaient dans les ténèbres, et il pouvait à présent mieux distinguer les traits de son compagnon de route inattendu.

D'âge indéterminé, vêtu d'un blouson en synthétique râpé et constellé de taches, les épaules couvertes d'une chose qui était peut-être une nappe ou peut-être un rideau. En un mot, une cloche.

— Je ne suis pas flic, dit Fandorine de manière à rassurer le vagabond. Cette veste n'est pas moi. Je l'ai empruntée pour me réchauffer.

— Ah ! s'exclama Micha d'un ton joyeux. Alors c'est une autre affaire. Nous irons tout à l'heure trouver un coin au chaud. Il faut gagner le sixième wagon, il transporte un lot de balles de coton. Respirons encore un peu l'air frais, pour avoir meilleur sommeil, et hop ! au pieu. Où allez-vous, *sir* ?

Comment sait-il que j'ai le titre de *sir* ? se demanda-t-il, inquiet, et il s'abstint de répondre. Mais l'homme ne parut nullement s'en offenser.

— Moi, je pars hiverner, je vous l'ai dit. J'ai attendu ce train pendant deux jours. A Rjev, une partie du convoi sera aiguillée sur Leningrad, tandis que notre wagon-lit, celui rempli de coton, continuera tout droit jusqu'à Boukhalov. Ils ont là-bas une chouette maison d'arrêt. On n'y rogne pas sur l'ordinaire, et le major Savtchenko est un excellent homme. Je passe tous mes hivers là-bas. Aimeriez-vous, *sir*, que je vous y dégote une place ?

C'est là une manière chez lui de s'exprimer, conclut Nicholas, rasséréné.

— Et ça se trouve où, ça, Boukhalov ? demanda-t-il

— Gouvernement de Novgorod, district de Tchoudovo. Une bonne petite ville, bien tranquille. Parfaite pour s'y reposer et le cœur et l'esprit. La prison dispose d'une bibliothèque bien garnie, et d'un tas de jeux divers, dames, échecs, etc. Nous n'aurons qu'à barboter un truc à la gare à titre d'infraction à la loi, et à nous livrer tout de suite après à Stepan Filimonytch...

Micha entreprit de décrire en long et en large leur future installation à Boukhalov, mais Nicholas ne l'écoutait déjà plus, ébranlé qu'il était par ce nom de Tchoudovo qu'il venait d'entendre mentionner.

C'était bien là en vérité le doigt du destin ! On pouvait même le dire : une brusque inspiration divine !

Comment avait-il pu oublier l'homme qui l'avait déjà tiré une fois d'une situation difficile et qui, certainement, ne refuserait pas de le secourir à nouveau ?!

C'était là, quelque part dans la forêt environnant Tchoudovo, que s'était installé l'associé de Fandorine, le cofondateur du Pays des Soviets, ex-banquier, ex-oligarque et ancien magnat de la presse. Le capitaliste avait craqué, épuisé par la surtension qu'engendrait la bataille pour la plus-value. Il avait laissé tomber les affaires, et s'était retiré dans un petit monastère, loin de l'agitation du monde. Malgré cela, il s'agissait d'un homme aux possibilités véritablement illimitées et doué, qui plus est, d'un fantastique esprit d'entreprise. Il était impossible qu'il ne lui restât rien de ses anciens talents et de ses relations.

Seulement, serait-il bien content de revoir un témoin de son existence passée, existence qu'on ne pouvait guère qualifier d'exemplaire ? Ceux qui s'adressaient à lui aujourd'hui ne soupçonnaient sans doute pas le caractère mouvementé de la biographie du saint homme. Et c'était tant mieux. Seuls l'ermite et le Seigneur Dieu étaient au fait de ses anciens péchés, et personne d'autre à présent n'en aurait connaissance jusqu'à sa mort.

Chapitre douzième

LES MALHEURS DE LA VERTU

— ... Mais l'heure exacte à laquelle la mort attend chacun de nous, seul Dieu la connaît, autrement dit personne, car Dieu justement n'est Personne.

Danila Fondorine s'arrêta au milieu du sentier pour poser un regard scrutateur sur son petit compagnon.

— Je vois, mon jeune ami, que vous n'êtes nullement froissé de m'entendre affirmer que Dieu n'est Personne, en d'autres termes qu'il n'est que Vide, que Néant. Cela témoigne de votre ouverture d'esprit. Monseigneur Amvrossi, grand vicaire de Novgorod, qui vient quelquefois me visiter dans ma cabane, bien qu'il soit un homme fort éclairé, sauterait au plafond s'il m'entendait prononcer de telles paroles, et sans doute même me priverait-il de la réputation de juste dont je lui suis redevable.

— Monsieur, le jour se lève, glissa Mitia, car ce n'était pas la première ni la deuxième fois que Danila faisait halte, absorbé par ses propres spéculations. Nous allons arriver trop tard ! Et puis, je vous ai demandé de ne pas me vouvoyer, je ne me sens pas encore suffisamment mûr pour qu'on s'adresse à moi de la sorte.

— Très bien, Dmitri, je ne le ferai plus. Ainsi, que penses-tu de Dieu ? Crois-tu en Lui ?

— Bien sûr, j'y crois. Allons-y maintenant, d'accord ?

— Moi aussi, j'y croyais. Qu'est-ce que la foi, après tout ?

— Qu'est-ce donc, oui ? demanda Mitia, résigné, sachant déjà que Fondorine ne bougerait pas de place avant d'avoir exprimé jusqu'au bout sa pensée.

— La foi procède ou bien d'une pleine certitude, c'est-à-dire d'une connaissance absolue, ou bien au contraire d'une totale absence de certitude, soit encore d'une absolue ignorance. Tous les gens que je connais croient par incertitude, en d'autres termes croient l'Eglise sur parole. Je me suis quant à moi éloigné d'une totale ignorance, sans avoir encore atteint la connaissance universelle, et c'est pourquoi je ne puis plus croire. Je n'ai appris à connaître entièrement que la puissance de la Raison, aussi n'ai-je plus à présent qu'elle pour dieu.

— Monsieur Fondorine, mon ami, il faut se hâter.

Ils avaient quitté la clairière au milieu des bois et pris la direction de la grand-route de Moscou, alors que la nuit régnait encore. Le médecin ne portait aucune arme, si l'on excepte un bâton de pèlerin d'une bonne toise de longueur, dont il frappait résolument le sol à chaque pas. Durant tout le chemin, Danila avait parlé sans relâche : visiblement, leurs quelques heures de sommeil avaient suffi pour qu'il se languît à nouveau d'un interlocuteur. Mitia au début boitillait encore, mais il avait assez vite retrouvé une démarche presque normale, sa cheville s'était assouplie et ne le gênait plus.

— Ne t'inquiète pas, Dmitri, nous sommes arrivés.

Le vieillard quitta le sentier, s'avança dans la neige et écarta les buissons. Derrière eux s'étendait la route, vaguement discernable dans la grisaille de l'aube.

— D'ici nous les entendrons aussi bien que nous les verrons venir.

— Mais où avez-vous pris qu'ils emmèneraient Pavlina Anikitichna par ce côté ?

— Tu m'as dit toi-même qu'ils vous avaient rattrapés. *In consequentia*, ils la conduiront là d'où ils sont venus, autrement dit du côté de Saint-Pétersbourg. Dès le moment que le personnage important dont tu as préféré taire le nom n'a pas craint de faire enlever une dame de la famille des Khavronski et assassiner des serviteurs, il faut conclure qu'il réside presque certainement à la capitale. Je pense, mon ami amateur de secret, qu'il ne se trouve dans toute la Russie qu'un seul voluptueux capable de s'estimer à l'abri des conséquences d'un pareil crime.

Mitia rougit. Le perspicace personnage, à l'évidence, avait tout deviné. Et le fait qu'il n'eût pas hésité un instant à s'opposer au favori en personne témoignait bien de sa bravoure. Cependant que pouvait-il, vieux et désarmé comme il l'était, contre le géant Pikine et ses quatre coupe-jarrets ?

Cette question essentielle, Mitia se résolut à la poser, en s'appliquant à la formuler de la manière la moins offensante possible.

— Mon brave Dmitri, le Verbe et la Science l'emporteront toujours sur la force brutale, répondit Fondorine d'un ton placide, en s'appuyant sur son bâton. Tu as des doutes, je vois ? Aussi en voici la preuve : peux-tu me dire ce qui, couplé à la Science, a élevé l'Homme au-dessus des autres animaux, dont certains sont pourtant incomparablement plus forts que lui, si ce n'est la foi en Dieu, c'est-à-dire en le Verbe ?

— Les voilà ! Ils arrivent ! s'exclama Mitia en désignant la route d'un doigt tremblant.

Un cavalier venait en tête, se balançant sur sa selle, ce n'était pas Pikine cependant, mais l'un de ses sbires. Un deuxième homme était juché sur le siège du cocher. Deux autres encore fermaient la marche, eux aussi à cheval.

— Pikine doit être dans la voiture, chuchota Mitia.

— Je ne pense pas, répondit Fondorine nullement troublé. Tu vois, un seul cheval est attaché derrière la dormeuse. C'est celui du cocher. Leur chef n'est pas là. Il a dû filer auprès de son suzerain pour se vanter de sa victoire.

Il semblait bien qu'il eût raison. Le cheval sans cavalier était gris pommelé, et n'avait rien de commun avec l'énorme bête d'un noir de jais que montait Pikine. Mais qu'est-ce que cela changeait ? Quand même il n'aurait à affronter que quatre ennemis au lieu de cinq, jamais le médecin n'en viendrait à bout.

— Mon bon ami, reste ici, dit Danila. Je vais aller quant à moi causer un peu avec ces gens, et tenter d'en appeler à leur raison.

Ce n'est que maintenant, en regardant le dos raide du fou en train de se frayer un passage vers la route, que Mitia comprit que tout était perdu. Il avait gaspillé le temps qui lui était imparti, Pavlina ne serait pas sauvée. Et la faute n'en incombait qu'à lui seul, Mithridate Karpov. Au lieu d'écouter les fables de Fondorine et de passer la nuit à se chauffer sur le poêle, il eût mieux fait de courir au village quérir de l'aide. Oh maudite imprudence, maudite crédulité ! Comment avait-il pu se fier à un philosophe réfugié dans un monde idéal et abstrait ?

« En appeler à la raison » ! Et comment ?!

Emergeant de la congère qui s'élevait sur le bas-côté, Fondorine s'avança sur la chaussée : il tapa des pieds pour se débarrasser de la neige restée collée à ses bottes, puis se campa au beau milieu du chemin, appuyé à son bâton.

La dormeuse se rapprochait, on entendait crisser ses patins. Le premier des cavaliers lança :

— Eh, grand-père, que veux-tu ?

Les chevaux ralentirent leur course et s'arrêtèrent sans même attendre que le cocher les retînt. Visiblement ils avaient flairé quelque chose de singulier dans cette silhouette immobile.

Danila leva la main droite et parla d'une voix forte et sonore – Mitia, depuis sa cachette, percevait distinctement chaque mot.

— Serviteurs du favori ! Je sais que vous n'êtes pas devenus des criminels de votre plein gré, mais que vous y avez été contraints par votre seigneur et maître. Libérez votre prisonnière, et je vous promets qu'il ne vous sera fait aucun mal.

Le cavalier se dressa sur ses étriers pour inspecter du regard les alentours. Le cocher lui aussi se souleva de son siège. Les deux qui fermaient la marche se rapprochèrent.

— Combien êtes-vous ? demanda le premier en posant la main sur le pommeau de son sabre.

En l'absence de Pikine, c'était lui, apparemment, qui commandait la troupe.

— Je suis seul ici.

L'homme cracha et partit d'un grand rire soulagé.

— Ote-toi du chemin, vieil imbécile. Allez ouste ! Ou bien gare à ma cravache !

Il poussa son cheval vers Danila qui, serré par le large poitrail couvert de givre de l'animal, dut reculer vers le bas-côté.

— Attends, Okhrim ! cria alors le cocher. D'où tient-il ses informations ? Empare-toi de lui ! Nous allons l'interroger !

— Entendu.

Le dénommé Okhrim se pencha et tendit la main pour saisir Fondorine par le col de sa touloupe.

— Vous avez eu tort de ne pas écouter la voix de la raison, dit celui-ci en secouant la tête avant de s'écarter d'un pas.

Son bâton s'abattit soudain, un craquement écœurant s'entendit dans l'air glacé, et le cavalier porta la main gauche à son bras droit qui à présent pendait, inerte. Sans interrompre son mouvement, la barre de bois se tourna de chant vers lui et le frappa au creux de l'estomac : renversé de sa selle, l'homme dégringola par terre. Mais il ne semblait pas que ce fût assez pour le bâton magique : il poursuivit sa course en l'air, pivota et se retrouva dans la main de son propriétaire, tenu cette fois-ci seulement par le bout. Fondorine bondit prestement en avant, et allongea le bras, de telle sorte que l'extrémité de la longue canne décrivit en sifflant un cercle de près d'une toise et demie de diamètre pour aller cueillir à l'oreille le cocher pétrifié de surprise. Celui-ci se trouva culbuté de son siège comme par un boulet de canon.

Tout cela se déroula en moins de temps qu'il n'en faut pour compter jusqu'à cinq, même en prononçant les chiffres à toute allure.

Mitia se frotta les yeux : n'avait-il pas rêvé ?

Mais non, il n'avait pas rêvé. Danila était toujours debout, les deux sbires gisaient à terre, le cheval privé de son cavalier tournait en rond, cherchant à saisir entre ses dents la bride qui pendouillait.

Mais restaient encore deux cavaliers, et ceux-là n'étaient plus guère enclins à traiter le vieillard surgi des bois avec l'insouciant mépris qui avait perdu leurs camarades.

L'un tira un pistolet de sa ceinture, l'autre dégaina son sabre, et tous deux éperonnèrent leur monture.

Mais Fondorine ne demeura pas, lui non plus, inactif. De nouveau il souleva son bâton pour l'empoigner cette fois-ci par le milieu, prit son élan et lança l'arme primitive à la manière d'un javelot antique, atteignant en pleine face l'homme qui le mettait en joue. Celui-ci écarta les bras, vacilla et s'effondra sur le côté.

A présent Danila n'avait plus qu'un seul adversaire à combattre, mais les mains du médecin étaient vides et il n'avait plus rien pour parer un coup de sabre.

Toutefois, il ne chercha pas à parer le coup : il s'écarta lestement, pour éviter la lame, puis empoigna le sbire par son ceinturon et lui fit vider les étriers.

L'autre roula à terre, se retourna, et d'un bond se remit sur ses jambes. Il n'avait pas lâché son arme en tombant, et aussitôt il se rua sur Fondorine en jurant atrocement.

Danila cette fois-ci agit le plus simplement du monde : il se pencha et ramassa le pistolet qui traînait par terre.

— Arrête-toi, insensé, dit-il, sinon...

Il n'eut pas le temps d'achever.

L'homme, courbé en deux, était déjà sur lui. Sans doute pensait-il ainsi plonger sous la trajectoire du tir, mais le seul résultat de sa manœuvre fut que la balle le frappa en pleine tête.

Danila prit un air affligé en contemplant le corps étendu à ses pieds.

Il s'approcha tour à tour de ses trois autres adversaires terrassés. Il en ligota deux avec leur propre ceinturon, et laissa le troisième tel quel.

Se tournant alors vers la forêt, il fit signe à Mitia de le rejoindre. Celui-ci sortit de sa cachette, peinant à mouvoir ses jambes engourdies.

— C'est un malheur, Dmitri, un grand malheur, déclara Fondorine d'une voix effondrée. Par un fâcheux concours de circonstances, deux serviteurs du favori ont perdu la vie. Mon bâton a fracassé le nez du premier, à la jonction de l'os frontal : je l'ai lancé trop fort. Le second a eu le tort de se pencher au plus mauvais moment. Alors que je le visais à la cuisse, je lui ai fait sauter la cervelle. Par la grâce de la Raison, les deux autres n'ont pas trop souffert, et je pourrai les aider. Mais tout d'abord allons rassurer la dame qui, sans nul doute, doit être morte de frayeur, après ce coup de feu et ces cris.

Il marcha jusqu'à la voiture et frappa à la portière. Il n'y eut pas de réponse.

Alors, ôtant son bonnet, Danila ouvrit, et salua avec respect.

Dieu merci, Pavlina était saine et sauve. Mitia aperçut son visage livide d'effroi qui se tournait vers celui, hérissé de barbe blanche, de l'inconnu.

— Tu es un bandit de la forêt ? demanda la comtesse d'une voix blanche.

Mais bien sûr ! Que pouvait-elle imaginer d'autre ?! Elle devait se croire tombée de Charybde en Scylla, et penser avoir troqué son sort funeste pour un autre peut-être plus funeste encore.

Danila se redressa, ouvrit la bouche pour répondre, et resta ainsi, littéralement bouche bée. Comment s'en étonner ! Il devait avoir oublié, au fond de sa retraite, ce qu'était la beauté d'une femme.

Son mutisme ne fit qu'ajouter encore à la frayeur de Pavlina.

— Pourquoi gardes-tu ce silence menaçant ? Combien êtes-vous ?

Fondorine se reprit enfin et désigna Mitia.

— Deux. Moi et cet enfant qui n'est pas inconnu, je crois, de Votre Très Haute Excellence. C'est lui qui m'a conduit ici.

Pavlina se pencha hors de la voiture, aperçut Mitia et, poussant un cri de joie, sauta dans la neige.

— Mon cher enfant ! Mon Mitia ! Vivant ! Et moi qui n'ai pas fermé l'œil de la nuit, craignant que tu ne fusses mort de froid dans la forêt, ou dévoré par les bêtes !

Elle tomba à genoux devant Mitia, le serra dans ses bras et le couvrit de baisers, cependant que des larmes ruisselaient sur son beau visage.

— Mon poussin ! Mon tout-petit ! Eh bien dis-moi quelque chose ! Tiens, appelle-moi « Passia » ! Tu le dis si gentiment ! Es-tu content de me revoir ?

Il n'y avait rien à faire. Mitia jeta un coup d'œil en coin à Danila qui observait, tout attendri, cette scène touchante, et à contrecœur zézaya :

— Passia... Oui, ze suis bien content.

Que dire d'autre pour lui faire plaisir ?

— Mitioussa s'est ennillé.

— Il s'est ennuyé de moi, le cher trésor ! s'exclama la jeune femme.

Les ruisseaux de larmes que versaient ses beaux yeux gris se changèrent en torrents, cependant que Fondorine haussait un sourcil étonné. Mitia eut un haussement d'épaules éloquent par-dessus les beaux cheveux d'or de la comtesse agenouillée, comme pour signifier qu'il lui était impossible de parler autrement avec elle.

Et en effet : après une nuit passée dans les bras l'un de l'autre, après avoir trôné de concert chacun sur un pot de chambre, et tant d'autres moments intimes, comment eût-il pu à présent, de but en blanc, s'adresser à Pavlina à la manière d'un adulte ? Mais elle fût morte de honte, et lui du sentiment de n'être qu'un vil trompeur !

Fondorine, homme plein de tact, s'abstint de formuler la moindre observation. Il resta à l'écart et attendit patiemment.

La comtesse essuya ses larmes, se moucha, puis se tourna vers son sauveur.

— Où as-tu donc appris, grand-père, à te battre au bâton avec tant de maestria ? Aurais-tu servi dans l'armée ?

— J'ai servi, oui, bien sûr ! répondit Danila très posément. Et pas même dans l'armée, mais dans la garde ! Cependant c'est en Angleterre, au cours de mes voyages, que j'ai appris l'escrime au bâton. Les oisifs de là-bas, qu'on nomme *gentlemen*, ont élaboré toute une science de la canne de combat. Celle-ci ne réclame pas une grande force, uniquement la connaissance d'un certain nombre de règles. Je t'avais bien dit (ici, il tourna les yeux vers Mitia) que si le Verbe n'en venait à bout, la Science l'emporterait facilement sur la force brutale. Cependant, où donc est passé le chef de vos ravisseurs ? Je m'attendais à affronter cinq adversaires, et je n'en ai trouvé que quatre.

Pavlina redressa fièrement le menton.

— Je ne lui ai pas permis de monter dans ma voiture, et lui ai même ordonné de déguerpir. Comme il tentait malgré tout d'insister, je l'ai menacé de me plaindre à Zourov de ses avances. Cela a suffi pour effrayer le scélérat. Il a passé toute la nuit devant un feu de camp en compagnie de ses coupe-jarrets. Et au matin, comme il revenait à la charge au prétexte de me saluer, je l'ai gratifié encore d'un soufflet, et des plus sonores. Jurant comme un charretier, il a alors sauté en selle et lancé son cheval droit dans la neige en direction de la forêt. Il a crié à ses hommes qu'il les retrouverait à Tchoudovo avec des chevaux frais.

Elle tressaillit, puis déclara, soucieuse :

— Il faut partir, et vite. Imaginez qu'il ait changé d'avis et qu'il vienne à notre rencontre. Pikine est un assassin, un homme terrible, sans commune mesure avec ces pauvres diables. Si efficace soit la science du combat acquise par les Anglais, ce n'est pas un bâton qui en viendra à bout. Je t'en supplie, brave vieillard, conduis-nous, Mitia et moi, jusqu'au prochain relais de poste. Je te promets une généreuse récompense.

Fondorine haussa les sourcils et répondit d'un ton sec :

— Je vous conduirai. Mais pas au relais de poste où je doute fort que vous trouviez protection, mais à Novgorod. Je vous prie de regagner votre voiture, madame. Et toi aussi, Dmitri.

Pavlina éclata de rire.

— Quelle drôle de manière tu as de t'adresser à mon Mitioucha ! Pour moi, c'est mon tout doux, mon petit bouton de sucre. Pas vrai, Mitiouchenka ? Ça n'est pas haut comme trois pommes, et ça a eu l'idée d'aller chercher secours auprès d'un homme d'expérience. Comment a-t-il réussi seulement à s'expliquer ?

— De manière plutôt cohérente pour son âge, répondit Fondorine avec retenue tandis qu'une étincelle s'allumait dans ses yeux.

— Mon petit savant d'amour, chuchota la comtesse à l'oreille de Mitia. Mon Bova fils de roi. Veux-tu être mon fils chéri ? Oui, tu veux bien ? Appelle-moi « maman Pacha ». D'accord, poussinet ?

— Maman Passia, répéta Mitia d'un ton maussade – ce dont il fut sur-le-champ récompensé d'une dizaine de baisers fougueux.

— Et qu'allons-nous faire de ces coquins ? demanda Pavlina en montrant les deux prisonniers ligotés. On ne peut les laisser là. Ils rapporteraient tout à Pikine.

L'un des malfaiteurs, celui au bras cassé, n'avait pas encore repris connaissance et gisait dans la neige, immobile. L'autre cependant, que le coup de bâton avait jeté au bas de son siège, en entendant ces mots replia ses jambes contre lui et tenta de s'éloigner, tel qu'il était, en rampant sur les fesses. Sa mâchoire tremblait.

— Oui, c'est un problème, reconnut Fondorine. Bien sûr, ils raconteront tout. Mais on ne peut tout de même pas les tuer.

— Et comment faire autrement ? s'exclama la comtesse d'une voix acerbe. Pikine a assassiné mes gens, et ceux-là l'ont aidé à les achever.

Danila marmonna dans sa barbe, comme pour lui-même, mais en réalité à l'adresse de Mitia :

— Que ce monde est cruel, où même de si douces personnes en appellent au meurtre !

— Que dis-tu, grand-père ? demanda Pavlina Khavronskaïa en se retournant.

A nouveau, Fondorine fronça les sourcils.

— Je dis, madame, que je ne les tuerai point, car chaque homme est un nœud de mystères. Ce n'est pas moi qui ai noué ce nœud, ce n'est pas à moi de le défaire. Il m'est arrivé, hélas, d'ôter la vie à quelques-uns de mes semblables, mais ce fut chaque fois sans intention de tuer, par un malheureux concours de circonstances.

Fondorine s'approcha de l'homme assis dans la neige, qui gémissait de terreur, et en deux temps, trois mouvements, lui banda sa tête blessée au moyen d'un lambeau d'étoffe. Au second, toujours inconscient, il lia étroitement son bras fracturé au fourreau de son sabre. Mitia savait que les médecins allemands appelaient cela une *Schiene*.

Pavlina observa attentivement toute la scène, mais ne sut que s'exclamer en levant les mains au ciel :

— Pour te récompenser de ta clémence, c'est toi qu'ils désigneront à Pikine ! Tu ne sais pas qui est ce loup féroce. Il ressortirait de terre pour t'attraper et se venger de l'affront !

— Je ne le conteste pas, avoua humblement Danila. Il serait certes plus simple pour nous de les tuer. Mais je ne suis pas partisan de cette sorte de simplicité. En route, à présent, Votre Très Haute Excellence. Le temps est précieux.

Et il grimpa sur le siège de cocher.

Lorsqu'il fit grand jour, la route de Moscou s'anima. On commença à croiser des voitures isolées, puis des trains entiers de traîneaux chargés de marchandises. Avec son attelage de six chevaux, la dormeuse filait joliment, ne ralentissant l'allure que pour grimper une côte, et dans les descentes grinçant de tous ses freins. Danila faisait claquer son fouet comme un vrai cocher, les grelots des harnais tintinnabulaient joyeusement, les patins soulevaient des nuages de particules de glace. Il était bien agréable de voyager l'hiver, c'était tout autre chose que l'été. Pas de cahots, et une vitesse bien supérieure. Mitia avait entendu au palais un courrier se vanter d'avoir, un hiver, parcouru les six cents verstes qui séparaient Moscou de la capitale en quelque trente-six heures. Sans manger, ni dormir, en ne s'arrêtant que pour relayer.

Un peu après midi, ils arrivèrent à Novgorod, ville si ancienne qu'on ignorait en quelle année elle avait été fondée – bien avant, en tout cas, que le royaume de Russie fût formé. Clignant les yeux sous l'éclat du dôme de Sainte-Sophie, resplendissant au soleil, Mithridate contrôla sa mémoire : la présente bourgade s'étendait sur neuf cent quatre arpents, et comptait une population de deux mille âmes. Mais au XVe siècle, il vivait là deux cents fois plus de monde. Si l'on y réfléchissait, le même phénomène frapperait un jour Moscou, et Saint-Pétersbourg, et même Paris. Ces villes se dépeupleraient, tomberaient à l'abandon, car tout en ce monde a une fin.

Il fronça les sourcils et s'efforça d'imaginer les futurs ruines de Moscou : les murs du Kremlin effondrés ; la place Rouge déserte où errait un chat redevenu sauvage ; la rue de Tver envahie de ronces ; les fenêtres aveugles des maisons. Brrrr ! quelle vision d'angoisse !

— Eh bien, mon chaton, tu fais la grimace ? dit Pavlina en lui caressant la tête. Tu es fatigué ? Mais attends, nous allons nous reposer, nous boirons du thé avec de bons biscuits, nous n'avons plus besoin de courir maintenant. La ville est grande, aucun vilain croque-mitaine n'y viendra embêter mon petit Mitioucha. Ça, mon joli tout plein, c'est Novgorod, la Ville Neuve. Autrefois, il y a très, très longtemps, elle a été neuve en effet, mais aujourd'hui, elle est plus vieille que vieille. Ainsi tiens, toi aussi tu es tout jeune, tout neuf, mais les années passeront, des années, et des années, et tu deviendras un vieillard tout vieux, comme grand-père Danila. C'est drôle, non ?

— Voui, c'est drôle, confirma Mitia.

A crever de rire même. *Nihil sub sole novum, nec valet quisquam dicere : Ecce hoc recens est : jam enim præcessit in sæculis quæ fuerunt ante nos...*

Ils descendirent à la Maison du Bourgmestre, le meilleur hôtel de la ville. Danila surveilla le dételage des chevaux, puis il s'esquiva, disant qu'il souhaitait rendre visite à un vieil ami, chez qui sans doute il déjeunerait. Pavlina et Mitia, quant à eux, se restaurèrent d'une soupe de poisson accompagnée de kacha, puis s'en furent faire quelques emplettes. C'était là visiblement une habitude chez la comtesse : où qu'elle débarquât, fût-ce dans le hameau le plus isolé, le plus perdu, aussitôt elle s'en allait jeter un coup d'œil aux marchandises qui s'y pouvaient trouver.

A Novgorod, les boutiques étaient plus riches qu'à Liouban, et Pavlina conçut le projet de costumer son protégé. D'abord elle aperçut dans un magasin une petite robe en batiste, « absolument adorable », et se prit d'envie d'habiller Mitia en fillette, mais celui-ci poussa de tels hurlements (il n'avait pas d'autres moyens de défense dans son arsenal) que la comtesse dut renoncer à son projet. D'un commun accord, Mitia fut donc travesti en petit cosaque : on lui dénicha une *békechka* bleue, des bottes en maroquin et, pour parachever le tout, une magnifique *papakha*[1] en astrakan à la calotte rouge écarlate. Il se contempla dans un miroir et se plut beaucoup – un vrai chevalier zaporogue.

Dans l'ensemble, ils passèrent une journée très agréable. Le soir venu, ils s'installèrent dans la salle de l'hôtel réservée à la noblesse pour prendre un chocolat. Pavlina donna des ordres pour que le vieillard à barbe blanche prénommé Danila fût conduit tout droit à sa table dès qu'il serait de retour. Elle comptait le gratifier d'une généreuse récompense d'une centaine de roubles, le remercier très cordialement de sa bonne action et le renvoyer dans sa forêt. Elle avait à présent un cocher à son service, un homme de métier originaire de la ville qu'elle venait d'embaucher.

Pavlina était d'humeur gaie et placide. Elle expliqua à Mitia combien leur trajet jusqu'à Moscou serait désormais

---

1. La *békechka* est un manteau d'homme serré à la taille et plissé, la *papakha* le haut bonnet, rond et plat, élément obligé du costume des montagnards du Caucase. (*N.d.T.*)

plaisant et tranquille. Ils ne se déplaceraient plus seuls, Dieu merci, mais seulement en compagnie d'une bonne escorte. Et aucun Pikine n'oserait plus s'en prendre à eux.

Il semblait que la Maison du Bourgmestre se changeât le soir en une manière de salon ou de club, car dans la salle se trouvaient réunies un nombre assez considérable de personnes du beau monde, aristocrates de passage aussi bien que hobereaux de la région. On absorbait une collation, on prenait le thé et le café, on devisait, sans élever la voix, de sujets très décents. Mitia observait ce délicieux spectacle et pensait : ah ! si seulement chez nous, en Russie, toute la population était aussi bien élevée, alors les gens ne vivraient plus dans la crasse et l'ivrognerie, mais de manière civilisée, comme en Hollande ou en Suisse. Danila a raison, mille fois raison : il convient d'élargir par tous les moyens la fraction active.

Un homme entre deux âges, à la mine grave et posée, s'approcha. Il se présenta courtoisement :

— Conseiller de collège Sizov, je travaille au secrétariat de Son Excellence monsieur le gouverneur général. J'estime qu'il relève du devoir d'hospitalité de faire le tour des hôtels où descendent les voyageurs bien nés, pour demander à ces derniers s'ils n'ont point de réclamations à formuler.

Et Mitia s'en trouva également enchanté.

Pavlina déclara se nommer Petrova, noble dame moscovite, et remercia l'homme de sa sollicitude.

Le fonctionnaire caressa la joue de Mitia.

— Voilà un bien joli petit cosaque ! Comment t'appelles-tu ?

Son regard était attentif, insistant même. Le personnage, à l'évidence, était si sérieux qu'il ne savait se comporter autrement, même avec des enfants.

Mitia lui répondit en bredouillant :

— Mitioussa.

— Bien, bien.

Le conseiller de collège s'éloigna vers la table voisine où était installée une riche propriétaire terrienne venant de

Moscou, accompagnée de son fils et de sa fille. Il échangea également quelques mots avec elle, sans non plus oublier les enfants. Ensuite il montra les cornes à un petit Allemand aux joues rouges, qui, avec son précepteur, se rendait à Tver où son *Vater* travaillait aux services des accises. Et alors seulement, une fois accompli son devoir d'hospitalité, il s'assit près du feu pour boire une bière.

Mais bientôt dans la salle entra un autre monsieur, vêtu d'une redingote en camelot marron, chaussé de bottes de maroquin montant jusqu'au genou, et aux cheveux soigneusement poudrés. Il s'attarda un instant près du seuil, toussota puis se dirigea droit vers la cheminée près de laquelle étaient assis Mitia et Mme Khavronskaïa.

Regardant en face le nouvel arrivant, Mitia étouffa un cri. Ce regard sous les sourcils noirs, ces pattes-d'oie sceptiques au coin des yeux, ce haut et large front... il était impossible de ne pas les reconnaître.

Danila ! Mais tellement métamorphosé !

Sans sa barbe, le visage à nu – un visage émacié, aux lèvres minces et aux joues creusées de quelques rides profondes –, il ne ressemblait plus du tout à un vieillard. Plutôt à un homme mûr qui n'avait pas franchi depuis si longtemps le seuil de la fleur de l'âge. Le médecin des bois avait coupé ses longs cheveux juste au-dessous de l'oreille, les avait bouclés sur le dessus et noués sur la nuque en une courte tresse, si bien qu'à présent leur blancheur passait pour celle d'un banale couche de poudre.

Fondorine adressa un clin d'œil un peu embarrassé à Mitia, puis salua la comtesse. Celle-ci plissa le front, comme si elle peinait à se rappeler le nom de quelque trop ancienne connaissance.

— Puisque j'étais en ville... (Danila hésita et rougit légèrement.) Bref, j'ai décidé d'adopter une allure de citadin, ce pour quoi j'ai reçu l'aide d'un ami et correspondant de longue date, qui exerce ici la charge de juge. Ainsi, tenez, je lui ai emprunté sa garde-robe.

Alors seulement, à sa voix, Pavlina le reconnut.

— Ah ! s'exclama-t-elle. Ainsi vous n'êtes point un villageois ? J'aurais dû le deviner à votre discours. Mais qui êtes-vous donc alors ? Quelle est votre condition ?

— Je m'appelle Danila Larionovitch Fondorine, gentilhomme russe. Prêt à servir Sa Très Haute Excellence.

Mme Khavronskaïa répondit par une cérémonieuse inclination de la tête. Ses yeux gris observaient avec intérêt l'homme étonnamment transformé qui se tenait devant elle.

— Comment ? Von Dorn ? Ne seriez-vous pas un parent du lieutenant général Andron Lvovitch von Dorn, gouverneur de Iaroslav ? Mais je vous en prie, prenez place.

— En effet, c'est mon cousin, fils de mon oncle paternel.

Danila s'assit sur le bord de la chaise, un coude élégamment posé sur la table. De son embarras initial, si seulement Mithridate ne l'avait pas rêvé, il ne restait plus trace. L'ancien secrétaire particulier de l'impératrice montrait une parfaite assurance et s'exprimait avec autant de facilité que de naturel, tel un véritable habitué des salons.

— Andron est déjà lieutenant général ? Il s'est élevé bien haut. Il y a deux ans, quand j'ai quitté Moscou, il venait de quitter l'armée où il était colonel pour embrasser la carrière civile avec le grade de conseiller d'Etat. Cela dit, je ne suis nullement étonné. Cette branche de la famille est plus dégourdie que la nôtre. Nous ne nous fréquentons plus depuis longtemps, eux et nous ; depuis près de trente ans, j'en ai peur. Ce sont eux, madame, qui s'appellent von Dorn, pour ma part je suis un Fondorine, comme signait notre aïeul Nikita Korneïevitch. Durant le court règne de Pierre III, comme les Allemands et notamment les sujets du Holstein jouissaient des faveurs de la cour, oncle Lev demanda très humblement et obtint la permission de se nommer von Dorn, comme nos ancêtres. Sous le règne de Catherine, cependant, quand la mode fut aux Russes de souche, mon oncle voulut redevenir Fondorine, mais la permission cette fois-ci lui en fut refusée.

Danila esquissa un léger sourire ironique, et Mitia en conclut que sans doute certain premier secrétaire de la chambre n'avait pas été étranger à ce refus.

— Il reçut l'ordre de rester à jamais un von Dorn, ainsi que toute sa descendance. Quant aux innombrables bâtards de mon oncle, nés de filles serves, ils se passent de « von », et sont recensés simplement comme « Dorn ».

La comtesse éclata de rire : l'anecdote l'avait amusée.

— Installez-vous plus confortablement, Danila Larionovitch. Etendez vos jambes vers le feu. Ne voulez-vous prendre un chocolat ou un grog ? Mitia et moi vous sommes tellement redevables ! Vraiment, j'ai l'impression de vous connaître depuis des années. On voit tout de suite que vous êtes un homme d'expérience, qui en a beaucoup vu. Parlez-nous de vous. L'un des plus grands plaisirs de la vie, c'est bien d'écouter au coin du feu, par une soirée d'hiver, un conteur habile et plein d'esprit.

— C'est vraiment là ce que vous pensez ? (Danila sourit plus aimablement encore.) C'est un bien étrange jugement de la part d'une jeune et charmante personne. D'ordinaire, quand on a votre âge et votre beauté, on préfère d'autres divertissements.

La comtesse ne chercha pas à dissimuler qu'elle appréciait le compliment.

— Il faut donc en conclure que je suis différente des autres, dit-elle en portant à sa délicate narine une pincée d'un tabac odorant puisé dans une petite tabatière en or. Voulez-vous vous purifier le nez, vous aussi ?

— Je vous remercie de votre proposition, mais je ne consomme ni alcool ni tabac. J'ai résolu de m'affranchir des habitudes qui affaiblissent la volonté ou bien conduisent à s'amollir. Cela dit, se reprit Fondorine, je ne me suis imposé ces privations que sur le tard. Quand on est jeune, une tempérance excessive est néfaste, car elle peut mener l'âme à se dessécher.

Pavlina sourit et éternua très mélodieusement dans un mouchoir de soie.

— Je vous souhaite la meilleure santé du monde, Pavlina Anikitichna.

Essuyant une larme, elle hocha la tête.

— Je vous remercie, cher ami. Mais racontez-nous donc comment l'idée vous est venue de vous faire habitant des bois ? J'avoue que j'ai moi-même plus d'une fois eu le désir de fuir la vanité du monde et de me réfugier dans une forêt vierge, où j'eusse mené une vie simple et sans faux-semblants.

— C'est que vous avez trop lu M. Bernardin de Saint-Pierre, soupira Danila. Ce genre de lecture est fort dangereux, il m'a privé d'un frère, un jeune homme sensible doué d'une très belle âme. Il s'est embarqué pour le Nouveau Monde en quête d'un paradis de simplicité naturelle, et l'on n'a plus jamais eu de ses nouvelles. Non, comtesse, c'est pour une autre raison que je suis devenu ermite.

Il se tut un instant, fixant son interlocutrice d'un regard scrutateur, comme s'il hésitait à poursuivre, mais il dut lire malgré tout dans ses yeux quelque chose qui le disposa à la confidence.

— Si vous le souhaitez, je puis vous raconter mon histoire, mais je dois vous avertir qu'elle est fort triste.

— Je le souhaite du fond du cœur ! s'exclama Pavlina, les mains pressées sur sa poitrine. Cela m'intéresse beaucoup ! Et quant à la tristesse de la vie, personne, je crois, ne saurait mieux vous comprendre que moi.

Ce dialogue à tous points de vue raffiné plongeait Mitia dans une douce extase. Une conversation véritablement distinguée est semblable à un menuet exécuté par de bons danseurs. Chacun connaît son rôle sur le bout des doigts, et combien d'élégance dans chaque note, dans chaque geste !

Il s'installa plus confortablement pour écouter la suite. Pavlina avait croisé les mains de manière charmante sous l'ovale de son menton. Fondorine fixait les flammes du foyer et, tout le temps que dura son récit, pas une fois ne détourna les yeux des langues rouges de phlogistique qui s'échappaient en crépitant des bûches de bouleau.

— Je ne vous conterai pas en détail les débuts de mon existence, car ils n'ont pas de lien direct avec les événements qui m'ont contraint à rechercher la solitude des

322

forêts. Je dirai seulement que je passai cette première période de ma vie à errer à tâtons, comme la majorité de mes semblables, ne choisissant guère mon chemin, mais suivant plutôt celui qui se trouvait le plus près. Par moments, ces sentiers de hasard me conduisaient sur des hauteurs, d'autres fois ils me forçaient à descendre au bas de gorges profondes, mais ma route était sans cesse enveloppée de brouillard, et j'avais beau m'évertuer, je ne parvenais à distinguer qu'une infime partie du paysage qui m'entourait. J'eusse erré ainsi jusqu'à mon trépas, tel un enfant sans raison, si un beau jour, sans que je l'eusse en rien mérité, par le seul jeu d'une heureuse fortune, je n'eusse enfin trouvé ma voie.

— Comment cela ? demanda Pavlina avec une vive curiosité. Je comprends bien, vous parlez dans un sens allégorique, mais tout de même comment avez-vous deviné que c'était là précisément votre voie ? Y avait-il donc un écriteau planté dessus, indiquant : « Pour Danila Fondorine » ?

— Non, il n'y avait pas d'écriteau, mais quand on trouve sa voie, il est impossible de se tromper.

— Pourquoi ?

— Parce que le brouillard qui jusqu'alors vous bouchait la vue se dissipe dans l'instant. Et l'on découvre alors les forêts alentour, les montagnes, les mers, l'on découvre l'immensité du ciel et, surtout, l'on voit le chemin qui se déroule devant soi, tout comme le but où mène ce chemin.

— Quel était-il donc, ce but ?

La comtesse était si impatiente d'entendre la réponse à sa question qu'elle se penchait de tout son buste en avant.

— Il m'est apparu sous la forme d'une ville lointaine défendue par de hauts remparts et couronnée du scintillement d'une multitude d'aiguilles rose et or. Un autre, différemment constitué, eût reconnu sans doute un autre but, situé – pourquoi pas ? – non point sur terre mais au ciel. Mais pour ma part, j'ai tout de suite compris que c'était là-bas qu'il me fallait aller, loin devant, vers ces murs crénelés, parce qu'au-delà de ces murs je trouverais la cité de la Raison, de la Dignité et de la Beauté.

— Et que s'est-il passé ensuite ?

— Il s'est passé, chère Pavlina Anikitichna, que j'ai en effet suivi ce chemin. Et qu'au bout d'un certain temps, après avoir traversé bien des pays et des années, j'ai découvert que je n'étais nullement seul sur cette route. Je me suis trouvé entouré de compagnons de voyage, peu nombreux certes, mais fort plaisants. Nous nous sommes unis dans une sorte de société philanthropique, dont les membres portaient un jugement trop modeste sur leurs propres perfections pour vouloir à toute force entreprendre de réorganiser la communauté des hommes, et s'attachaient donc surtout à progresser dans la connaissance de Dieu, de la Nature ou bien d'eux-mêmes, car tous ces mystères n'en sont qu'un seul.

— Je ne comprends pas bien... (Pavlina fronça les sourcils.) Vous ne parlez pas de manière très claire.

Ah ! mais qu'y a-t-il là à comprendre ! s'agaça Mitia. Vraiment, elle ne fait qu'empêcher d'écouter ! Gémissant d'impatience, il secoua la tête si fort que son magnifique bonnet zaporogue s'envola et roula sur le sol : il dut aller le ramasser.

Danila, cependant, ne semblait nullement irrité, et au contraire opina du chef comme si l'intervention de Mme Khavronskaïa eût été parfaitement naturelle.

— Ne savez-vous donc pas, chère comtesse, que tous les grands mystères et tous les grands événements ont lieu non point en dehors, mais à l'intérieur de nous ? Tout ce qui se passe autour de nous n'est que questionnement qui nous est adressé, et nos actes sont les réponses qui soit nous rapprochent du mystère dissimulé en nous-mêmes, soit nous en éloignent. Et nous, frères de la Rose-Croix d'Or, voulions au début comprendre notre propre structure intime, et ensuite seulement, si cette structure se révélait appropriée (et seulement dans ce cas), appeler à nous suivre tous les autres qui eussent souhaité nous accompagner vers la Cité Merveilleuse. Cependant, bien sûr, toutes ces recherches n'occupaient qu'une partie de ma vie, et quand même c'était la plus importante et la plus noble, elle n'empiétait en rien sur mes autres activités ordinaires. De mes voyages, je ramenai une épouse, m'installai avec elle à Moscou et entamai une vie d'heureux chef de famille.

— Ainsi, vous êtes marié ? (Pavlina sourit, comme s'il s'agissait là pour elle d'une agréable surprise.) Et comment s'appelle votre femme ?

— Elle s'appelait Julia, répondit Fondorine d'une voix neutre, le regard toujours rivé sur les flammes de l'âtre. C'était une belle enfant du pays du soleil, pleine de vie et d'amour, et j'ai causé sa perte. Ce fut là le premier des crimes que j'ai commis, pour lesquels chaque jour ma conscience me tourmente.

— Elle est morte ? (La comtesse couvrit sa bouche de ses jolis doigts, tandis que ses cils battaient telles des ailes de papillon, peinant à retenir les larmes qui déjà mouillaient ses grands yeux écarquillés.) Je ne puis croire que vous en ayez été la cause !

— Elle n'a pas supporté la rudesse de notre climat. Or qui l'avait amenée ici, et qui plus est à la veille de l'hiver ? Moi. J'étais impatient de retrouver mes compagnons, d'appliquer à notre grand œuvre les connaissances glanées au cours de mes pérégrinations, aussi ai-je traîné jusqu'ici cette fillette docile, alors qu'elle se préparait à être mère, ici, dans ce pays froid et pour elle étranger. Julia espérait tellement le retour du printemps, de la chaleur, du soleil... et elle est morte par une nuit de neige, en février, le mois le plus sombre de l'année...

Cette fois, les larmes roulèrent pour de bon sur les joues de Pavlina Anikitichna, en abondance, et sans que rien les retînt. Fondorine, de son côté, se tut un instant, puis s'éclaircit la gorge et poursuivit son récit.

— Elle est morte en couches, dans mes bras. Je fusse sans doute devenu fou de chagrin, ou bien j'eusse recouru au dernier remède contre la douleur quand elle est intolérable, je veux dire le suicide, si je ne m'étais trouvé en devoir de sauver l'enfant. Mon fils était venu au monde très faible et chétif. Etant moi-même médecin, je ne nourrissais guère d'illusions sur ses chances de survie, et cependant je luttai pour l'arracher à la mort, avec toute la fureur du désespoir, et, grâce à la Raison, je parvins à accomplir l'impossible. L'enfant survécut. Vous pouvez aisément imaginer quel père inquiet et protecteur je devins après cela pour mon fils. Il était malingre et souffreteux, et c'est pourquoi je le baptisai Samson, pour que le nom du héros biblique lui donnât force et santé. Dès lors, nous vécûmes ensemble, tous les deux, et mon existence se trouva doublement remplie, par le but supérieur dont j'avais entrevu la lumière au sein de la Rose-Croix d'Or, et par un bonheur quotidien sans lequel la vie est sèche et impossible. Et puis, il y a deux ans, éclatèrent à Moscou les fameux Evénements. A dire vrai, ce n'est pas à Moscou qu'ils survinrent en premier, mais à Paris, où la foule décapita le dernier Bourbon, mais très vite la vague de terreur et de folie qui submergea alors l'Europe atteignit notre empire, situé pourtant aux confins. Il n'est point de levier plus commode que la peur pour agir sur les puissants de ce monde. Chacun sait que notre souveraine, qui n'a obtenu la couronne qu'au prix d'un meurtre, a toujours vécu et vit encore dans la crainte atroce qu'on n'attente à sa vie.

Danila avait prononcé ces paroles séditieuses sans nullement baisser la voix. Pavlina et Mitia, sans se concerter, jetèrent un rapide coup d'œil autour d'eux, mais leurs voisins, Dieu merci, absorbés dans leurs propres conversations, ne semblaient pas prêter l'oreille au discours de Fondorine. Seul le conseiller de collège qui les avait abordés un peu plus tôt (un certain Sizov, si Mitia se rappelait bien) regardait constamment de leur côté, mais il semblait plus occupé par Mitia que par l'auteur desdits propos. Au reste, il était assis assez loin et ne pouvait rien entendre. Mais pourquoi alors, se demandait-on, les regardait-il si fixement ?

— Il y avait auprès de Catherine un méchant homme, du nom de Maslov, poursuivait Fondorine comme si de rien n'était – et Mitia à l'évocation de ce nom familier

326

oublia aussitôt l'autochtone et ses mauvaises manières. Il appartenait à cet ingénieux ministère dont le gagne-pain est de réprimer les complots contre l'Etat et qui, de ce fait, ne peut subsister en l'absence de comploteurs. Or comme il ne s'en trouve qu'assez rarement, cette administration se voit souvent contrainte d'en inventer elle-même et, si possible, des plus effrayants. Plus le pouvoir a peur, plus les Maslov sont à leur aise. Comment résister dès lors à ce cadeau tombé du ciel : la Révolution française. Maslov s'employa à dénicher des jacobins parmi les francs-maçons de Saint-Pétersbourg. Or l'on sait bien pourquoi nos aristocrates entrent dans cette confrérie : c'est pour eux l'occasion de dîner hors de la présence des dames et de nouer des relations utiles. Des révolutionnaires fréquentant les abords du trône ? Allons donc, c'est risible ! Apeurées, toutes les loges s'empressèrent de se dissoudre d'elles-mêmes le plus loyalement du monde. Maslov eut alors l'idée de tourner les yeux vers la seconde capitale. Or il avait là un homme tout dévoué à sa cause, en la personne du commandant en chef de la garnison de Moscou, le prince Ozorovski. Trop heureux de montrer son zèle, celui-ci rédigea un rapport dénonçant l'existence dans la ville d'une société secrète. Celle-ci imprimait toutes sortes de livres, distribuait du pain aux affamés, dispensait des soins gratuitement – mais dans quel but ? L'affaire était claire : pour préparer un soulèvement. Le nom même de cette société était mystérieux : les Frères de la Rose-Croix d'Or. Qu'est-ce que cela voulait dire ?

— En effet, comment faut-il entendre ce nom ? demanda Pavlina.

— Notre chef se rangeait parmi les chevaliers de la Rose-Croix, qui révèrent la Rose et la Croix d'Or. Pour ma part, j'interprétais ce nom de manière plus personnelle, au souvenir de la merveilleuse vision qui m'était apparue, d'une cité rose et or. Cependant, ce n'est pas une ville qui ressortit de tout cela, mais bien une croix, car c'est justement sur cet engin de torture que le conseiller privé Maslov et le prince Ozorovski immolèrent mes frères spirituels. Ils montèrent de toutes pièces une affaire judiciaire, or mes camarades étaient des gens sans ruse, très confiants, il n'était pas dans leurs mœurs de cacher les livres interdits, pas plus que de dissimuler leurs idées, en un mot ces imbéciles n'attendaient plus que d'être arrêtés. Et on les arrêta. Les uns furent déportés en Sibérie, les autres enfermés en forteresse, certains devinrent fous, d'autres moururent : c'étaient tous, voyez-vous, des âmes délicates et sensibles. Pour ma part, je fus plus heureux... Une personne haut placée intercéda en ma faveur. Je ne fus maintenu qu'un mois aux arrêts et fus relâché sans qu'aucune charge ait été retenue contre moi.

C'est l'impératrice en personne qui est intervenue pour lui, devina Mitia, elle n'avait pas oublié son secrétaire particulier. Et il apprécia beaucoup que Danila ne se vantât pas devant la comtesse de sa position passée, qu'il passât le fait sous silence comme s'il s'agissait d'un détail négligeable.

— Ainsi tout se terminait bien, n'est-ce pas ? s'écria Pavlina avec soulagement.

— Non.

Fondorine se pencha pour repousser une bûche avec le tisonnier. Son visage était impassible. Des reflets rouges dansaient sur ses joues creusées de rides.

— Au sortir de ma prison, je suis rentré chez moi alors qu'on ne m'y attendait plus. Mes domestiques n'espéraient plus revoir jamais leur seigneur. D'après la rumeur, j'avais écopé au moins du bagne à perpétuité. Ils avaient pris goût à vivre sans maître. En témoignaient leurs trognes rassasiées, leurs lèvres grasses. Ils avaient bu tous les vins de Hongrie et du Rhin que renfermait ma cave, et vendu meubles et tableaux. Pourquoi se gêner, s'étaient-ils dit, autrement tout ira au Trésor, de toute façon. Quand ils me virent, ils se mirent à trembler. Ils se jetèrent à mes pieds, pleurant, réclamant pardon. « Ce n'est rien, leur dis-je. Par la Raison, je me moque bien des meubles, j'en achèterai de nouveaux. » Et eux de sangloter de plus belle : « Seigneur, pardonne-nous aussi de n'avoir pas su veiller sur ton fils, la chair de ta chair. » A ce moment, je l'avoue, ma vue s'obscurcit. Je crois avoir poussé un hurlement, et même avoir perdu un instant connaissance, ce qui ne m'était jamais arrivé de ma vie. Je mis longtemps à obtenir la vérité de mes serviteurs... Et voici finalement ce que j'appris. (Danila à nouveau se racla la gorge.) Il faut préciser qu'on était venu m'arrêter en fanfare, comme si j'eusse été un nouveau Pougatchov, ou Robespierre en personne. Un détachement entier de soldats s'était présenté, en armes et à cheval. Vous imaginez facilement le tintamarre et les cris. Or mon Samson était un enfant au cœur très sensible. Si d'aventure il voyait un ours enchaîné à la foire, il passait ensuite une semaine agité et inquiet, tant il plaignait l'animal. Or là il ne s'agissait pas d'un ours, c'était son propre père auquel on mettait les fers et qu'on traînait dans la rue... Bref, mon petit Samson s'est trouvé terrassé par une fièvre nerveuse. Je pense que personne ne s'occupa vraiment de lui donner des soins, mes gens étaient trop accaparés par la vie de liberté qui s'offrait à eux pour s'embarrasser d'un enfant malade. Et pourtant ils jouissaient tous chez moi d'un traitement des plus enviables. (Fondorine secoua la tête, comme s'il s'étonnait lui-même de cette bizarrerie.) Je les vouvoyais, ne leur faisais jamais donner le fouet, quand même parfois ils l'eussent bien mérité. Je m'entretenais avec eux, dans l'espoir de les éduquer assez pour qu'ils devinssent des citoyens. Aujourd'hui, je pense que des esclaves ne sauraient donner des citoyens en un délai si court. Mais cela est un autre sujet, et ne concerne pas mon histoire... Mon fils, paraît-il, délirait sans cesse, il n'avait qu'une idée en tête, celle de retrouver son papa. Un jour, mes domestiques ont jeté un coup d'œil dans sa chambre : le lit était vide, la fenêtre grande ouverte. Il s'était glissé dehors, tel qu'il était, en chemise, et était parti on ne savait où. Or on était en plein hiver. On m'a affirmé qu'on l'avait cherché, mais peut-être m'a-t-on menti. Il tombait cette nuit-là de la pluie mêlée de neige. Je crains qu'on n'ait guère eu envie de sortir dans le froid.

Il demeura un long moment silencieux, tambourinant des doigts sur la table. Pavlina sanglotait, le mouchoir à la main. Mitia s'efforçait de tenir bon, il ravalait ses larmes, et en ressentait comme un goût salé sur le palais.

— Ensuite, qu'ai-je fait ?... Je me suis lancé dans des recherches. J'ai promis une récompense, j'ai remué, comme on dit, ciel et terre. Seulement personne n'avait vu d'enfant de sept ans, maigre, visage pâlot, cheveux bruns. Mon petit garçon avait disparu sans laisser de traces. La raison me disait qu'il n'avait pu survivre, malade comme il l'était et si peu vêtu. J'imaginais toutes sortes de choses, et ces visions étaient toutes plus atroces l'une que l'autre. Il était mort de froid dans un lieu ignoré, ou bien s'était noyé sous la glace ou, pire encore, était tombé dans les griffes de quelque monstre amateur de plaisirs interdits.

Les doigts qui battaient le tambour sur la nappe soudain se serrèrent en un poing qui frappa la table avec tant de violence que les tasses se renversèrent. Toute la salle se retourna, et la comtesse héla un serveur pour qu'il vînt réparer les dégâts.

Danila attendit que tout fût calmé, puis reprit son histoire.

— Et la vue de mes contemporains m'est devenue intolérable. J'ai affranchi mes gens et, vouant ma demeure moscovite à l'abandon, je suis parti m'installer dans la forêt. Il m'a semblé que je m'y trouverais bien, au milieu de la végétation, des bêtes sauvages, des oiseaux. Si les animaux s'entre-dévorent, au moins ils ne se tourmentent pas l'un l'autre. Seulement je ne suis pas resté longtemps à robinsonner. Même au fond de mon ermitage, les hommes ne me laissèrent pas en repos. Je me retrouvai à soigner ces odieuses créatures, à préparer des décoctions pour les femmes grosses, à frotter les mollets des gamins mordus par des vipères... Et plus le temps passait, plus ça empirait. Au printemps dernier s'est présenté chez moi Mgr Amvrossi, grand vicaire de Novgorod. Il avait eu vent par la rumeur de la présence d'un vieillard retiré dans la forêt, que les paysans révéraient, et était venu vérifier si je n'étais pas un hérétique schismatique, ou si je n'usais pas de sorcellerie pour soigner les gens. J'ai eu plusieurs conversations avec

lui, je l'ai guéri de ses hémorroïdes au moyen de supposi-
toires à l'extrait de lycopode, et il s'est pris d'une telle
affection pour moi que ses visites sont devenues une habitude. Mieux encore, il s'est mis à répandre partout que
j'étais un saint homme et même un juste béni du Seigneur.
Je suis devenu l'objet de mille rumeurs toutes plus fantas-
tiques les unes que les autres. Entre autres fables, on
racontait ainsi que les ours venaient me trouver pour réclamer ma bénédiction, comme à saint Serge de Radonège.
Ces derniers temps, je commençais à caresser l'idée de
quitter mon ermitage pour chercher un lieu plus retiré
encore. Et puis, la Raison vous a envoyée à moi...

— Ainsi vous ne comptez pas retourner en arrière ?
demanda la comtesse.

— A l'heure présente, je pense n'avoir plus où aller.
J'avais fabriqué là-bas certaine bougie aux propriétés
particulières. Dmitri l'a vue, il sait ce dont je parle. Ce
matin, en partant, je l'ai laissée allumée. Je pensais avoir le
temps de l'éteindre si jamais je revenais. Mais non, que
tout soit donc emporté par les flammes ! Les villageois
diront plus tard : Danila l'homme de Dieu est monté au
ciel dans un char de feu, tel Elie le prophète. Qui sait
même si je ne serai pas canonisé ?

Pavlina, qui reniflait encore, esquissa un sourire, tandis
que Mitia réfléchissait : en vérité, se disait-il, voilà bien un
excellent conteur. Son récit terminé, il détourne la conversation de ce qui l'assombrissait, et se prend même à plaisanter, à seule fin de dissiper toute tristesse dans le cœur
de ses auditeurs.

— Mais pourquoi Votre Très Haute Excellence a-t-elle
ainsi les yeux rouges et la respiration gênée ? s'enquit Fondorine en se tournant vers Pavlina pour la regarder attentivement en face.

— Votre histoire m'a émue aux larmes.

— Non, c'est autre chose. Vous permettez ? (Il porta
avec précaution la main au visage de la jeune femme et
souleva sa paupière.) C'est bien cela. Vous avez pris froid,
chère madame. Il faut étouffer la maladie dans l'œuf,

autrement vous risquez bien plus grave. Est-ce là ce que vous souhaitez ?

— J'ai en effet la gorge un peu douloureuse, reconnut Pavlina. Mais que faire ? Il faut bien reprendre la route.

— Vous la reprendrez, et dans de parfaites conditions, n'ayez crainte. Mais d'abord je vous aurai administré un élixir de ma composition. J'ai justement pris chez mon ami les ingrédients nécessaires. Je me doutais bien qu'ils nous seraient utiles en route.

Il tira de sa poche deux petits flacons, une enveloppe et une poignée d'herbes sèches, puis fit signe au serveur :

— Eh ! apporte-nous donc un verre de votre meilleure eau-de-vie ainsi qu'un citron.

En moins d'une minute, la préparation médicinale se trouva élaborée. Fondorine donna l'ordre à la comtesse d'en boire la moitié sur-le-champ, puis il mêla le reste à de l'eau très chaude.

— C'est à prendre en gargarisme. Allons au lavabo, je vais vous montrer comment faire. Et vous verrez, votre inflammation ne sera bientôt plus qu'un mauvais souvenir.

— Reste ici, mon chou, nous revenons tout de suite, dit Pavlina.

Et Mitia resta bientôt seul à la table.

Danila, par conséquent, avait perdu son fils adoré deux années plus tôt, et Samson avait alors sept ans, comme Mitia à présent. N'était-il pas douloureux pour ce père éprouvé de voir devant lui un enfant du même âge ?

Et il se mit à rêver qu'il retrouvait Samson, lequel, s'il était bien sain et sauf, se révélait avoir perdu la mémoire à la suite de sa maladie. Il vivait chez de bonnes gens, à l'abri du besoin. Mais quand Mitia le conduisait à son père, tout lui revenait bien sûr à l'esprit. Quel bonheur c'était, quelle joie ! Et Danila, de triste qu'il était, se faisait tout joyeux, et, s'adressant à Mitia, disait...

— Mon petit ami, je te regarde et tu me plais terriblement... murmura soudain une voix insinuante tout contre son oreille.

332

Mitia se retourna et vit campé près de lui le fonctionnaire qui tantôt l'observait avec tant d'insistance depuis son coin.

— Tu es si joli, mon enfant, que j'ai envie de te faire un cadeau, reprit ce même Sizov, qui souriait certes, mais dont les yeux restaient sévères et attentifs. Sortons dans la cour. J'ai là-bas un plein sac de pains d'épice. Et aussi des pommes en bocaux.

— Ze veux pas de pommes, répondit Mitia à l'importun.

Mais celui-ci le prit alors dans ses bras et le serra contre lui.

— Allons-y, mon enfant. Je te montrerai aussi mon cheval. Il a de longs poils, tu verras, et des grelots d'argent. Enfile ta *békechka*. C'est une merveille que cette *békechka* ! Et quel joli bonnet !

Il lui ôta sa *papakha*, lui caressa la tête puis le recoiffa.

Mais il était assommant à la fin !

Mitia commença à se débattre entre les mains vigoureuses du conseiller de collège, il cria :

— Laissez-moi ! Ze veux pas de pommes ! Et ze veux pas non plus de seval !

Peut-être quelqu'un interviendrait-il ?

La dame assise à la table voisine dit à ses enfants :

— Voyez quel braillard est ce garçon. Il s'obstine, il ne veut rien entendre.

Sizov entraîna vivement Mitia vers la porte en dépit de sa résistance.

Non, cette fois c'en était trop !

— Maman Passia ! hurla-t-il, désespéré. Danila-a-a !

Le couloir, plongé dans l'obscurité, était désert.

— Tais-toi donc, espèce de petit démon ! chuchota le fonctionnaire, qui soudain le saisit à la gorge, de sorte que son cri se changea dans l'instant en un râle. Si tu continues, je t'écrase la carotide !

« Vous êtes devenu fou, ou quoi ? » voulut demander Mitia, sans plus zézayer, mais de ses lèvres ne s'échappa qu'un vilain sifflement.

Sizov avait déjà tiré un mouchoir de sa poche qu'il lui fourra dans la bouche, profitant qu'elle était grande ouverte, après quoi il arracha la cravate de son cou et la noua par-dessus le bâillon. Alors seulement, il relâcha la gorge du garçon, qui, la bouche ainsi pleine, ne risquait plus guère de parler.

De nouveau il le souleva dans ses bras et, traversant un vestibule glacé, sortit dehors en courant.

Là non plus, il n'y avait personne. Le vent de neige balayait la rue enténébrée. Seule brillait dans la nuit une lanterne blafarde.

— Pressons, pressons, marmonnait le fou en détachant la longe d'un cheval alezan, lequel n'avait nullement le poil long, pas plus qu'il ne portait de grelots.

Le cheval était attelé à une voiture à une place, pareille à un grand panier couché sur le côté.

— Silence ! rugit le conseiller de collège alors que Mitia grognait et gigotait entre ses bras. Assez, ou je t'assomme !

Il rabattit le siège sous lequel se révéla un coffre vide. Il y fourra son fardeau la tête la première, referma le couvercle et, à en juger par le grincement qui se fit entendre, s'assit par-dessus.

Mithridate essaya de se retourner. Impossible ! La place manquait, pas moyen de remuer. Il s'arc-bouta, le dos contre le siège... celui-ci ne bougea pas d'un quart de pouce.

Seigneur Dieu, qu'était-il en train de se passer ?

— Allez, hue !

Le traîneau s'ébranla, mais n'alla pas bien loin cependant.

Il y eut un bruit de pas précipités. Le cheval poussa un hennissement et s'immobilisa, comme si quelqu'un l'avait attrapé par la bride.

— Que voulez-vous ? lança Sizov. Lâchez ces rênes !

— Monsieur, où est l'enfant ?

C'était la voix de Fondorine !

Mitia se mit à pousser des gémissements et à cogner les parois de la maudite boîte. Je suis ici ! Danila Larionovitch, mon ami, je suis ici !

— Quel enfant ? Je suis pressé. Ecartez-vous !

— Le petit cosaque de mon amie. On m'a dit que vous l'aviez porté hors de la salle.

— Ah ! ce chenapan-là ? Vraiment, je ne saurais vous répondre. Je lui ai donné un bout de sucre candi et il a déguerpi je ne sais où. Adieu, monsieur ! Je n'ai pas le temps.

— Il a déguerpi, dites-vous ? Mais quel est alors ce bruit provenant de sous votre siège ?

Hourra ! il avait entendu ! Mitia, dans son coffre, se tortilla de plus belle.

— Ce sont des chiots, de futurs chiens d'arrêt, que j'ai mis là pour les protéger du froid. Cela dit, ce n'est pas votre affaire. Vous m'importunez à la fin. La belle affaire qu'un petit cosaque perdu !

A cela, Danila ne répondit rien, mais le fonctionnaire éleva la voix d'un ton menaçant :

— Lâche mon bras, malotru ! Je suis un personnage réputé à Novgorod ! Le conseiller de collège Sizov ! J'ai sous mes ordres le maître de police ! Un mot de moi, et tu passeras la nuit au cachot ! Allons !

— Ma compagne est très attachée à son petit cosaque, déclara Fondorine comme pour se justifier. Que lui dirai-je ?

L'homme se fit moins agressif, jugeant sans doute la discussion terminée.

— Vous lui direz de quitter notre ville, et sans attendre.

— De quitter la ville ? répéta Danila d'un ton dubitatif. Cependant, ce petit cosaque est sa propriété. Il vaut de l'argent, et puis elle a dépensé une belle somme pour l'équiper. Entre la *békechka*, la *papakha* en astrakan, les bottes fourrées...

Sizov lui coupa la parole, autoritaire, impatient :

— Transmettez de ma part à votre amie qu'elle oublie et son cosaque et sa *békechka*. Toute tentative pour chercher à être indemnisée de ses pertes ne pourrait que se retourner contre elle.

Achevé d'imprimer sur les presses de

BUSSIÈRE

GROUPE CPI

à Saint-Amand-Montrond (Cher)
en septembre 2008

Composé par Nord Compo Multimédias
7, rue de Fives, 59650 Villeneuve-d'Ascq

N° d'édition : 06769. — N° d'impression : 082711/1.
Dépôt légal : septembre 2008.

Imprimé en France